J.-C. Gall

Sedimentationsräume und Lebensbereiche der Erdgeschichte

Eine Einführung in die Paläoökologie

Übersetzer
E. Schneider und H. Schneider

Mit 130 Abbildungen

Springer-Verlag Berlin Heidelberg New York 1983

Prof. Dr. JEAN-CLAUDE GALL
Université Louis Pasteur, Institut de Géologie, 1, rue Blessig,
F-67084 Strasbourg Cedex

Übersetzer
Prof. Dr. ERICH SCHNEIDER und Prof. Dr. HORST SCHNEIDER,
Fachrichtung Geologie, Universität Saarbrücken, D-6600 Saarbrücken

Titel der französischen Originalausgabe: Environnements sédimentaires anciens et milieux de vie. Introduction à la paléoécologie. Jean-Claude Gall

Einbandmotiv
Trockenrisse und Schrittfährten eines Reptils *(Chirotherium)* auf der Schichtunterseite einer Sandsteinbank. Das Tier hat die bereits eingetrocknete Wasserpfütze durchschritten, da die Schrittfährten die Trockenrisse überlagern. Nach einer Gesteinsplatte aus dem Buntsandstein von Hildburghausen (Thüringen), die sich in der Sammlung des Geologischen Instituts der Universität Straßburg befindet.

CIP-Kurztitelaufnahme der Deutschen Bibliothek
Gall, Jean-Claude:
Sedimentationsräume und Lebensbereiche der Erdgeschichte : e. Einf. in d. Paläoökologie / von Jean-Claude Gall. Ins Dt. übertr. von Erich Schneider u. Horst Schneider. - Berlin ; Heidelberg ; New York : Springer, 1982.
Einheitssacht.: Environnements sédimentaires anciens et milieux de vie < dt. >

ISBN 978-3-642-68771-6 ISBN 978-3-642-68770-9 (eBook)
DOI 10.1007/978-3-642-68770-9

2132/3130-543210

Vorwort

Eines der Hauptziele geologischer Forschung ist die Rekonstruktion der Landschaften, die im Laufe der langen Erdgeschichte das Aussehen der Erdoberfläche geprägt haben. Eine solche Zielsetzung umfaßt die Beschreibung der Lebewesen einschließlich ihrer Lebensweisen wie auch der physikalisch-chemischen Verhältnisse in ihrem Lebensraum. Innerhalb dieses Forschungsgebietes nimmt die Paläoökologie einen bevorzugten Platz ein. Als Umweltwissenschaft untersucht sie die Wechselbeziehungen, die zwischen fossilen Organismen und Sediment bestanden, wobei sie sich auf so verschiedenartige Nachbardisziplinen wie Paläontologie, Petrographie, Sedimentologie, Geochemie u.a. stützt ... In einer Zeit, in der sich die Grenzen zwischen den Wissenschaftsdisziplinen immer mehr verwischen, zeigt sich die Paläoökologie nicht so sehr als eine eigenständige Wissenschaft, sondern vielmehr als eine geistige Einstellung, als eine methodologische Art der Betrachtung.

Das vorliegende Buch verfolgt den Zweck, verschiedene Wege aufzuweisen, die der Geologe zur Gewinnung von Erkenntnissen über ehemalige Lebensräume beschreiten kann. Es will den Leser mit den Gedankengängen bekanntmachen, wie sie in der Paläoökologie üblich sind, und ihm frühere Landschaften, die sich häufig von den heutigen unterscheiden, vor Augen führen.

Der erste Teil des Buches enthält die Erkenntnisse, die aus Untersuchungen an Fossilien und Sedimenten über die ehemaligen Sedimentationsräume gewonnen wurden. Die Lebensweisen und Existenzbedingungen der Organismen werden näher behandelt. Sie ermöglichen es, die verschiedenen Lebensräume zu charakterisieren und die Entstehung von Fossillagerstätten verständlich zu machen.

Der zweite Teil ist der paläoökologischen Synthese gewidmet. Neun Rekonstruktionen von kontinentalen bzw. marinen Lebensbereichen werden vorgeführt. Mit Ausnahme des Vorkommens von Ediacara, das wegen seiner Bedeutung für die Entwicklung des Lebens beschrieben wird, liegen alle behandelten Fossillagerstätten in Europa.

Die französische Original-Ausgabe dieses Buches erschien 1976. Die vorliegende Ausgabe wurde revidiert und erweitert, insbesondere bei der Interpretation der Vorkommen von Holzmaden und Solnhofen. Die Übersetzung ins Deutsche besorgten meine Kollegen Erich Schneider und Horst Schneider von der Universität des Saarlandes in Saarbrücken. Ihnen möchte ich an dieser Stelle für die Sorgfalt, die sie bei ihrer Arbeit aufgewendet haben, herzlich danken, insbesondere auch für ihr Bemühen, dem Charakter des ursprünglichen Textes gerecht zu werden.

Diese Einführung in die Paläoökologie wendet sich an die Studierenden der Geologie und an alle, die sich für längst verschwundene Landschaften und ihre Bewohner interessieren. Wenn es mir gelingen sollte, mit dem deutschen Leser mein lebhaftes Interesse an ehemaligen Lebensräumen zu teilen, dann ist das Ziel, das ich mir bei der Abfassung dieses Buches gesetzt habe, voll erreicht.

Straßburg, Herbst 1982 JEAN-CLAUDE GALL

Inhalt

Erster Teil

Fossilien und Sediment als Informationsquellen

Kapitel 1 Lebensweise

Ernährung und Vermehrung von Pflanzen und Tieren sind eng verbunden mit dem Lebensraum. Innerhalb der Populationen begünstigt die Selektion jene Formen, die sich am besten den in ihrer Umgebung herrschenden physikalisch-chemischen und biologischen Bedingungen angepaßt haben. Art und Weise der Anpassung fossiler Organismen zu erkennen und ihren Sinn zu verstehen sind wichtige Voraussetzungen, um die Ökologie der verschwundenen Landschaften rekonstruieren zu können. Dies ist das Ziel der **Konstruktions-Morphologie**. Die Funktion der verschiedenen Organe kann in der Tat – wenn auch nicht vollständig – rekonstruiert werden nach der Gestaltung der Schalen, der Panzer und Skelette, die durch die Fossilisation erhalten geblieben sind.

Die Kenntnis der Baupläne und der Lebensweise der rezenten Lebewesen ist die Voraussetzung zur Deutung der fossilen Formen. Wie in vielen Bereichen der Geologie, so ist auch hier, bis zu einem gewissen Grade, die Gegenwart der Schlüssel, der uns die Vergangenheit zugänglich macht.

I. Beweglichkeit und Fortbewegung

Die Ernährung, der Schutz gegen Feinde und die Art und Weise der Vermehrung der Organismen sind bis zu einem gewissen Grade abhängig von der Fortbewegung. Die Art und Weise der Fortbewegung erlaubt es, eine einfache Klassifizierung der Lebewesen durchzuführen (Abb. 1).

1. Organismen im Wasser

a) Benthos

Das Benthos umfaßt Organismen, die am Grund von Gewässern leben. Es ist zu unterscheiden zwischen Formen auf der Sedimentoberfläche (= **Epibenthos**) und solchen Formen, die im Sediment selbst oder in dessen Hohlräumen leben (= **Endobenthos**).

α) Sessiles Benthos

Sessile Organismen sind fest mit dem Untergrund verbunden (= fixisessiles Benthos), wobei dieser Untergrund auch ein anderer Organismus sein kann (Epiphyten, Epizoen). Sie bewegen sich nicht fort und sind daher völlig von dem sie umgebenden Milieu abhängig. Auch vermitteln sie eine gute Vorstellung von dem Aussehen ihres Lebensraumes. Die Anpassung an die sessile Lebensweise ist vielfältig.

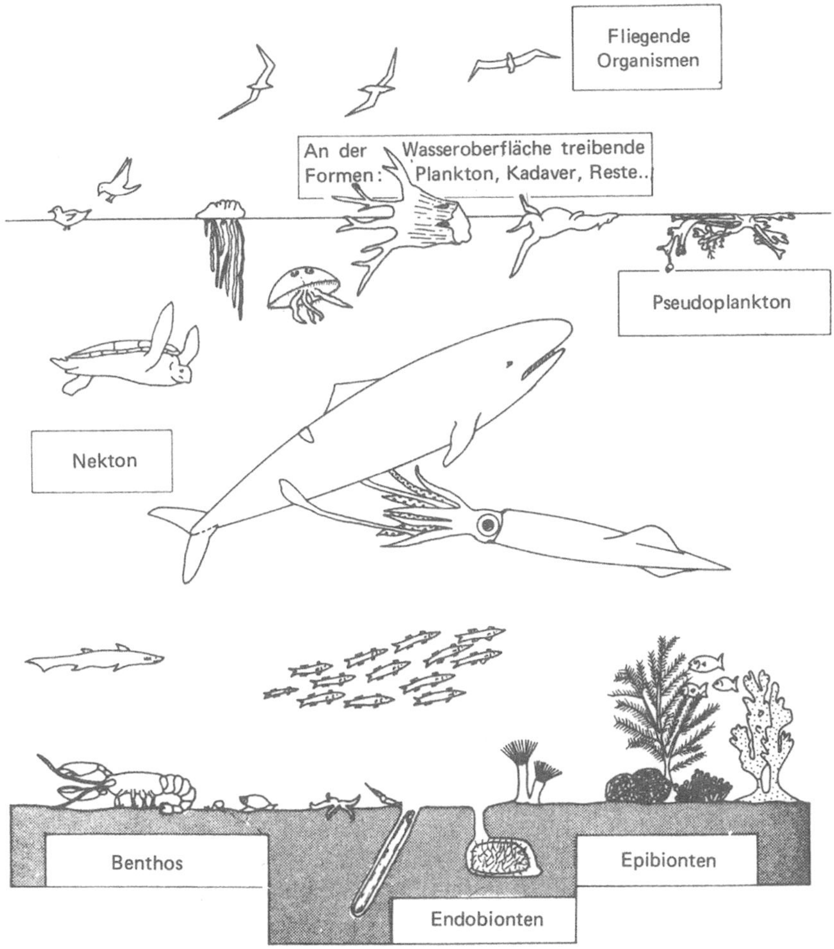

Abb. 1. Klassifizierung der marinen Lebewesen nach der Art ihrer Fortbewegung (D. Ager in C. Babin 1971)

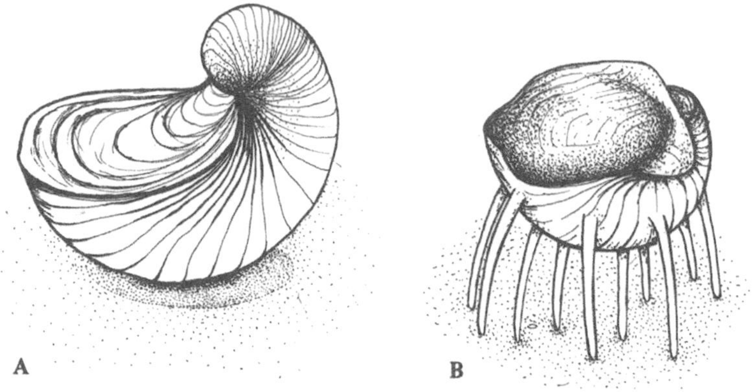

Abb. 2A, B. Auf Weichböden lebende sessile Benthonten. **A** Auster (*Gryphaea arcuata* – Lias). **B** Brachiopode (Productide des oberen Paläozoikums)

- ☐ Einige Formen **ruhen nur auf dem Sediment** (Abb. 2); so z.B. *Productus*, eine Gattung der Brachiopoden, die mit hohlen Stacheln auf dem Meeresboden verankert war (Abb. 2 B) oder *Gryphaea*, eine Austerngattung, deren wiegenförmige linke Schale im Sediment eingebettet war, während die rechte Schale als Deckel ausgebildet ist.
- ☐ Andere Organismen – und dies sind die meisten – sind *mit dem Untergrund fest verwachsen* (Abb. 3):
  - – durch ein *flexibles Festheftungsorgan*; z.B.: die meisten Wasserpflanzen, Brachiopoden, Echinodermaten (Blastoideen, Krinoiden . . .), einige Krebse (Entenmuscheln);
  - – durch einen *Teil ihrer Schale* oder ihres Skelettes, der sich dem Substrat anschmiegt; z.B.: Schwämme, Korallen, Bryozoen, Anneliden (Serpuliden), Muscheln (Austern, Rudisten), Krustaceen (*Balanus*), . . .
  - – durch ein *Spezialorgan*; z.B.: die Wurzelfäden der Archaeocyathideen, die Byssusfäden der Muscheln; . . .

Im allgemeinen begünstigt die sessile Lebensweise die Bildung von Außenskeletten, Schalen und Panzern zum Schutze gegen Feinde. Die Organismen sind meist **radial-symmetrisch** gebaut (Schwämme, Hohltiere, Stachelhäuter). Die Verbreitung der sessilen Tiere wird durch freischwimmende Larven gewährleistet.

β) Vagiles Benthos

Vagile Arten bewegen sich begrenzt fort. Sie bleiben im Kontakt zum Boden, von dem sie wegen ihrer Nahrungsaufnahme abhängig sind. Ihre **Fortbewegung** ist unterschiedlich:

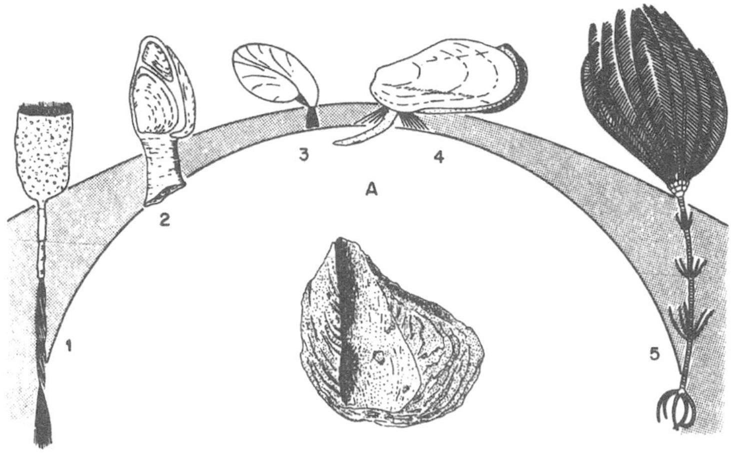

Abb. 3A, B. Festheftungsarten des sessilen Benthos. **A** mittels eines flexiblen Organs: *1* Kieselschwamm (*Hyalonema*); *2* Cirripedier (*Lepas*); *3* Brachiopode (*Magadina*); *4* Muschel (*Modiolus*); *5* Crinoidee (*Cenocrinus*) (B. Ziegler 1972). **B** mittels des Körperskeletts: Schale von *Ostrea uncifera* (Sparnacien), auf der der Abdruck des Substrats zu erkennen ist (J.C. Plaziat 1970)

– *durch Kontraktion der Körpermuskeln*; z.B.: die Würmer;
– *mit Hilfe eines Kriechfußes*; z.B.: zahlreiche Mollusken (Gastropoden);
– *durch bewegliche Körperanhänge* (sog. Appendices); z.B.: Borsten der Polychäten, Beine der Arthropoden (Trilobiten, *Limulus*, Krebse);
– *durch Rückstoßorgane*; z.B.: der Trichter der Cephalopoden, Schwimmflossen der Benthos-Fische (Rochen, Panzerfische des Paläozoikums), die Schalen mit bilateraler Symmetrie einiger Muscheln (*Pecten*), . . .;
– *durch Spezialeinrichtungen*; z.B. das Ambulakral-System und die Stacheln der Echinodermen.

Tiere, die sich aktiv fortbewegen, besitzen im allgemeinen eine **bilaterale Symmetrie**.

γ) *Endobenthos*

Das Endobenthos umfaßt Organismen, die sich sowohl in das weiche Sediment **eingraben**, als auch das harte Substrat **anbohren**. Sie werden auch als **Endobionten** bezeichnet und gehören unterschiedlichen zoologischen Gruppen an: den Würmern, den Mollusken, den Echinodermen. Diese Lebensweise führt zu gewissen anatomischen Besonderheiten:

– *Rückbildungstendenz der Panzer und Schalen*, deren Schutzfunktion durch das Eingraben der Tiere überflüssig geworden ist; z.B.: Muscheln, die Holz (*Teredina*) oder Gesteine anbohren (*Pholadomya*);

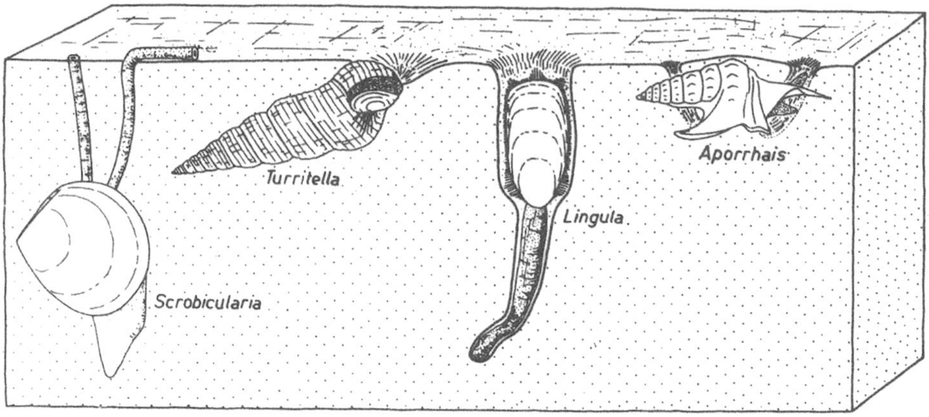

Abb. 4. Endobenthos des rezenten Meeresbodens: Brachiopode (*Lingula*), Muschel (*Scrobicularia*), Schnecken (*Aporrhais, Turritella*) (B. Ziegler 1972)

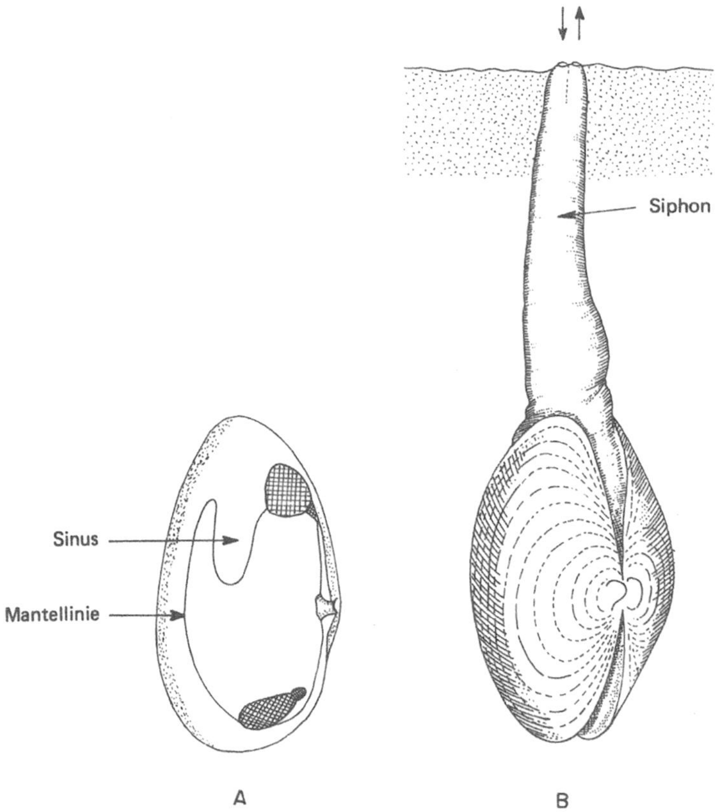

Abb. 5A, B. Anpassung an die grabende Lebensweise bei den Muscheln (*Mya arenaria*). **A** Innenansicht der linken Schale. **B** Tier in Lebensstellung (Verändert nach H. Boué und R. Chanton 1958)

– *Ausbildung eines Siphos*, einer fleischigen rohrförmigen Ausstülpung des Körpers gewisser Mollusken (Muscheln, Gastropoden), durch den Wasser den Mantelhöhlen zugeführt wird. Bei den Muscheln (Abb. 5) ist seine Lage auf den Innenseiten der Schalen an der Einbuchtung („Sinus“) der Mantellinie zu erkennen.
– Die *Umwandlung der Ambulakral-Füßchen* der Oberseite des Skeletts der irregulären Seeigel in Kiemen (**petaloide Ambulakralfelder**) (Abb. 6).

Die Endobenthonten hinterlassen – auch wenn sie selbst nicht fossilisiert sind – Spuren ihrer Aktivität, sog. Lebensspuren, die ihrerseits von großem paläoökologischem Interesse sind.

b) Nekton

Das Nekton lebt frei schwimmend im Wasser, wo es sich bei der Nahrungssuche aktiv fortbewegt. Diese Fortbewegung wird durch **Schwimmorgane** bewerkstelligt:

– *Schwimmflossen der im Wasser lebenden Wirbeltiere*; bei den Fischen und einigen Tetrapoden (Ichtyosaurier, Delphine, Wale) wird die Vorwärtsbewegung durch die Schwanzflosse bewerkstelligt; in anderen Fällen ist diese Vorwärtsbewegung gewährleistet durch paarige Gliedmaßen, die durch Verlängerung oder Vervielfachung der Fingerglieder in eine Art **Paddel** umgewandelt sind (*Plesiosaurus*, Schildkröte, Seehund) (Abb. 9, 116);
– *Trichter und Fangarme* der Cephalopoden;
– *Schwanz und Schwimmanhänge* der Krebse (Dekapoden).

Der Körper guter Schwimmer des Tierreichs ist oft **hydrodynamisch** geformt (Fische, Reptilien, Säugetiere). Dies ist ein gutes Beispiel für Morphologie-Konvergenz (Abb. 7).

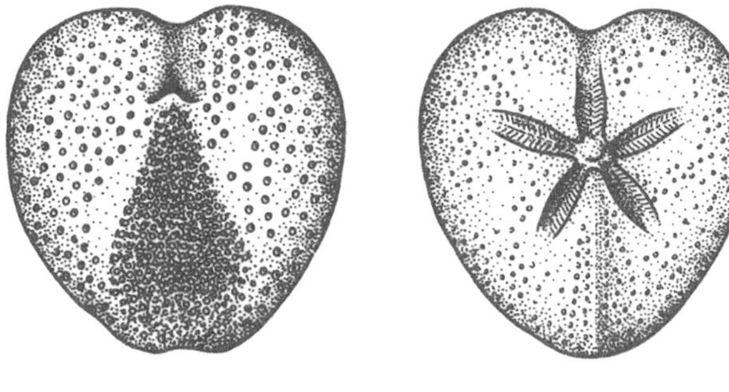

Abb. 6A, B. Anpassung an das Leben im Schlamm (grabend) bei den irregulären Seeigeln (*Micraster* – Obere Kreide). **A** Oral-Seite ohne Kauwerkzeuge. **B** Apical-Seite mit petaloiden Ambulakralfeldern (C. Devillers 1973)

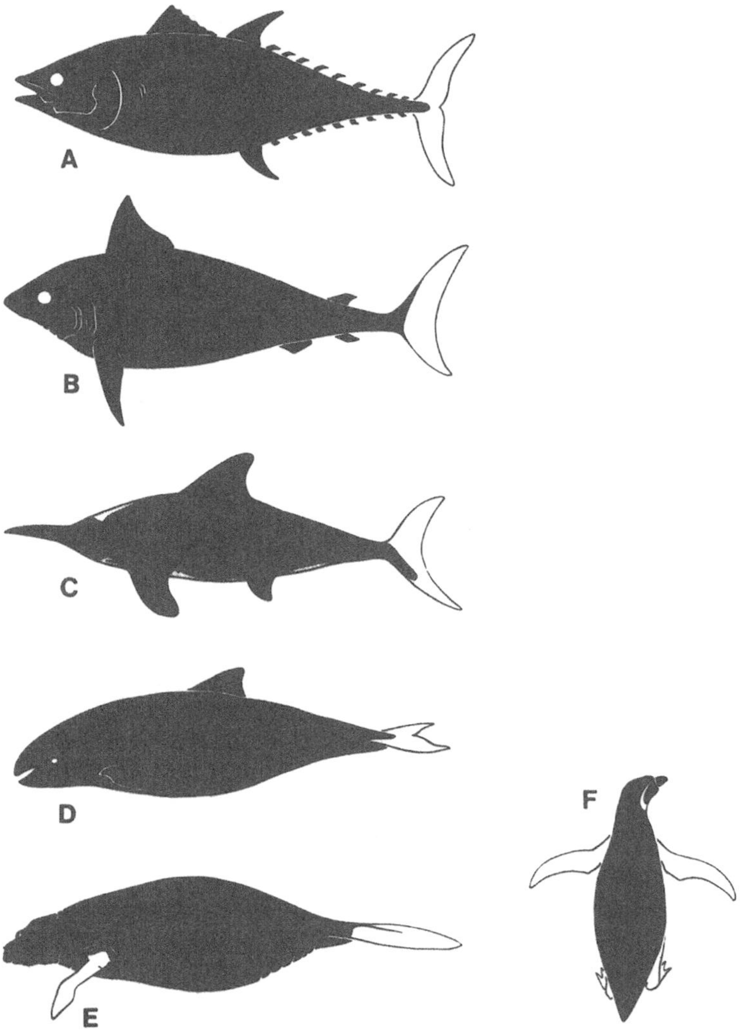

Abb. 7A–F. Hydrodynamische Körperform schwimmender Wirbeltiere. **A** Knochenfisch (Thunfisch: *Thunus*); **B** Knorpelfisch (Hai: *Lamna*); **C** Reptil (*Ichthyosaurus* – Jura); **D** Säugetier (Tümmler: *Phocaena*); **E** Säugetier (Lamantin: *Trichechus*); **F** Vogel (Pinguin: *Spheniscus*) (W. Gutman 1966)

c) Plankton

Die Organismen des Plankton schweben im Wasser und lassen sich passiv bewegen. Es wird je nach Herkunft zwischen einem **Zooplankton** und einem **Phytoplankton** unterschieden. Organismen des Plankton besitzen in der Regel keine Fortbewegungsorgane. Die geringe Dichte ihrer Körper erlaubt ein **Schweben**. Dieses Schweben wird auf verschiedenen Wegen erreicht (Abb. 8):

- *durch eine geringe Körpergröße*; viele Organismen sind mikroskopisch klein; Beispiele: die Protozoen, die Larven der Metazoen, ...
- *durch das Fehlen eines Skeletts* (Quallen) oder durch eine geringe Skelettausbildung (durchlöcherte Schalen der Radiolarien), schwache Schalenausbildung bei den Gastropoden (Heteropoden und Pteropoden);
- *durch Körperauswüchse*, die die tragende Oberfläche vergrößern; Beispiele: die Kalknadeln der Globigerinen und einiger Coccolithophoriden; die Anhänge gewisser Acritarchen; die Entwicklung der Anhänge und Borsten der Larven von Krebsen, ...
- *durch die Sekretion von Öltröpfchen*; Beispiel: Grünalgen (Botryococcaceen), die in Algenkohlen (Bogheadkohlen) häufig sind;
- *durch Schwimmblasen*, die mit Gas gefüllt sind; Beispiel: einige Algen (Sargasso), Graptolithen, ...
- *durch einen hohen Wassergehalt des Zellgewebes*; Beispiele: Quallen, einige Tunikaten.

Das Plankton spielt eine wesentliche Rolle im **Ernährungshaushalt** der heutigen Meere und Seen. Die Kleinheit der Planktonorganismen und die minimale Skelettausbildung führen oft zu der Unterschätzung ihrer Bedeutung bei geologischen Abläufen.

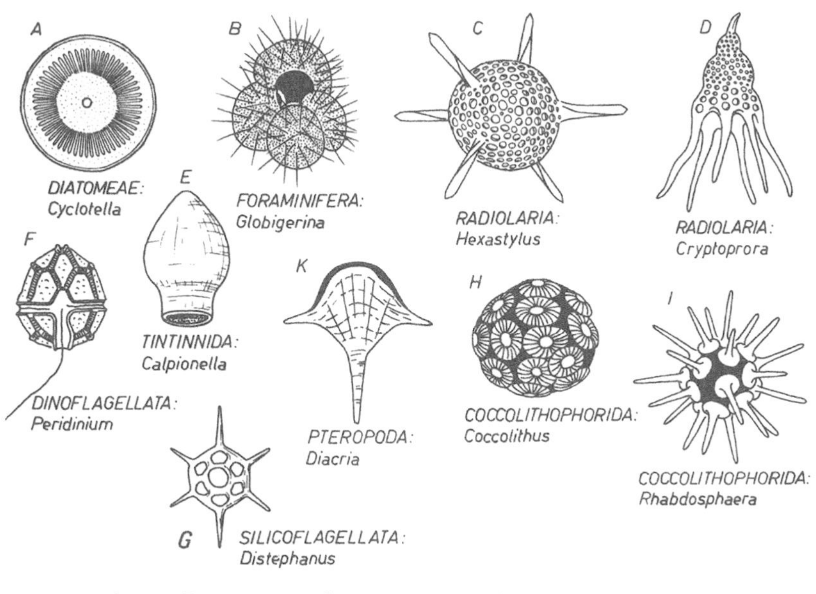

Abb. 8. Rezente und fossile Planktonten (B. Ziegler 1972)

Nekton und Plankton werden auch als **pelagisch** bezeichnet, denn im Gegensatz zum Benthos ist ihr Lebensraum von der Wassertiefe unabhängig.

d) Pseudoplankton

Zum sog. Pseudoplankton werden sessile, d.h. benthische Organismen gezählt, die **auf treibenden Gegenständen** (Algen, Holz, Schalen, . . .) siedeln (Abb. 117). Wie das Plankton schweben sie passiv im Wasser. Sie rekrutieren sich aus unterschiedlichen Tiergruppen: Coelenteraten (Hydrozoen), Bryozoen, Anneliden (Serpuliden), Mollusken (Schnecken, Muscheln), Arthropoden (Cirripedier), Echinodermaten (Crinoideen). Wenn der treibende Wohnplatz nicht fossilisiert ist, werden die Organismen des Pseudoplanktons als benthisch betrachtet, was zu einer falschen Beurteilung der Umweltbedingungen führen kann.

2. Die Organismen des Festlandes

Die Anpassung der Organismen an das Leben auf dem Festland ist eines der großen Ereignisse in der Entwicklungsgeschichte des Lebens auf der Erde. Im Laufe des Paläozoikums haben die Pflanzen und einige Tiergruppen (Arthropoden, Gastropoden, Wirbeltiere) den Lebensraum Festland erobert. Die Atmung und der Schutz vor dem Austrocknen gehören u.a. zu den Veränderungen, die durch diesen Milieuwechsel erzwungen wurden.

Sessile Lebensweise findet man nur bei autotrophen Organismen, die in der Lage sind, die notwendige Nahrung dem Boden zu entnehmen. Dies ist bei den Pflanzen der Fall. Die Tiere müssen, um ihre Ernährung sicher zu stellen, sich **aktiv auf dem Land oder in der Luft fortbewegen.**

a) Die Fortbewegung auf dem Boden

Die Fortbewegung auf dem Boden kann sich auf verschiedene Art und Weise vollziehen:

- ☐ *kriechend*, durch Zusammenziehen eines Hautmuskelschlauches (Würmer, Raupen) oder mittels eines Spezialorgans, wie die Kriechsohle am Fuß der Schnecken.
- ☐ *laufend*, mit Hilfe von Gliedmaßen, wie die Arthropoden und Vertebraten.

Die **vierfüßigen Wirbeltiere**, deren Gliedmaßen fünffingrig oder daraus abgeleitet sind, zeigen sehr deutlich die Anpassung an die verschiedenen Arten der Fortbewegung (Abb. 9):

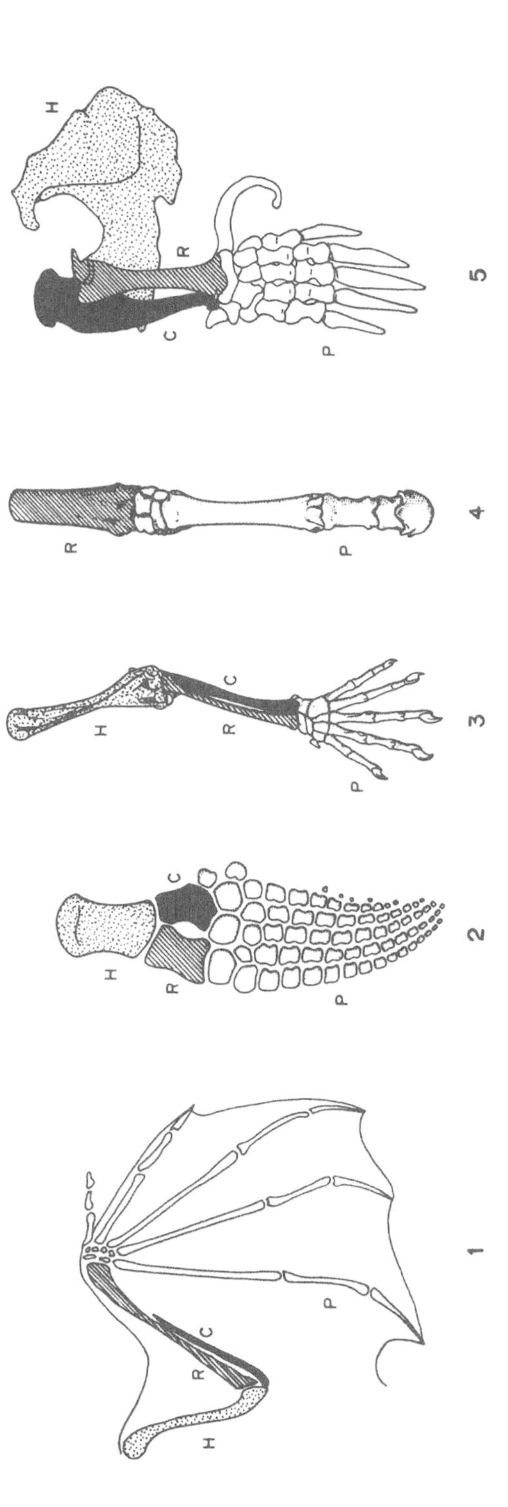

Abb. 9. Veränderungen der vorderen Gliedmaßen durch Anpassung. *1* an das Fliegen (Fledermaus); *2* an das Schwimmen (*Ichthyosaurus*); *3* an das Greifen (*Opossum*); *4* an den Lauf (Pferd); *5* an das Graben (Maulwurf); *H* Humerus; *R* Radius; *C* Cubitus; *P* Phalangen. (*1* und *5*: P.P. Grasse 1967; *2*, *3* und *4*: C. Devillers 1973)

- *an das Laufen*, durch eine Geraderichtung der Gliedmaßen, verbunden mit einer Verlängerung und einer Verringerung der Anzahl der Finger (Pferde);
- *an das Klettern*, durch die Entwicklung von Krallen und Saugnäpfen; oder durch die Fähigkeit, die einzelnen Finger einander gegenüberzustellen und dadurch eine Zange zu bilden (Primaten, einige Beuteltiere);
- *an das Hüpfen*, durch die Gliederung der hinteren Gliedmaßen in drei fast gleiche Segmente (Frosch, Känguruh, Hase);
- *an das Graben*, durch eine Verkürzung und Verbreiterung der vorderen Gliedmaßen (Maulwurf).

Bei den vierfüßigen Wirbeltieren, die im Wasser leben oder lebten, kann sich die fünffingrige Extremität in eine **Schwimmflosse** umformen. Dies geschieht durch eine Vervielfachung der Glieder (Phalangen) oder der Finger (*Ichthyosaurus, Plesiosaurus*, Wale, . . .).

b) Flug

Flügel besitzen sowohl Arthropoden (Insekten) als auch Wirbeltiere.

Die beiden Flügelpaare bei den Insekten sind Hautauswüchse auf der Dorsalseite des Thorax.

Die Flügel der Wirbeltiere entsprechen einer Umbildung der vorderen Gliedmaßen (Abb. 9). Bei den fliegenden Reptilien (*Pterosauria*) und den Fledermäusen ist es ein Hautumschlag, der durch einen oder mehrere Finger gestützt wird. Im Gegensatz dazu wird die tragende Flügelfläche der Vögel von dem mit Federn besetzten Arm gebildet.

II. Ernährung

Die Suche nach Nahrung bestimmt die Verteilung und die Besiedlungsdichte der Organismen.

1. Die autotrophen Organismen

Die **Pflanzen** (mit Chlorophyll) nutzen die Energie der Sonne, um aus anorganischen Stoffen organische zu synthetisieren. Auch unter den **Bakterien** gibt es solche, die autotroph sind. Einige von ihnen leben ohne freien Sauerstoff. Sie entsprechen den ersten Stadien der Entstehung des Lebens auf der Erde.

Alle Tiere sind **heterotroph**. Sie ernähren sich von organischer Substanz, die sowohl pflanzlicher als auch tierischer Herkunft sein kann.

2. Die mikrophagen Organismen

Die mikrophagen Organismen ernähren sich von kleinen Nahrungspartikeln oder von kleinen Lebewesen, die sich im Wasser selbst oder im Sediment befinden.

a) Suspensionsfresser

Die sich in Suspension im Wasser befindlichen Nahrungspartikel werden auf verschiedene Art und Weise eingesammelt. Dies kann geschehen:

– *durch Wimpern-Schläge*; durch eine koordinierte Wimpernbewegung wird eine Strömung erzeugt, die zu der Mundöffnung hin gerichtet ist. Beispiele:
  die Wimpernapparate der Schwämme, die federähnlichen Tentakel gewisser sessiler Polychaeten (Serpuliden), die Lophophoren der Brachiopoden und Bryozoen, die Ambulakralfurchen in den Armen der Crinoiden;
– *durch Filterapparate*; Beispiele: die Appendices der Trilobiten und Cirripedier, die Schleimnetze einiger Anneliden, das Kiemen-Geflecht der Austern und Tunicaten (Seescheiden);
– *durch Fangarme*, die die Nahrung dem Mund zuführen; z.B.: die Tentakel der sessilen Hohltiere.

Die Fähigkeit, immer größere Partikel zu fassen, leitet dann über zur Makrophagie.

b) Depositfresser

Das organische Material reichert sich oft in einer dünnen Lage an der Oberfläche des Sediments an. Dort wird es von den Depositfressern aufgenommen. Dies kann geschehen:

– *durch „Abweiden“* mit Hilfe einer „Schnauze“ (Gastropoden) oder mit „Mundlappen“ (Muschelgattung Nucula);
– *durch Ausstrecken des Sipho* bei den sich eingrabenden Muscheln (Telliniden);
– *durch Zusammenkehren* mit Hilfe der Appendices bei zahlreichen Krebsen (Copepoden, Amphipoden);
– *durch die Bewegung der Ambulakral-Füßchen* bei einigen Ophiuren.

c) Sedimentfresser

Die Sedimentfresser ernähren sich von der organischen Substanz, die in dem Sediment fein verteilt ist. Da dabei große Mengen von Sand oder Schlamm aufgenommen werden, führt dies zu einer beachtenswerten Umlagerung des Sediments. Diesen Vorgang bezeichnet man als **Bioturbation**. Dabei produzieren sie große Mengen von Kotbällchen, die sich mit dem Sediment vermischen. Dies kann man beobachten bei zahlreichen Anneliden (z.B. Regenwurm), bei Stachelhäutern (Holothurien, Spatangiden), bei Enteropneusten usw.

Mikrophagie ist bei **Tieren ohne Kauwerkzeuge** sehr verbreitet. Auch ist sie oft an eine sessile oder wenig mobile Lebensweise gebunden.

Bei verschiedenen sessilen und suspensionsfressenden Invertebraten unterschiedlicher Stammeszugehörigkeit bilden sich bei den Schalen und den Skeletten **Tütenformen** heraus, deren Öffnung gegen die Wasseroberfläche gerichtet ist. Dadurch ist bei relativ dichter Besiedelung eine gute Aufnahme der Nahrungspartikel gewährleistet. Diese sog. „koralligene Wuchsform" ist ein Beispiel für **Morphologie-Konvergenz.**

3. Die makrophagen Organismen

Die Aufnahme größerer Nahrungspartikel und der Beutefang ist hauptsächlich mobilen Organismen vorbehalten (Abb. 11).

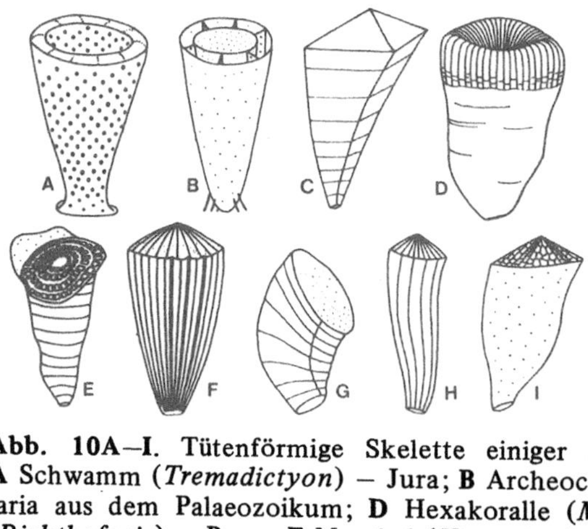

Abb. 10A–I. Tütenförmige Skelette einiger suspensionsfressender Invertebraten. **A** Schwamm (*Tremadictyon*) – Jura; **B** Archeocyathide aus dem Kambrium; *C* Conularia aus dem Palaeozoikum; **D** Hexakoralle (*Montlivaltia*) – Jura; **E** Brachiopode (*Richthofenia*) – Perm; **F** Muschel (*Hippurites*) – Kreide; **G** Deckel eines Schneckengehäuses (*Rothpletzia*) – Tertiär; **H** Cirripedier (*Pyrgoma*) – Tertiär; **I** Echinodermate (*Cyathocystis*) – Ordovicium (B. Ziegler 1963)

a) Pflanzenfresser (= Herbivoren)

Zum Zerkleinern der Pflanzen bedarf es harter Werkzeuge im Mundbereich. Diese Funktion wird erfüllt:
- *durch die chitinösen Kiefer* der Anneliden; es sind dies die sog. Scolecodonten, die man oft in Sedimenten findet;
- *durch die Radula* der Gastropoden;
- *durch den Kauapparat* („Laterne des Aristoteles") der Seeigel;
- *durch die Mandibeln und weiterer, hinter der Mundöffnung angeordneter Extremitätenpaare* der Arthropoden (Insekten, einige Krebse);
- *durch die Zähne* der Säugetiere (Huftiere, Nager).

b) Fleischfresser (= Carnivoren)

Carnivore Tiere ernähren sich von lebender Beute, die sie gejagt oder denen sie aufgelauert haben. Als Fangwerkzeuge benutzen sie:
- *Tentakel, die mit Nesselzellen besetzt sind* (Cnidarier);
- *Kiefer* (Anneliden);
- *die Radula* gewisser Gastropoden, die als Bohrwerkzeug benutzt wird;
- *die Mundwerkzeuge* der Arthropoden: Scheren (Eurypteriden, Spinnen), Mandibeln (Krebse, Insekten);

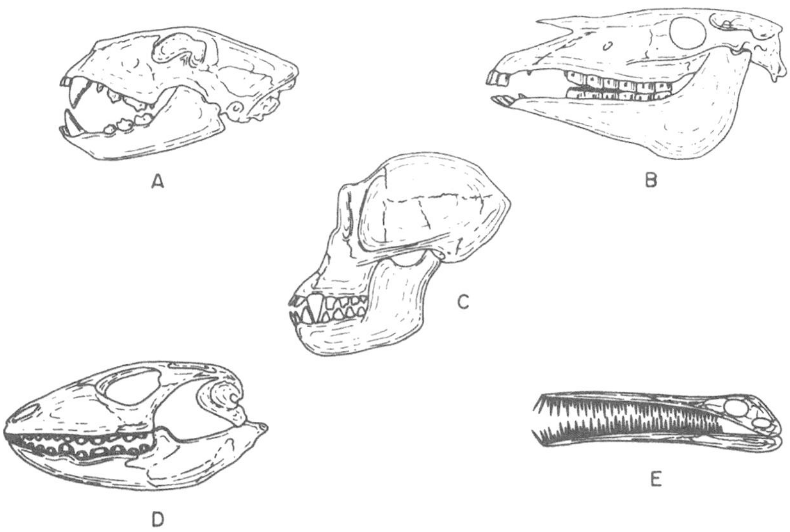

Abb. 11A–E. Anpassung des Gebisses höherer Wirbeltiere an die Ernährungsweise. **A** Fleischfresser (Löwe – *Leo*); **B** Pflanzenfresser (Pferd – *Equus*); **C** Allesfresser (Schimpanse – *Pan*); **D** Knackgebiss (Eidechse – *Dracaena*); **E** Seihapparat (Reptil der Karbon-Perm-Zeit – *Mesosaurus*) (B. Ziegler 1972)

– *Die Ambulakral-Füßchen* (Seesterne);
– *die Tentakel und den „Schnabel"* (Kopffüßler);
– *die Zähne* (Fische, Amphibien, Reptilien, Säugetiere), wobei die höchste Spezialisierung bei den carnivoren Säugetieren erreicht wird.

c) Aasfresser (= Saprophagen)

Die saprophagen Tiere ernähren sich von Aas (Kadavern). Dies ist eine Ernährungsweise, die an Fossilien nur sehr schwer zu erkennen ist. Beispiel: Würmer in Insektenlarven (Oberer Buntsandstein der Vogesen).

d) Parasiten

Fossile Parasiten können nur indirekt nachgewiesen werden. Sie sind teilweise verantwortlich für Deformationen am oder im Wirtstier (z.B. Protuberanzen im Kiemenbereich der Krebse, die durch Bopyriden hervorgerufen werden); auch kann man sie in einigen Geweben erkennen (z.B. Nematoden in der Kutis karbonischer Skorpione).

III. Fortpflanzung

Art und Weise der Fortpflanzung sind entscheidend für die Fähigkeit eines Lebewesens, einen Lebensraum zu „erobern" und zu besiedeln.

1. Die ungeschlechtliche Fortpflanzung

Die ungeschlechtliche Fortpflanzung ist besonders bei niederen Lebewesen anzutreffen. Sie ist gekennzeichnet durch eine Massenentwicklung, was zu einer schnellen Eroberung des Lebensraumes führt (Bakterien). Bei der Mehrzahl der Protozoen (Foraminiferen, Diatomeen) wechseln ungeschlechtliche und geschlechtliche Fortpflanzung einander ab. Bei einigen Foraminiferen (Miliolideen, Nummuliten) ist dieser Generationswechsel erkennbar an der Größe der Anfangskammern (Abb. 12): Bei den höher entwickelten Lebewesen trägt die ungeschlechtliche Fortpflanzung bei:
zur Verbreitung der Art; z.B.: die Sporen der Pflanzen, die Knospen der Schwämme und Hydrozoen;

Abb. 12A, B. Generationswechsel bei den Miliolaceen. **A** makrosphärische Form (Gamet). **B** mikrosphärische Form (Schizont)

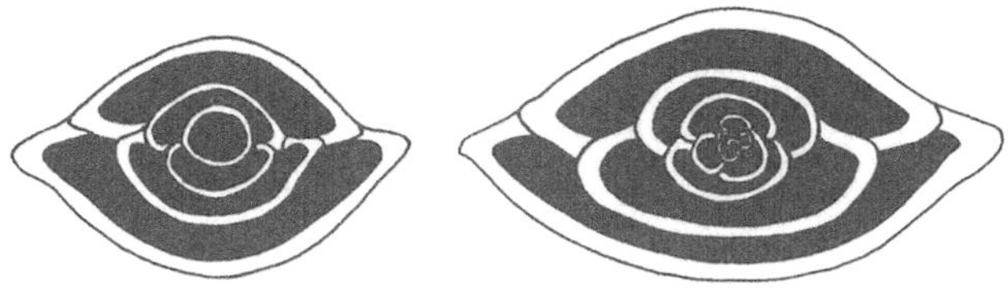

zur Koloniebildung, wenn die Tochterknospen sich nicht vom Muttertier ablösen; z.B.: Steinkorallen, Bryozoen, Graptolithen, Tunicaten.

2. Die geschlechtliche Fortpflanzung

Die geschlechtliche Fortpflanzung setzt die Begegnung und Verschmelzung von zwei Geschlechtszellen (**Gameten**) voraus. Dies kann auch im Wasser geschehen, so bei den Fischen, den Echinodermaten und sessilen Lebewesen (Muscheln, Nesseltiere, . . .). Die Pollen der höheren Pflanzen werden durch den Wind (z.B. Pollen mit Luftsäckchen), durch das Wasser oder durch Tiere zur Eizelle transportiert.

Dagegen erfolgt die Befruchtung bei den Gastropoden, den Cephalopoden und der Mehrzahl der auf dem Festland lebenden Tierarten durch Kopulation.

Bei den Fossilien ist eine Unterscheidung zwischen Männchen und Weibchen dann möglich, wenn sie sich in ihrem Körperbau voneinander unterscheiden (**Dimorphismus**). Sieht man einmal von dem klassischen Beispiel der Hörner einiger männlicher Wiederkäuer ab, so kann Dimorphismus auch bei den Brachiopoden, den Mollusken, den Arthropoden, den Echinodermaten und den Wirbeltieren beobachtet werden. Dimorphismus tritt deutlich in Erscheinung, wenn die Geschlechter unterschiedlich gebaute Geschlechtsteile aufweisen (z.B. Insekten, *Eurypterus*), in der Größe unterschiedliche Geschlechtsöffnungen (einige Seeigel) haben oder wenn Bruttaschen (z.B. Ostracoden) vorhanden sind. Bei den Mollusken und ganz besonders bei den Ammoniten wird Dimorphismus erkennbar in dem gleichzeitigen Auftreten von zwei Varietäten der gleichen Art, die sich nur unterscheiden in der Größe und der Ornamentation ausgewachsener Exemplare. Diese Varietäten hat man früher unterschiedlichen Gattungen oder Arten zugeordnet (Abb. 13).

Die Eier entwickeln sich i.a. außerhalb des mütterlichen Organismus (**ovipare Tiere**). Zahlreiche Wirbeltiere (Säugetiere, einige Fische und Reptilien) sind **vivipar**, d.h. das Ei entwickelt sich in den mütterlichen Geschlechtsorganen. Die Embryonen können dort fossilisiert werden (Ichthyosaurier mit Embryonen im Lias von Württemberg).

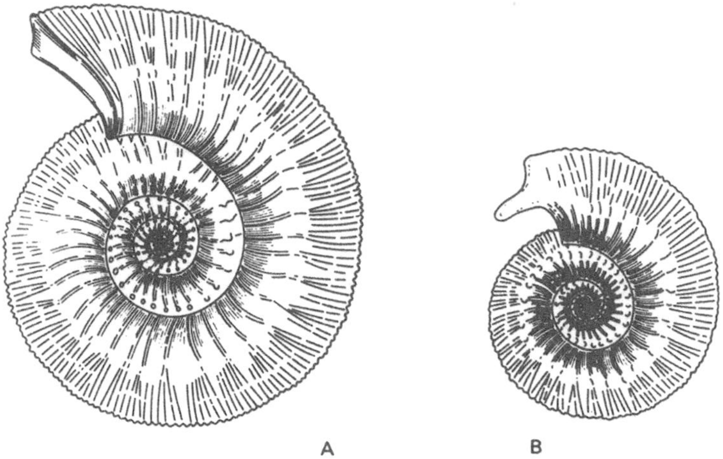

Abb. 13A, B. Sexualdimorphismus bei Ammoniten des Mittleren Jura. Die Ammoniten sind früher verschiedenen Gattungen zugeordnet worden. **A** *Cadomites deslongchampsi* (weibliche Form?). **B** *Polyplectites linguiferus* (männliche Form?). (H. Makowski in C. Babin 1971)

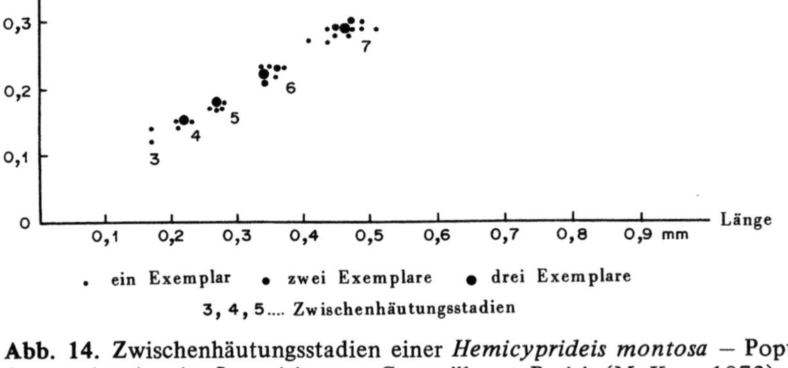

Abb. 14. Zwischenhäutungsstadien einer *Hemicyprideis montosa* – Population, einer Ostracoden-Art des Sannoisien von Cormeilles-en-Parisis (M. Keen 1972)

IV. Wachstum

Stehen genügend Exemplare einer Art zur Untersuchung zur Verfügung, ist es möglich, Art und Weise des Wachstums zu studieren. So konnte man z.B. bei zahlreichen Trilobiten die verschiedenen **Entwicklungsstadien** vom Ei bis zum ausgewachsenen Individuum verfolgen. Die Ontogenie der Arthropoden ist durch **Häutungen** gekennzeichnet.

Die Verteilung der Panzergrößen in der Graphik (Abb. 14) läßt die einzelnen Zwischenhäutungs-Stadien erkennen.

Bei den Mollusken kann man anhand der Anzahl der auf den Schalen und Gehäusen erkennbaren Anwachslinien zwischen jüngeren und älteren Individuen unterscheiden. Dadurch ist es in vielen Fällen möglich, eine Verwechslung von Zwerg-Populationen (ausgewachsene Individuen kleiner Größe) mit Jugend-Stadien größerer Populationen zu vermeiden.

V. Verhaltensweise

Die **Ethologie** beschreibt die Verhaltensweise der Organismen. Über das Verhalten der fossilen Lebewesen machte man sich oft phantastische Vorstellungen, vor allem dann, wenn es sich um Tiergruppen handelt, die heute nicht mehr existieren. In den beiden letzten Jahrzehnten hat die Erforschung der mechanischen Bedeutung morphologischer Besonderheiten und das Studium an künstlichen Modellen zu einem besseren Verständnis der Lebensweise fossiler Tierarten geführt. Dies gilt z.B. für das Freßverhalten der **großen tertiären Katzen**, deren obere Eckzäh-

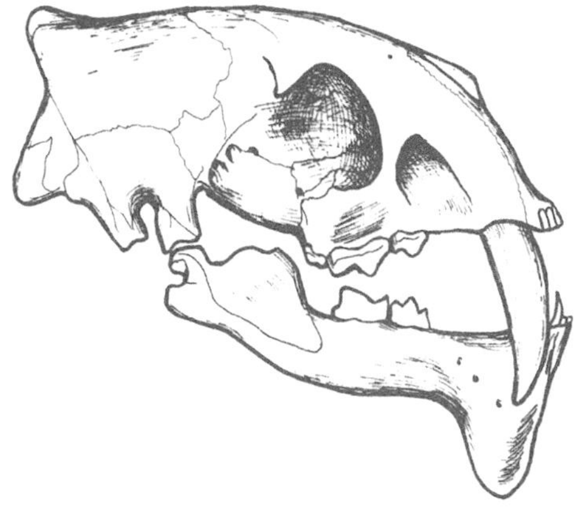

Abb. 15. Schädel von *Eusmilus bidentatus* (Oligozän – Quercy). Die oberen Eckzähne hatten die Funktion von Dolchen. Der vordere Teil des Unterkiefers war als Scheide ausgebildet (J. Piveteau 1961)

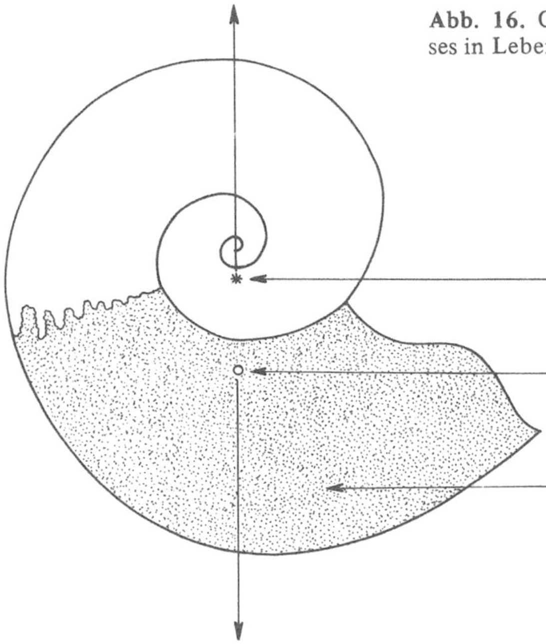

Abb. 16. Orientierung des Ammonitengehäuses in Lebensstellung (A. Trueman 1940)

ne in eine Art Säbel umgewandelt sind (Abb. 15). Man konnte zeigen, daß der Bau des Gebisses dieser Tiere so gestaltet war, daß sie zwar dank der starken Ausbildung der Halsmuskulatur ihre Beute erdolchen konnten, daß sie aber nicht in der Lage waren Knochen zu zerbeißen. Diese Fleischfresser (Carnivoren) konnten sich nur von Innereien (z.B. Leber) ernähren, die sie dem Körper ihrer Opfer entrissen.

Das **hydrodynamische Verhalten** des Cephalopodengehäuses wurde mit Hilfe eines Modells untersucht, wobei sowohl die Lage des Schwerpunkts, als auch die Lage des Auftriebs bestimmt werden konnten (Abb. 16). Am Modell wurden auch die Strömungsverhältnisse des Wassers innerhalb der Schalen verschiedener Brachiopoden und Muscheln bestimmt.

Im zweiten Teil dieses Buches wird noch auf die Lebensweise zahlreicher fossiler Tiere eingegangen.

Literatur

Ager DV (1963) Principles of paleoecology. An introduction to the study of how and where animals and plants lived in the past. Mc Graw-Hill Book Co, New York, 371 S
Babin C (1971) (ed) Eléments de paléontologie. A Colin, Paris, 408 S
Hecker RF (1957) Bases de la paléoécologie (traduit par J Roger, 1960). Bur Red Geol Min Ann Inf geol 44:98
Imbrie J, Newell N (1964) Approaches to paleoecology. John Wiley & Sons Inc, New York, 432 S
Laporte LF (1968) Ancient environments. Prentice-Hall Inc, New York, 116 S
Piveteau J (1951) Images des mondes disparus. Masson, Paris, 157 S
Roger J (1974) Paléontologie générale. Masson, Paris, 419 S
Schäfer W (1962) Aktuo-Paläontologie nach Studien in der Nordsee. Kramer, Frankfurt/M, 666 S
Seilacher A (Hrsg) (1976) Paläökologie. Konstruktionen, Sedimentologie, Diagenese und Vergesellschaftung von Fossilien. Zentralbl Geol Paläontologie Teil II H 5/6: 203–493
Seilacher A, Westphal F (1978) Paleoecology. Constructions, sedimentology, diagenisis and association of fossils. Neues Jahrb Geol Palaeontol Abh 157; H 1/2:3–276
Ziegler B (1972) Allgemeine Paläontologie. Schweizerbart'sche Verlagsbuchhandlung, Stuttgart, 245 S

Kapitel 2 Die Lebensbedingungen

Während ihres Lebens unterliegen die Lebewesen dem Einfluß der physikalisch-chemischen Faktoren ihrer Umwelt. Jeder Wechsel in der Umgebung beeinflußt die Organismen: Arten verschwinden, andere kommen dazu. In den meisten Fällen sind die vorhandenen Formen oder Populationen signifikant für die Bedingungen, die in ihrem Lebensbereich herrschen. Unter der Voraussetzung, daß die fossilen Tiere und Pflanzen auch dort gelebt haben, wo sie eingebettet wurden, liefern sie interessante Informationen über ihre damalige Umwelt.

Unsere Kenntnis von den Lebensbedingungen fossiler Organismen stützen sich ausschließlich auf Beobachtungen, die an verwandten rezenten Lebewesen gemacht wurden. Dies ist das Prinzip des **Uniformitarismus.** Dies kann aber zu Fehlschlüssen führen, da sich die Lebensbedingungen zahlreicher Organismen im Laufe geologischer Zeiträume geändert haben können, ohne daß dies zu feststellbaren morphologischen Veränderungen geführt hat.

Ager gibt dafür ein eindrucksvolles Beispiel: in den weniger tiefen Meeren der Jura-Zeit lebten die Muscheln der Gattungen *Pholadomya, Trigonia* und *Astarte* in demselben Milieu. Heute liegen die Biotope dieser drei Gattungen in unterschiedlichen Bereichen: *Pholadomya* lebt in großen Meerestiefen, *Trigonia* begegnet man in den warmen Küstengewässern Australiens und *Astarte* lebt in den kalten Meeren.

Es bedarf daher einer großen Sorgfalt, wenn man die Lebensbedingungen der fossilen Lebewesen aus denen verwandter rezenter Formen ableiten will. Und es ist klar, daß das Risiko einer Fehlinterpretation um so größer ist, je älter das Fossil ist, d.h. je mehr sich Fauna und Flora von der heutigen unterscheiden.

I. Substrat

Unter Substrat versteht man den unmittelbaren Untergrund, auf dem die Organismen leben.

Auf dem **Festland** wird dieses Substrat von **Böden** gebildet, deren Aufbau abhängt von dem Ausgangsgestein und dem Klima. Das Aussehen dieser Kontinental-Landschaften spiegelt sich in der Zusammensetzung der Vegetation und der herbivoren Fauna wider (Flora und Fauna der Steppen, der Wälder, . . .).

Im **aquatischen Milieu** ist die Textur des Sediments in erster Linie abhängig von der Kornzusammensetzung. Die Existenz benthischer Populationen wird zum großen Teil von der Qualität des Bodens beeinflußt. Man kann seinen Zustand im Augenblick der Besiedelung durch die Lebewesen erkennen.

Es lassen sich 2 Substrat-Kategorien unterscheiden: Hartböden und Weichböden.

1. Hartböden

Hartböden (auch *Hartgründe*) werden hauptsächlich gebildet von Gesteinen und – wenn auch selten – von Außenskeletten anderer Organismen. Die Heterogenität des Untergrundes bewirkt eine Aufrauhung der Oberfläche und begünstigt die Ansiedlung von sessilem und vagilem Benthos.

Die **Hartgründe** (*hard-grounds*), die in Kalken des Jura und der Kreide häufig sind, dokumentieren eine längere Sedimentationsunterbrechung (Abb. 17). Es erfolgt eine Verhärtung des Sediments. Sie können auch oberflächliche Vererzungen zeigen. Sie sind besiedelt von **inkrustierenden** Organismen (Bryozoen, Austern, Serpuliden) und zerfressen von **Lithophagen** (Schwämme, Würmer, Muscheln, Cirripedier). Lithophage Organismen durchlöchern das Gestein mit den darin enthaltenen Skelett- bzw. Schalenresten.

Riffbildende Faunen siedeln sich ebenfalls auf hartem Substrat an.

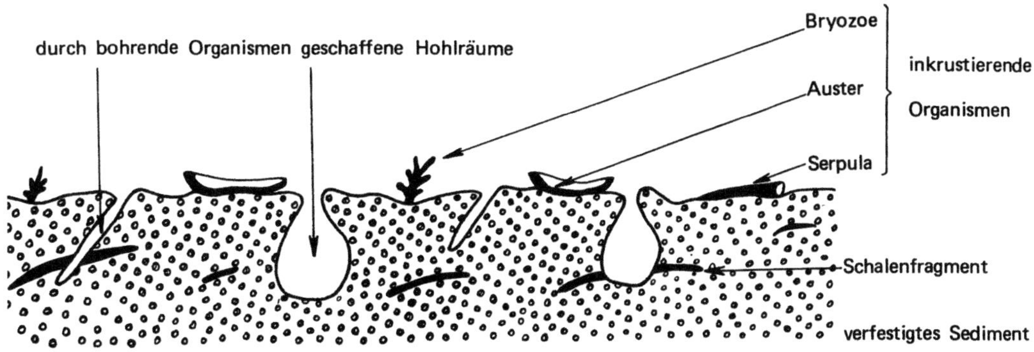

Abb. 17. Schnitt durch einen Hartgrund (*hard-ground*) eines Kalkes (Bathonien)

2. Weichböden

Die lockeren Substrate oder Weichböden (Sande und Schlämme) sind arm an Epibenthos. Dagegen sind die Vertreter des **Endobenthos** zahlreich und artenreich. Die Grabgänge und die Wohnbauten umgehen harte Einschlüsse (Gerölle, Schalen), so daß es später, wenn die Sande oder Schlicke verfestigt sind, möglich ist, diese von den Spuren, die die Lithophagen hinterlassen, zu unterscheiden.

Die Korngrößenverteilung im Substrat beeinflußt die Verteilung dieser grabenden Organismen. Der Gehalt an organischer Substanz ist in den tonigen Sedimenten größer, und dies begünstigt die Ansiedlung von Sedimentfressern (**Schlickbewohner**). Sande bilden ein Substrat, das locker bleibt und in dem das Wasser weiter zirkulieren kann. Die Ansiedlung ist hier geringer (**Sandbewohner**).

II. Salzgehalt (Salinität)

Der Salzgehalt der Gewässer ist im wesentlichen durch den Gehalt an **Natriumchlorid** bedingt. Im allgemeinen meiden die Lebewesen des Festlandes Salz. Es gibt allerdings auch Pflanzen, die auf salzhaltigem Boden wachsen (**Halophyten**).

Die Körperflüssigkeit zahlreicher Wasserbewohner befindet sich im osmotischen Gleichgewicht mit dem umgebenden Wasser. Bei anderen Arten findet eine ständige Osmose zwischen Gewebe und umgebendem Wasser statt. Nach der Fähigkeit, sich unterschiedlichen Salzgehalten der Wässer anzupassen, unterscheidet man (Abb. 18):

- **stenohaline** Organismen, die empfindlich gegen Änderungen des Salzgehaltes ihrer Umwelt sind;
- **euryhaline** Organismen, die starke Schwankungen des Salzgehaltes ertragen.

1. Die Lebewesen des Meeres

Für das marine Milieu (3,5% Salzgehalt) sind **stenohaline** Organismen charakteristisch. Über geologische Zeiträume hinweg haben ganze Tiergruppen diese Lebensbedingungen beibehalten: die Radiolarien, die Brachiopoden, die Scaphopoden, die Cephalopoden, die Echinodermen und – mit einigen Ausnahmen – die Schwämme, die Coelenteraten (Ma-

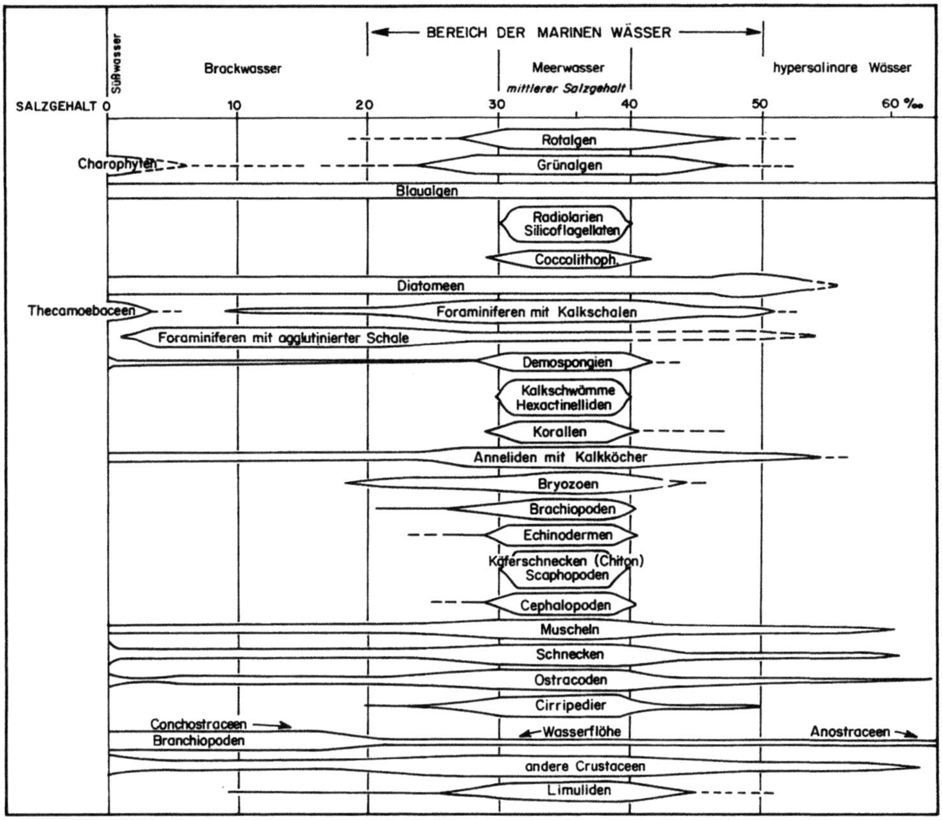

Abb. 18. Verteilung der rezenten Invertebraten in Abhängigkeit vom Salzgehalt des Wassers (P. Heckel 1972)

dreporen), die Bryozoen, die Stomocordaten, die Procordaten, ... Von den nur fossil vorkommenden stenohalinen Organismen seien genannt: die Archaeocyathiden, die Trilobiten, die Tentakuliten, die Graptolithen.

Im marinen Milieu mit konstantem Salzgehalt entwickelte die Fauna das Maximum an Artenreichtum.

2. Die Lebewesen des Brackwassers

Die **euryhalinen** Organismen sind auch in der Lage in Wasser zu leben, dessen Salzgehalt weit unter dem des Meerwassers liegt. Vertreter fast aller Tiergruppen haben sich solchen Bedingungen angepaßt. Die Foraminife-

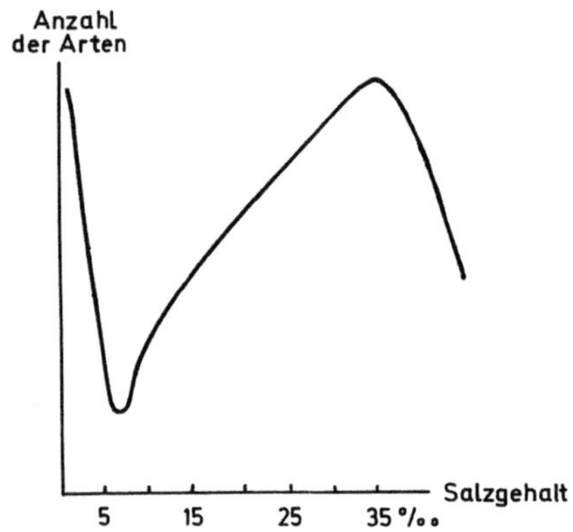

Abb. 19. Mannigfaltigkeit der rezenten Faunen und Floren in Abhängigkeit vom Salzgehalt des Wassers (A. Remane 1958)

ren (Arten mit agglutiniertem Gehäuse), die Anneliden, die Muscheln (Austern), die Schnecken, die Krebse (Ostrakoden) beinhalten viele solcher euryhalinen Formen.

Lingula (Brachiopode) lebt ab Paläozoikum in Küstengewässern, in denen der Salzgehalt starken Schwankungen unterlag. Ihre Anwesenheit ist typisch für ein brackisches Milieu. Auch glaubt man, daß es sich bei den **Stromalithen** um Kalkausscheidungen durch Algen handelt, die im Gezeitenbereich in Wässern mit schwankendem Salzgehalt entstanden sind (Abb. 22). Bei den **Eurypteriden**, den Riesenmerostomaten des Paläozoikums, kann man eine Änderung der Lebensbedingungen im Laufe der Zeit feststellen: zu Beginn des Paläozoikums lebten sie im marinen Milieu, im Silur im Brackwasser und im Karbon und Perm im Süßwasser.

Die Zahl der Lebewesen, die im Brackwasser lebten, schwankt von einer geologischen Epoche zur andern. Eine Aufstellung dieser Arten, stratigraphisch geordnet, kann noch nicht gegeben werden. Dagegen gelingt es, an fossilen Populationen anomale Salzgehalte des Lebensraumes nachzuweisen. Charakteristisch für das Brackwasser ist eine **Artenarmut** (Abb. 19). Ursache ist die Instabilität der physikalisch-chemischen Faktoren, die zu einer rigorosen Selektion unter den Lebewesen führt. Bemerkenswert ist dagegen der **Individuenreichtum**. Auch ist festzustellen, daß die Größe der ausgewachsenen Arten unter der gleicher Arten von Wässern mit normaler Salinität liegt. Auch ist die Dicke der Schalen geringer als bei marinen Formen.

Analoge Veränderungen können auch bei Lebewesen beobachtet werden, die in **hypersalinaren Wässern** (Salzgehalt größer als 4,5%) leben.

Der Vergleich der Faunen des brackischen oder hypersalinaren Milieus des Buntsandsteins und des Keupers der germanischen Fazies mit der Fauna des Muschelkalkmeeres veranschaulicht diese Anpassung.

3. Die Lebewesen des Süßwassers

Gewisse **stenohaline** Organismen haben sich an das Süßwassermilieu angepaßt (die Salzgehalte liegen hier unter 0,05%). Die Tierwelt des Süßwassers bevölkert die Wasserläufe und Seen: Anneliden, zahlreiche Muscheln und Schnecken, Krebse, die Mehrzahl der Larven von Insekten, Fische, Amphibien usw. Die Schalen der Süßwassermollusken sind i.a. dünn.

Bei den Pflanzen sind die **Characeen** typisch für Süß- oder schwach salziges Brackwasser. Die sehr resistenten Oogonien dieser Charophyceen werden durch Wasserläufe ins Meer transportiert, so daß ihre Bedeutung als Umweltkriterium gering ist.

III. Wasserbewegung

Wellen und Strömungen bewirken eine **Durchbewegung** des Wassers, ein Vorgang, der für die dort verbreitete Lebewelt von großer Bedeutung ist. Sie ist verantwortlich für die Verbreitung des Planktons und der Larven. Wasserbewegung ist auch indirekt die Voraussetzung für die Ansiedlung benthonischer Organismen, da dadurch der Sauerstoffgehalt ergänzt wird und die sich im Wasser in Suspension befindlichen Nahrungspartikel herangebracht werden. Viele im Brandungsbereich lebenden Tiere schützen sich vor den mechanischen Wirkungen, indem sie sich in das Sediment eingraben (Suspensionsfresser) oder sich auf dem Substrat festsetzen (Korallen). Dagegen sind die Depositfresser auf ruhiges Wasser, da dort die organischen Partikel besser auf den Boden sinken, angewiesen.

Die mechanische Wirkung von Wellen und Strömung beeinflußt auch den Bau der Außenskelette (Abb. 20). Solche **Anpassungen** zeigen Rotalgen, Steinkorallen, Mollusken, Bryozoen usw. In einem Riff sind in den Randbereichen, dort wo das Wasser wenig tief ist und Brandung herrscht, kompakte Korallenformen, die den Wellen wenig Angriffsfläche bieten, angesiedelt. Unter größerer Wasserbedeckung entwickeln sich fein verästelte Formen. Diese Beobachtungen nutzte Lecompte für eine Zoneneinteilung nach der Wassertiefe in den devonischen Riffen der Ardennen. Die rezente Schnecke Patella vulgata ist in ihrem Aussehen abhängig von den hydrodynamischen Verhältnissen des Lebensraumes. Im Gezeitenbereich ist ihr Gehäuse konisch und dick. Dadurch kann sie sich bei Ebbe fest an das Substrat anschmiegen und Wasser im Körperhohlraum zurückhalten. Im etwas tieferen Bereich ist das Gehäuse flacher und dünner.

Ganz allgemein kann man sagen, daß die Orientierung, die Sortierung und der Grad der Abnutzung der Fossilien Indikatoren der Wasserbewegung sind, die im Sedimentationsmilieu herrschte (s. S. 115).

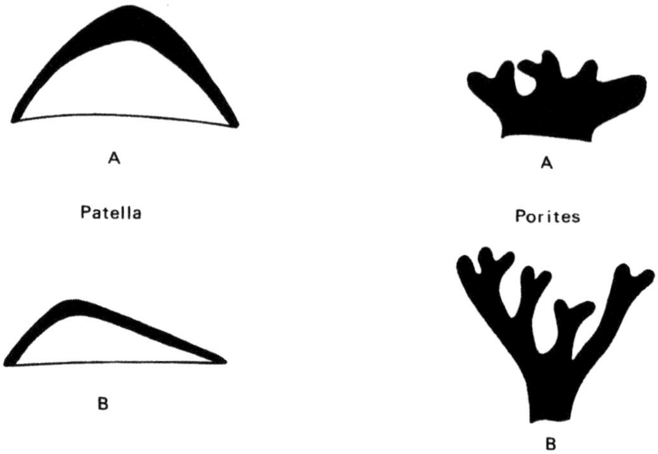

Abb. 20A, B. An die Intensität der Wasserbewegung gebundener Polymorphismus. (H. Moore 1934, T. Vaughan und J. Wells 1943). **A** Bewegtes Wasser; **B** Ruhiges Wasser

IV. Sauerstoffgehalt des Wassers

Der freie Sauerstoff des Wassers ist unterschiedlicher Herkunft. Ein Teil entspricht direkt gelöstem atmosphärischem Sauerstoff. Der Lösungsvorgang wird gefördert durch die Durchbewegung des Wassers. Eine andere Sauerstoff-Quelle ist die **Photosynthese** der chlorophyllhaltigen Pflanzen (Phytoplankton und pflanzliches Benthos). Die Produktion hängt von der Sonneneinstrahlung ab. Da die Sonnenstrahlen sehr rasch vom Wasser absorbiert werden, kann diese Sonneneinstrahlung nur bis in eine Tiefe von maximal 200 m von den Pflanzen genutzt werden. In nennenswerten Mengen kommen Pflanzen nur bis in eine Tiefe von 50 m vor (= **euphotische Zone**). Rotalgen kommen in größeren Wassertiefen als Grünalgen vor, da die Absorption von der Wellenlänge des Lichts abhängt. Da Steinkorallen und Braunalgen (Zooxanthellen) in Symbiose leben, ist die Bildung von Korallenriffen auf eine Wassertiefe bis maximal 30 m begrenzt. Tiefer findet bei diesen Algen keine normale Photosynthese mehr statt.

Diese Sauerstoff-Herkunft hat zur Folge, daß mit zunehmender Tiefe der Sauerstoffgehalt kontinuierlich abnimmt. Damit einher geht eine Reduzierung der Fauna. Wenn die tieferen Zonen nicht durch Strömungen regeneriert werden, bildet sich in dem stagnierenden Wasser ein reduzierendes Milieu mit einer gewissen Produktion von **Schwefelwasserstoff** heraus. Dieses Milieu ist lebensfeindlich, besonders für das Benthos. Derartige Verhältnisse herrschen in der Bodenregion des Schwarzen Meeres, wo keine tierischen Lebewesen mehr existieren.

V. Wassertiefe

Die Tiefe, bis zu der Organismen leben können, hängt von vielen Faktoren ab, besonders aber von den Lichtverhältnissen und der Temperatur, die beide mit zunehmender Tiefe rasch abnehmen (Abb. 21).

Chlorophyllhaltige Pflanzen und pflanzenfressende Organismen kommen nur bis etwa 200 m Tiefe vor. Tiefer begegnet man Fleischfressern, Suspensionsfressern und Depositfressern. Diese Tiere sind oft blind (z.B. die Ostracoden der Tiefsee). Das weniger tiefe Wasser des Schelfs (= **neritische Zone**) ist daher der Raum einer intensiven biologischen Tätigkeit mit großem Artenreichtum. Der **Gezeitenbereich** ist durch bemerkenswerte ökologische Besonderheiten gekennzeichnet. Um sich bei Ebbe und evtl. gegen ein temporäres Absinken des Salzgehaltes zu schützen, graben sich die Organismen ein, klammern sich mit Hilfe von Saugnäpfen am Substrat fest oder ziehen sich in ihre hermetisch schließenden Gehäuse zurück. Unter gleichen Umweltbedingungen bilden sich auch die **Stromatolithen**, die im Präkambrium und auch in jüngeren Ablagerungen häufig sind (Abb. 22). Die Gebilde entstehen aus den von einem Blaualgen-Teppich eingefangenen Sedimentpartikeln. Sie kommen in warmen Klimabereichen häufig vor. Mit ihnen vergleichbar sind die **Onkolithe** (d.s. dünnschalig aufgebaute Knollen von einigen Millimetern bis zu einigen Zentimetern Durchmesser), die von Algen erzeugt werden (Abb. 23). Solche Gebilde können auch im Süßwasser beobachtet werden.

Für verschiedene Umweltbereiche der geologischen Vergangenheit sind **bathymetrische Stufenfolgen**, die allerdings nur eine lokale Bedeutung besitzen, rekonstruiert worden. So hat Ziegler (1972) folgende Stufenfolgen von Faunen des Oberen Jura in Mitteleuropa definiert (Abb. 24):

- von 0–20 m: Vorherrschen der Riffbildner; weiter kommen vor: Algen, Brachiopoden, Mollusken (Schnecken und Muscheln), reguläre Seeigel; Ammoniten sind selten;
- von 20–50 m sind Muscheln dominierend; weiter Schnecken und irreguläre Seeigel; Ammoniten sind noch selten (Perisphinctiden);
- von 40–70 m sind weiterhin Muscheln häufig, aber die Ammoniten machen bereits 20–30% der Fauna aus (Perisphinctiden, Aspidoceratiden);
- bei einer Wassertiefe von mehr als 80 m sind die Ammoniten vorherrschend (Perisphinctiden, Aspidoceratiden, Oppeliden, Phylloceratiden, Lytoceratiden); Muscheln und Schnecken sind selten; Brachiopoden sind noch gut vertreten;
- in Tiefen größer als 500 m sind keine Ammoniten mehr vorhanden; es existieren nur noch planktonische Lebewesen (Radiolarien).

Reste von **Landpflanzen** sind kein sicheres Kriterium für Festlandsnähe, da sie durch Strömungen über große Entfernungen hinweg verfrach-

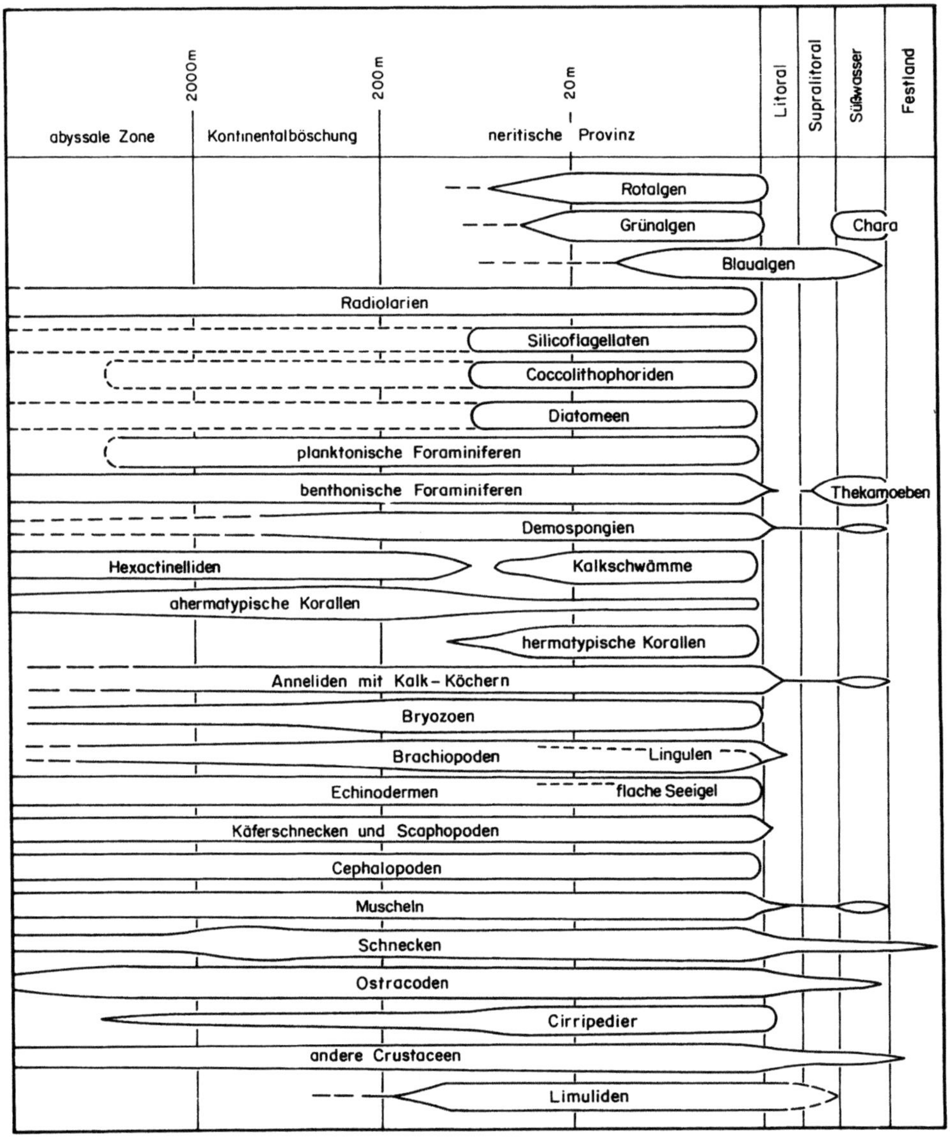

Abb. 21. Verteilung rezenter Invertebraten in Abhängigkeit von der Wassertiefe (P. Heckel 1972)

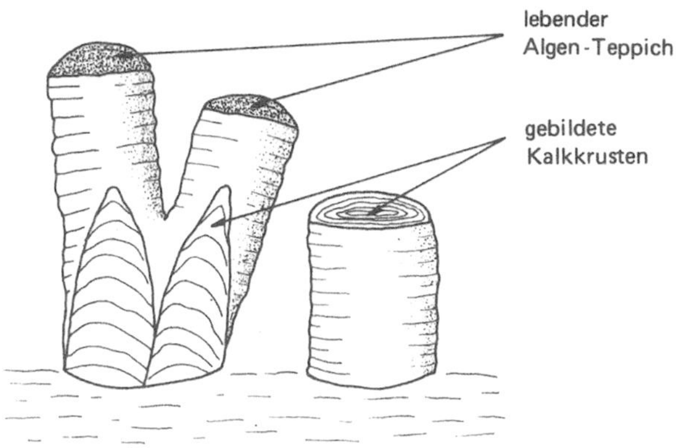

Abb. 22. Aufbau der Stromatolithen

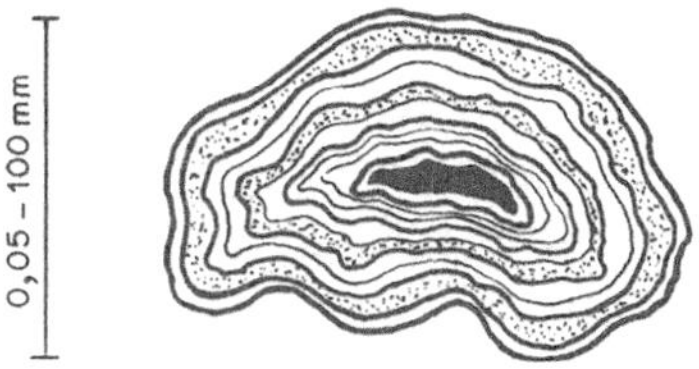

Abb. 23. Innerer Aufbau eines Onkolithen

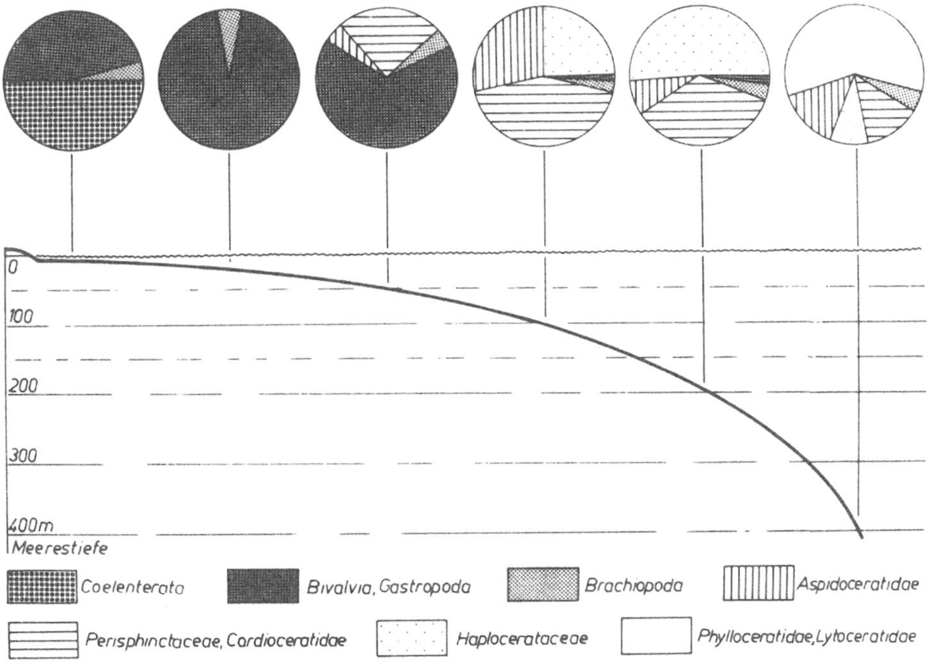

Abb. 24. Die bathymetrische Stufenfolge oberjurassischer Faunen in Mitteleuropa (B. Ziegler 1972)

tet werden können. So sind in den Tiefseegräben der Philippinen Wedel von Kokosbäumen gefischt worden. Dagegen sind die im Sediment in situ eingebetteten **Pflanzenwurzeln** ein Indiz geringer Wasserbedeckung (z.B. die Stigmarien karbonischer Wälder). Auch ist zu beachten, daß die Lebensbedingungen in Bezug auf die Wassertiefe sich bei zahlreichen Organismen im Laufe der geologischen Entwicklung geändert haben. So sind heute die großen **Tiefseegräben** Refugien für viele Tiergruppen, die in der geologischen Vergangenheit neritische Zonen besiedelt hatten. Dies gilt für Hexactinelliden, Monoplacophoren, einige Decapoden (Eryoniden), gestielte Seelilien, Quastenflosser und – wenn auch nicht so eindeutig – für Terebrateln und Cidariden. Für einige dieser genannten Arten scheint der Rückzug in tiefe Gewässer in Zusammenhang zu stehen mit der weltweiten Regression des Meeres am Ende der Kreide.

VI. Wassertrübe

Voraussetzung für die Photosynthese ist klares Wasser. Dies gilt auch für den Lebensraum der Suspensionsfresser. Mit Detritus zu stark belastetes Wasser kann die Apparate zur Nahrungsaufnahme verstopfen und damit zum Tod der Tiere führen. Riffbildner benötigen besonders reines Wasser. Andere Gattungen, wie Lingula, die Seesterne und verschiedene Muscheln passen sich sehr gut trübem Wasser und einer höheren Sedimentationsrate an.

VII. Temperatur und Klima

Das Leben der Organismen spielt sich im allgemeinen innerhalb eines genau präzisierten Temperaturbereichs ab. Selbst wenn die ausgewachsenen Tiere relativ große Temperaturunterschiede ertragen können, so sind für die Fortpflanzung und die Entwicklung der Jugend-Stadien enge Grenzen gezogen.

1. Die Lebewesen des Festlandes

Auf dem Festland sind die Lebewesen großen Temperatur- und Feuchtigkeitsschwankungen ausgesetzt.

a) Fauna

Nur die Warmblüter (**homoiotherme Tiere**), d.h. Vögel und Säugetiere, sind – auch noch bei einer Temperatur unter 0 °C – unempfindlich gegenüber Temperaturschwankungen ihrer Umgebung. Wechselwarmblüter (**poikilotherme Tiere**) können nur in Gegenden leben, in denen eine erhöhte mittlere Temperatur herrscht. So steht das Aussterben der großen mesozoischen Reptilien gegen Ende der Kreidezeit wahrscheinlich in Zusammenhang mit einer klimatischen Abkühlung, die sich auf den Kontinenten bemerkbar machte.

Im **Quartär** wird in Europa der Wechsel von Eiszeiten und Zwischeneiszeiten begleitet von der Entwicklung einer spezifischen Säugetierfauna (Abb. 25).

Die dem letzten Interglazial entsprechende Erwärmung war günstig für Elefant und Flußpferd, während die letzte Eiszeit charakterisiert ist durch das Rentier, das Mammut und das Wollnashorn, durch Tiere also, die gegen die Kälte durch ein dickes Fell geschützt sind.

b) Flora

Die Vegetation ist ein getreues Abbild des herrschenden Klimas. Die Flora warmer Länder ist artenreicher als die kälterer Gegenden. In trockenem Klima besitzen die Pflanzen spezielle Bauformen (dicke Blattoberhäute, in Gruben zurückversetzte Spaltöffnungen). Pflanzen mit solchen Merkmalen bezeichnet man als **Xerophyten**. In der geologischen Vergangenheit begegnet man ihnen u.a. bei der Trias-Flora. Dagegen wurden die Moore des Karbons von **Hygrophyten** beherrscht, von Pflanzen also, die einem feuchten Standort angepaßt waren (dünne Blattoberhäute, schwache Wurzeln).

In den postglazialen Sedimenten konnten mit Hilfe der **Palynologie** mehrere Klimaschwankungen erkannt werden: die kalten Perioden sind charakterisiert durch Birken und Kiefern, die wärmeren durch Haselnußbäume, Eichen und Buchen.

Bei der Rekonstruktion der klimatischen Verhältnisse muß der Tatsache Rechnung getragen werden, daß die topographische Höhenlage den gleichen Einfluß auf die Verbreitung ausübt, wie die geographische Breite.

Abb. 25. Säugetier-Folge im Laufe der quartären Klimaschwankungen (nach E. Thenius und E. Kuhn-Schnyder in N. Theobald 1972). Quartäranfang (*1–8*): *1 Dolichopithecus; 2 Epimachairodus; 3 Tapirus; 4 Hipparion; 5 Mastodon (Anancus) arvernesis; 6 Leptobos; 7 Allohippus; 8 Archidiskodon (Elephas) meridionalis.* Warmzeit-Fauna des Mittel-Quartärs (*9–13*): *9* Merck'sches Nashorn; *10 Elephas antiquus; 11* Flußpferd; *12* Meerkatze; *13* Büffel. Kaltzeit-Fauna des Jung-Quartärs (*14–17*): *14* Wollhaariges Nashorn; *15* Mammut; *16* Ren; *17* Moschusochse

2. Die Lebewesen des Wassers

Im Wasser sind die Temperaturschwankungen geringer als auf dem Festland.

a) Lebewesen warmer Gewässer

Eine höhere Temperatur begünstigt die Ausfällung von **Calciumkarbonat** und dessen Aufnahme durch Organismen. Die Schalen und Panzer sind dick und verziert. Diese Merkmale sind besonders bei Arten anzutreffen, die im Riff-Bereich leben (Beispiele: die Brachiopoden-Gattungen *Uncites* und *Stringocephalus* und die Muschel-Gattung *Eumegaloden* (Devon)).

Heute findet **Riffbildung** nur in Bereichen statt, deren Wassertemperatur über 18 °C liegt. Die von Hexakorallen gebildeten Riffe der geologischen Vergangenheit entstanden wahrscheinlich unter analogen Bedingungen. Im Französischen Jura wurde ihre Verbreitung in Raum und Zeit als eine Verlagerung von NW nach SE angesehen, für die eine Abkühlung des Klimas verantwortlich gemacht wurde. In Wirklichkeit ist die Ursache in einer Kippbewegung der Kontinentalplattform zu sehen, was zu einer Veränderung der Wassertiefe geführt hat.

Auch die Rudisten und die paläozoischen Madreporen hatten in wärmerem Wasser ihren günstigsten Lebensraum.

b) Lebewesen der kalten Gewässer

Die geringen Kalk-Konzentrationen kalter Gewässer sind nicht gerade günstig für die Bildung dicker Außenskelette. Die Muscheln höherer Breiten besitzen im allgemeinen dünne und kleine Schalen. Die Fauna ist

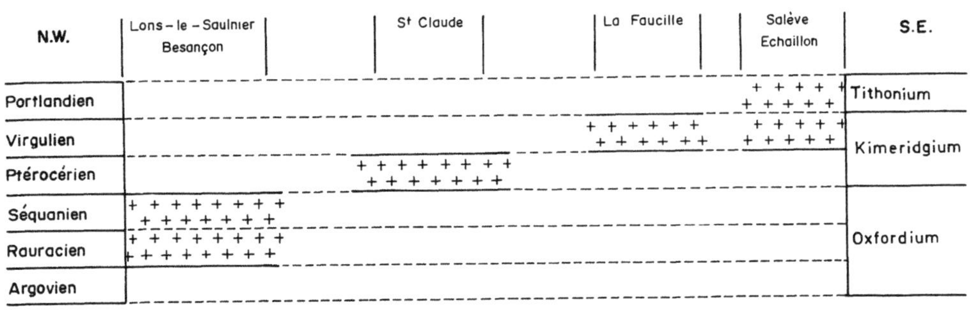

Abb. 26. Räumliche und zeitliche Verteilung der Korallen-Fazies während der Oberen Jura-Zeit im Französischen Jura (M. Gignoux 1936)

artenarm und echte Riffe fehlen. Dagegen werden die Organismen mit Kieselsäuregerüsten häufiger (z.B. Diatomeen, Radiolarien).

3. Bestimmung der Paläotemperaturen

Urey hat nachgewiesen, daß das **$^{18}O/^{16}O$-Verhältnis** im Kohlendioxid abhängt von der Temperatur des Wassers am Bildungsort. Die Bestimmung dieser Größe aus der Analyse von karbonatischen Hartteilen verschiedener Tiere gestattet die Berechnung der absoluten Temperatur des Wassers, in dem sich die Tiere entwickelt haben. Untersuchungen an Belemniten des Oberen Jura Schottlands haben ergeben, daß die dortige Wassertemperatur zu dieser Zeit zwischen 15 und 20 °C lag, daß das Tier wahrscheinlich über 4 Winter hinweg gelebt hat (Kurve mit 4 Minima), und daß die jüngeren Tiere wärmeres Wasser bevorzugten. Dies bedeutet, daß die jungen Belemniten wahrscheinlich im wärmeren Küstenbereich, die erwachsenen Tiere dagegen im offenen Meer lebten.

4. Jahreszeiten-Rhythmus

Bei den **Steinkorallen** herrscht beim Wachstum Tages- und Jahresrhythmik. Dies äußert sich an einer feinen Streifung der Kelche. Zwischen zwei Jahresmarken können ungefähr 360 Tagesstreifen ausgezählt werden. Bei den

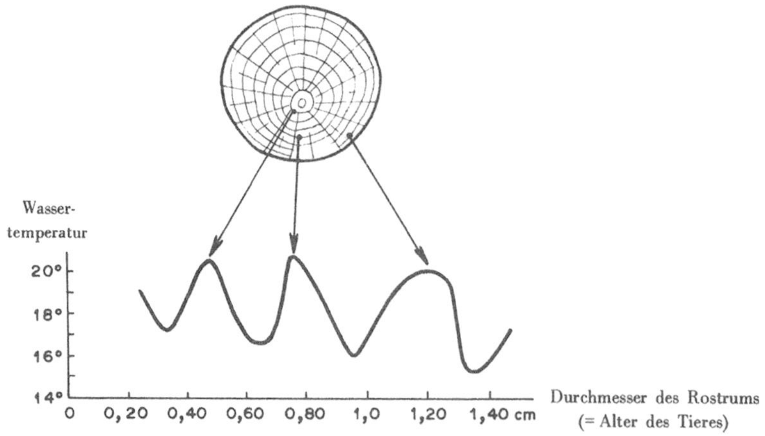

Abb. 27. Aus dem $^{16}O/^{18}O$-Verhältnis eines Belemniten-Rostrums ermittelte Paläotemperatur des Oberen-Jura-Meeres Schottlands (Verändert nach H. Urey et al. 1951)

devonischen Tetrakorallen sind es 400 Streifen. Im Devon muß ein Jahr also 400 Tage umfaßt haben. Ursache ist die Verlangsamung der Rotationsgeschwindigkeit um die Erdachse im Laufe der Zeit.

Die Aufeinanderfolge der Jahreszeiten macht sich auch an den **Jahresringen** rezenter Bäume bemerkbar (im Frühjahr poröses Frühholz, im Sommer dichtes Spätholz). Solche Jahresringe sind bei fossilen Hölzern ab Devon bekannt, so daß bewiesen ist, daß Jahreszeiten schon zu diesem Zeitpunkt bestanden haben.

Die Unterscheidung der verschiedenen Faktoren, die die Verteilung der Organismen beeinflussen, ist rein formalistisch. Für die Wahl eines Lebensraumes ist nicht allein nur ein Faktor von Bedeutung. Es bestehen vielfache Beziehungen. So beeinflußt z.B. die Temperatur den Gehalt der Gewässer an Sauerstoff und Salzen. Sie selbst ist abhängig von der Wassertiefe. Um verschwundene Lebensräume zu rekonstruieren, ist es nützlich die physikalisch-chemischen Gegebenheiten der Umwelt zu werten und so die Verschiedenartigkeit des Milieus und seiner Lebewelt zu erklären.

Literatur

Ager DV (1963) Principles of paleoecology. An introduction to the study of how and where animals and plants lived in the past. Mc Graw-Hill Book Co, New York, 371 S

Babin C (1971) Éléments de paléontologie. A Colin, Paris, 408 S

Heckel PH (1972) Recognition of ancient shallow marine environments. In: Rigby JK, Hamblin WK (eds) Soc Econ Paleontol Min Spez Publ 16:226–286

Ladd HS (1957) Treatise on marine ecology and paleoecology, vol II. Paleoecology. Geol Soc Am Mem 67:1077

Laporte LF (1968) Ancient environments. Prentice-Hall Inc, New York, 116 S

Sacchi CF, Testard P (1971) Ecologie animale. Organismes et milieu. Doin, Paris, 480 S

Schäfer W (1962) Aktuo-Paläontologie nach Studien in der Nordsee. Kramer, Frankfurt/M, 666 S

Seilacher A (Hrsg) (1976) Paläökologie. Konstruktionen, Sedimentologie, Diagenese und Vergesellschaftung von Fossilien, Zentralbl Geol Paläontol Teil II H 5/6: 203–494

Seilacher A, Westphal F (1978) Paleoecology. Constructions, sedimentology, diagenisis and association of fossils. Neues Jahrb Geol Paläontol Abh 157: H 1/2: 3–276

Termier H, Termier G (1968) Biologie et écologie des premiers fossiles. Masson, Paris, 213 S

Theobald N (1972) Fondements géologiques de la préhistoire. Essai de chronostratigraphie des formations quaternaires. Doin, Paris, 95 S

Ziegler B (1972) Allgemeine Paläontologie. Schweizerbart'sche Verlagsbuchhandlung, Stuttgart, 245 S

Kapitel 3 Zeugnisse biologischer Aktivität (Lebensspuren = Ichnofossilien)

Unter dieser Bezeichnung faßt man Gebilde (keine körperlichen Reste) zusammen, die von dem lebenden Organismus im Sediment hinterlassen wurden. Sie entsprechen verschiedenen Lebensäußerungen: der Vermehrung (Sporen, Pollen, Eier), der Ernährung (Bißspuren, Koprolithen), der Fortbewegung (Fährten), des Wohnens (Wohnbauten) usw. Die Interpretation solcher paläontologischer Zeugnisse stößt insofern auf Schwierigkeiten, da man nur selten Eier, Koprolithen oder Fährten zusammen mit dem Erzeuger findet. In den meisten Fällen sind die Verursacher oder Erzeuger dieser Spuren unbekannt.

Zeugnisse biologischer Aktivität geben Aufschluß über das **Verhalten** der Organismen. Dort, wo dieses abhängig ist von dem Milieu, können Lebensspuren Auskunft über die Umweltbedingungen geben. In fossilleeren Ablagerungen sind Ichnofossilien die einzigen Anzeichen früher existierenden Lebens. Da diese Spuren sehr zerbrechlich sind und daher ein Transport über nennenswerte Entfernungen ausscheidet, kann man sie als **autochthon** betrachten, die Tiere haben dort gelebt, wo man ihre Spuren findet.

I. Fortpflanzung

1. Sporen und Pollen

Sporen und Pollen, Studienobjekte der **Palynologie**, wurden früher sehr intensiv zur Rekonstruktion der Flora und des Klimas vergangener Zeiten, besonders des Tertiärs und des Quartärs, herangezogen. Da sie sehr klein und widerstandsfähig sind, werden sie vom Wind und vom Wasser über große Entfernungen verfrachtet. Aus ihrer Verbreitung können daher nur mit großer Vorsicht Schlüsse auf die damalige Umwelt gezogen werden.

2. Eiablagen

Wenn die Eier oviparer Tiere mit einer widerstandsfähigen Schale gegen Stöße und Austrocknung geschützt sind, besteht die Aussicht fossiler Erhaltung.

a) Gelege und Eier von Invertebraten

Seit dem letzten Jahrhundert werden in paläozoischen Ablagerungen vorkommende kleine kugelige Körper, die reich an organischer Substanz und Phosphor sind, als **Trilobiten-Eier** betrachtet. Kugelige Gebilde aus dem Ordovizium, die aus Chitin bestehen, werden als **Cephalopoden-Gelege** beschrieben. Bei *Estheria* (Kiemenfüßler), die im Karbon, in der Trias und im Tertiär vorkommt, finden sich Eiablagen im Innern der Panzer (Abb. 28). Panzer mit Eiablagen müssen vom Wind zerstreut worden sein. Diese Art der Ausbreitung erklärt übrigens das häufige Vorkommen von Estherien in unstetigen Milieus, wie Wasserlachen und Weihern. Bei den Gattungen der Unteren Trias der Vogesen können zwei Ei-Sorten beobachtet werden, eine Erscheinung, die auf einen **Generationswechsel** schließen läßt: kleine Eier in großer Zahl, die die Vermehrung im Milieu sichern, und Eigelege (mit weniger zahlreichen aber größeren Eiern), die widerstandsfähiger sind und die räumliche Verbreitung der Arten gewährleisten.

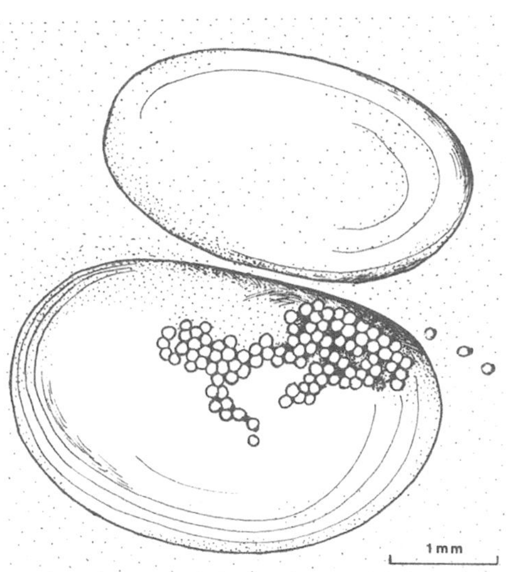

Abb. 28. Schale eines Muschelkrebses (*Estheria*) mit Eiern des Buntsandsteins der Vogesen

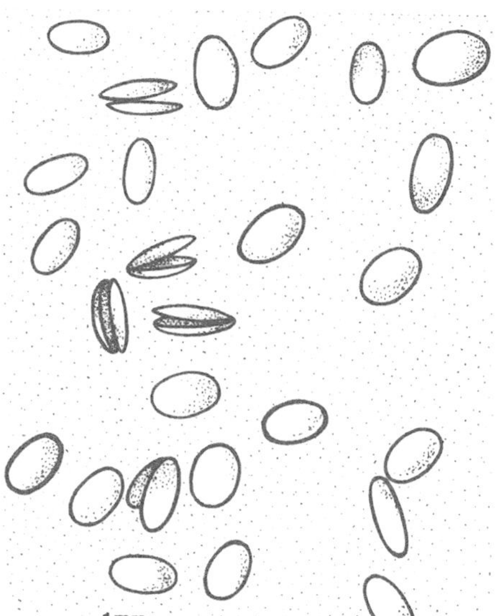

Abb. 29. Insekten-Eier des Buntsandsteins der Vogesen

An den gleichen Schichten des Buntsandsteins sind auch **Insekten-Gelege** beschrieben worden (Abb. 109). Die Eier, mit einem mittleren Durchmesser von ungefähr 0,25 mm, hatten eine chitinöse Schale, die sich längs eines Meridianrisses öffnete (Abb. 29). Die Gelege umfaßten bis zu 3000 Eier, die in einer **schleimartigen Masse** eingebettet waren. Je nach Gattung sind die Eier perlenkettenförmig angeordnet oder in Keulenform zusammengebacken, wie bei den rezenten Chironomiden. Es konnten innere Strukturen, die mit der Embryonal-Entwicklung in Zusammenhang stehen, entdeckt werden. Der Schleim, der die Eier umgab, wirkte als Schutz gegen die im triadischen Klima sich einstellenden Trockenperioden.

b) Gelege und Eier der Vertebraten

α) Fische

Eier von Knorpelfischen, Selachiern und Holocephalen (*Chimaera*) sind aus dem Karbon und der Trias beschrieben worden (Abb. 30).

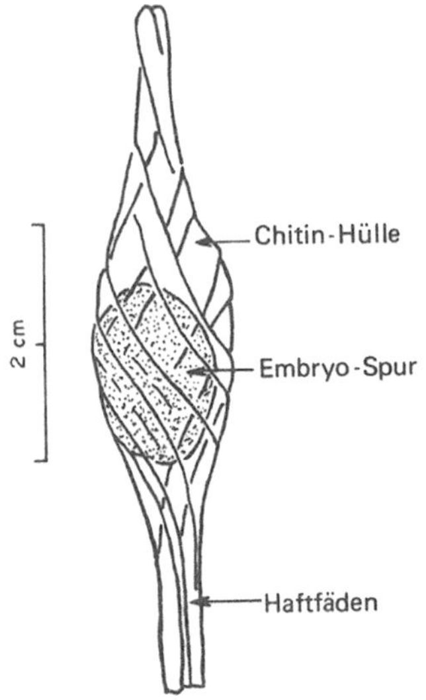

Abb. 30. Rochen-Ei (*Palaeoxyris*) aus dem Karbon Englands (P. Pruvost 1930)

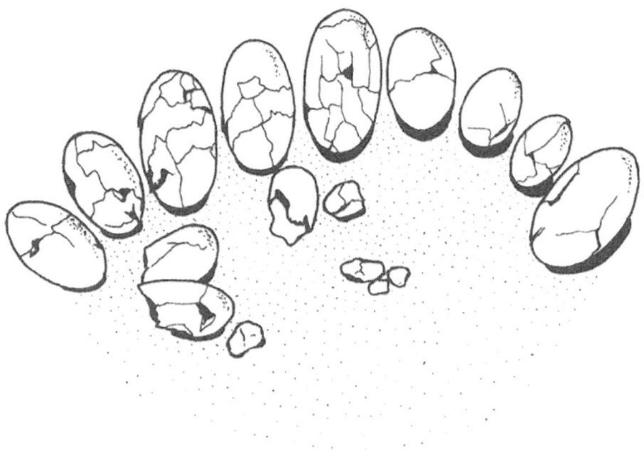

Abb. 31. Dinosaurier-Eigelege aus der Kreide der Wüste Gobi (nach einer Photographie des American Museum of Natural History). Jedes Ei mißt in seiner Länge etwa ein Decimeter

β) Reptilien

Größere Eier (ϕ bis 20 cm), oft als Gelege, sind in der Oberen Kreide u.a. Frankreichs (Provence, Languedoc, Corbières), Chinas und Rußlands gefunden worden. Sie stammen von **Dinosauriern**, die ihre Eier am Ufer von Seen und Flüssen ablegten. Diese Eier haben sich i.a. nicht geöffnet. Ein Exemplar aus dem Senon der Wüste Gobi enthielt Reste eines Embryos. An den Schalen der Eier, die im Süden Frankreichs (Gegend von Roques-Hautes, am Fuß des Ste. Victoire) in der Oberen Kreide gefunden wurden, haben Dughi und Sirugue (1957) **Wachstumsunterbrechungen** festgestellt. Nach diesen Autoren sollen diese Anomalien während der Bildung der Schale durch abrupte Kälteeinbrüche entstanden sein, wobei die Kalkausscheidung im Eileiter zeitweise unterbrochen wurde. In solchen **Klimastörungen** sehen sie die Ursache für das Verschwinden (Aussterben) der großen Reptilien am Ende des Mesozoikums.

γ) Vögel

Vogeleier unterscheiden sich von Reptilieneiern in der Struktur der Eierschalen. Vogeleier findet man häufig in verschiedenen tertiären Ablagerungen.

c) Wert und Bedeutung der Eiablagen

Die Eier der Insekten, Reptilien und Vögel sind i.a. in Ufernähe abgelegt worden. Eine hohe Sedimentationsrate war nötig, um das Schlüpfen zu verhindern und die Eier vor der Zerstörung zu schützen.

II. Ernährung

1. Raub-Spuren

Auf den Oberflächen von fossilen Schalen, Panzern und Skeletten können Beschädigungen und Brüche beobachtet werden, die zu Lebzeiten dieser Tiere entstanden sind. Sie sind auf die Angriffe von Raubtieren zurückzuführen. So bohren carnivore Gastropoden (z.B. *Natica, Murex*) kreisrunde **Löcher** in die Schalen, um an die Weichteile heranzukommen (Abb. 32).

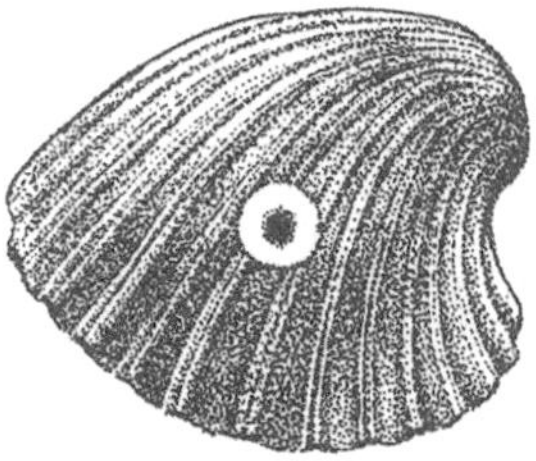

Abb. 32. Muschelschale – von einer carnivoren Schnecke (*Natica*) durchbohrt

Auf den Rostren jurassischer Belemniten sind Spuren beobachtet worden, die auf **Bisse** von Seeigeln oder Fischen hindeuten. Auch sind von carnivoren Tieren verursachte **Bißspuren** an Knochen zahlreicher Tiere des Tertiärs und Quartärs beschrieben worden.

2. Fossile Exkremente

In den Sedimenten der neritischen Zone sind „**Kotpillen**" sehr häufig. In den Gesteinen sind sie als kugelige oder ovale Gebilde, deren Durchmesser kleiner als 5 mm ist, zu erkennen (pellets der englischen Literatur). Ihre Oberfläche zeigt oft Einschnürungen oder Längsrillen. Längliche Kotpillen mit in Längsrichtung verlaufenden inneren Kanälchen, die in Ab-

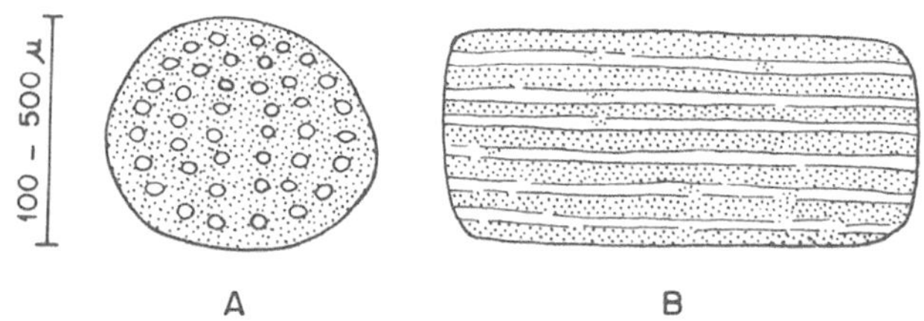

Abb. 33A, B. Kotbällchen eines dekapoden Krebses aus der Trias der südlichen Voralpen (P. Brönnimann et al. 1972). **A** Querschnitt, **B** Längsschnitt

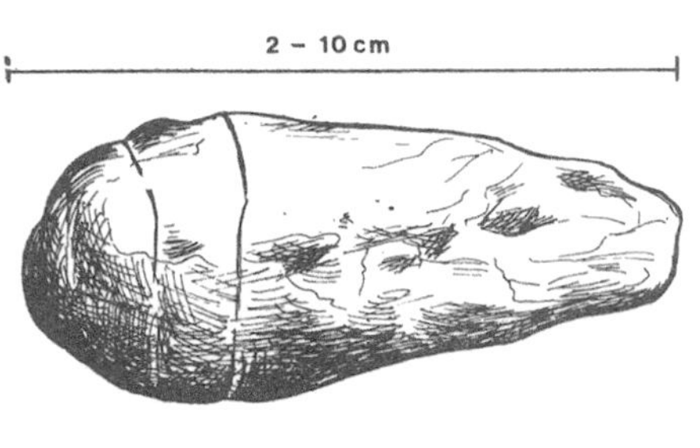

Abb. 34. Reptilien – Koprolith aus dem Lias Englands (W. Buckland in W. Häntzschel et al. 1968)

lagerungen des Mesozoikums und des Tertiärs häufig vorkommen, werden als Exkremente von Decapoden (Krebsen) betrachtet (Abb. 33). Die organische Substanz der Kotpillen kann durch **Glaukonit, Pyrit** oder **Phosphate** ersetzt sein.

Größere fossile Exkremente, sog. **Koprolithe** (mehrere Zentimeter Länge), stammen von Wirbeltieren. Sie sind gekennzeichnet durch eine anomale Anreicherung an Knochen- oder Schalenfragmenten und einen erhöhten Gehalt an organischer Substanz oder Phosphaten.

Die Koprolithe einiger **Fische** haben eine schraubenartige Form, die von der Spiralklappe des Darms hervorgerufen wird. Die größten Koprolithe werden den Reptilien zugeordnet (Abb. 34). Für die Fossilisation gut geeignet, sind die Exkremente der **Hyänen**, da sie einen hohen Anteil an Calcium aufweisen, das aus den zerkleinerten Knochen der Beutetiere stammt.

Erwähnenswert sind auch die **Gewölle** von Nacht-Raubvögeln, die man in Grotten findet. Ihre Analyse gibt wertvolle Hinweise über die Kleinsäugerfauna (Nagetiere), die diese Vögel erbeutet haben.

III. Fährten und Bauten (Ichnofossilien)

Die **Ichnologie** beschreibt und interpretiert Spuren, die von den lebenden Tieren im Sediment hinterlassen werden. Unter diesen sog. Lebensspuren versteht man Fährten, Wohnbauten, Grabgänge usw. Lebensspuren sind **exogen**, wenn sie sich auf dem Sediment befinden, sie sind **endogen**, wenn sie innerhalb des Sediments liegen. Viele Lebensspuren liegen als Steinkerne an der Grenzfläche petrographisch unterschiedlich aufgebauter Schichten (z.B. Sandstein – Ton). Liegen sie auf der Schichtoberseite, sind es Epireliefs, liegen sie an der Schichtunterseite, bezeichnet man sie als **Hyporeliefs** (Abb. 35).

Fossile Lebensspuren stammen hauptsächlich von **vagilen Benthos**, seltener von **Landtieren**. Nur selten findet man sie zusammen mit den Tieren, die sie erzeugt haben. Einander ähnliche Spurenformen können von Tieren unterschiedlicher zoologischer Gruppen stammen. Umgekehrt kann ein Tier verschiedene Spuren erzeugen, je nachdem ob es sich um Spuren der Bewegung, der Nahrungssuche, des Eingrabens usw. handelt. Wenn auch die Klassifikation der fossilen Lebensspuren auf dem Verhalten der Tiere beruht, so vermitteln diese Spuren doch in einem gewissen Maß eine Vorstellung von dem herrschenden Milieu.

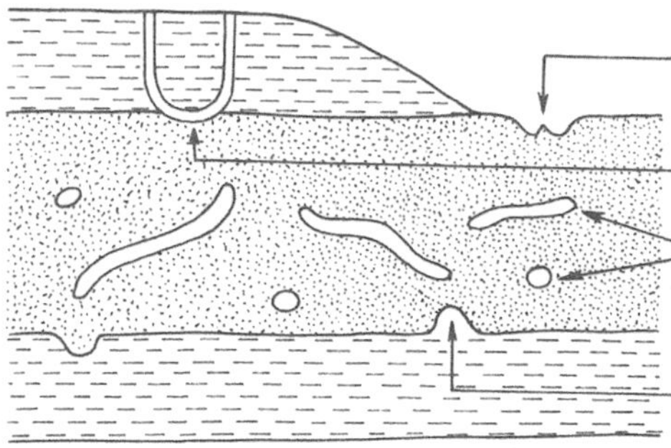

Abb. 35. Lage und Bezeichnung von Lebensspuren

1. Wohnspuren

Viele **Suspensionsfresser** schaffen sich **Wohnbauten**, in denen sie ständig leben. Sie finden dort Schutz gegen Feinde, gegebenenfalls auch Schutz beim zeitweiligen Austrocknen des Milieus. Im allgemeinen sind diese Bauten mehr oder weniger senkrecht zur Sedimentoberfläche angelegt. Ihre Bewohner ernähren sich von den Nahrungspartikeln, die am Eingang vorbeigetrieben werden. Eine permanente Wasserströmung ist daher unerläßlich. Aus diesem Grund sind Wohnbauten i.a. in seichtem Wasser und im Küstenbereich angelegt.

Im Gezeitenbereich findet man im harten Substrat Wohnbauten lithophager Organismen (Schwämme, Ringelwürmer, Bryozoen, Muscheln, Krebse, Seeigel usw.) (Abb. 36).

Im lockeren Substrat fordern Bau und Unterhaltung des Wohnbaues eine nur geringe Wasserströmung. Man kann hier zwei Wohnbau-Typen unterscheiden:

a) **Wohnbauten in Form einer einfachen Röhre** oder einer Mulde. Die Bewohner sind durch einen Sipho (Muscheln) oder mittels eines zusammenziehbaren Haftorgans (*Lingula*) mit der Sedimentoberfläche in Verbin-

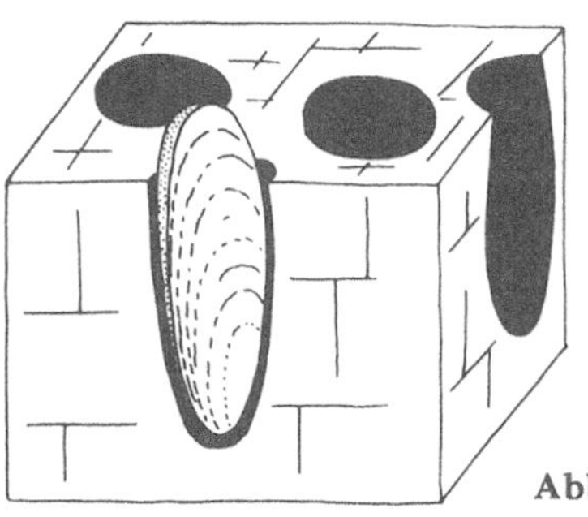

Abb. 36. Wohnbau von *Lithophaga* (Bohrmuschel)

Abb. 37. Wohnbau eines Krebses (*Rhizocorallium*) (J.C. Gall 1971)

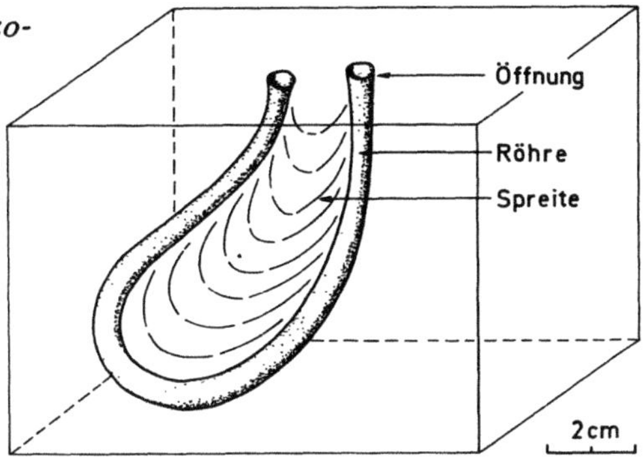

dung. Einige Arthropoden (Krebse und einige Trilobiten) strecken ihre Vordergliedmaßen direkt ins freie Wasser. Die Seeigel erzeugen durch die Bewegung ihrer Ambulakral-Füßchen eine Wasserströmung.

b) **Wohnbauten in U-Form (U-Röhre)** (Abb. 37). In einer solchen Röhre entsteht die Wasserströmung entweder durch das Zusammenziehen des Körpers (Anneliden) oder durch die Bewegung der Gliedmaßen (Arthropoden). Bei schwacher Sedimentationsrate muß das wachsende Tier seinen Wohnbau vergrößern. Dies erfolgt nach der Tiefe hin, wodurch sog. **Spreiten** entstehen, welche die Innenseiten der bewohnten U-Röhre miteinander verbinden (protrusiv). Bei einer großen Sedimentationsrate reagiert das Tier gegen eine Zuschüttung durch eine Verlagerung der Röhre nach oben. Die Spreiten liegen dann außerhalb der bewohnten Röhre (retrusiv). U-Röhren werden von verschiedenen Tieren gebaut: Anneliden (*Arenicola, Polydora*), Krebsen (*Corophium*), Insekten (Larven von Eintagsfliegen). *Rhizocorallium* ist ein Spreitenbau, der aus Ablagerungen vom Kambrium bis ins Tertiär bekannt ist. Die auf den Röhren sichtbaren Kratzspuren sind von einem Krebstier erzeugt worden (Tafel I, Abb. 3).

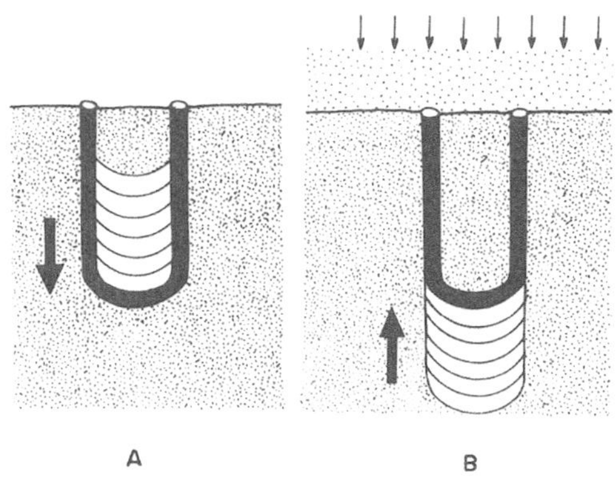

Abb. 38 A, B. Entwicklung eines Spreitenbaues. **A** normale Entwicklung (= protrusiv). **B** Entwicklung bei einer hohen Sedimentationsrate (= retrusiv) (Verändert nach A. Seilacher 1967)

2. Ortswechsel- und Ruhespuren

Vagile Lebewesen hinterlassen auf dem Sediment bei ihrer Fortbewegung oder beim Ausruhen Spuren.

a) Lokomotionsspuren

Arthropoden und vierfüßige Wirbeltiere erzeugen auf der Sedimentoberfläche Abdrücke ihrer Gliedmaßen (Abb. 39, 118). Daraus entsteht eine Fährte, die i.a. als Relief auf der Unterseite der hangenden Schicht erhalten ist. Wenn das Sediment fein geschichtet ist, können sich die Eindrücke durchpausen.

Die Anordnung dieser sog. Trittsiegel erlaubt in gewissen Fällen die Zuordnung zu einer bestimmten Tiergruppe und die Art der Fortbewegung. So konnte man bei Dinosauriern der Kreide (*Iguanodon*) Lauf-, Geh- und Stand-Fährten erkennen. Lokomotionsspuren sind auch gute **Indikatoren der Wassertiefe**. So deuten Trittsiegel von Reptilien und Vögeln auf eine geringe Wassertiefe hin (Abb. 40). *Limulus*-Fährten sind auf Küstengewässer beschränkt (Abb. 41).

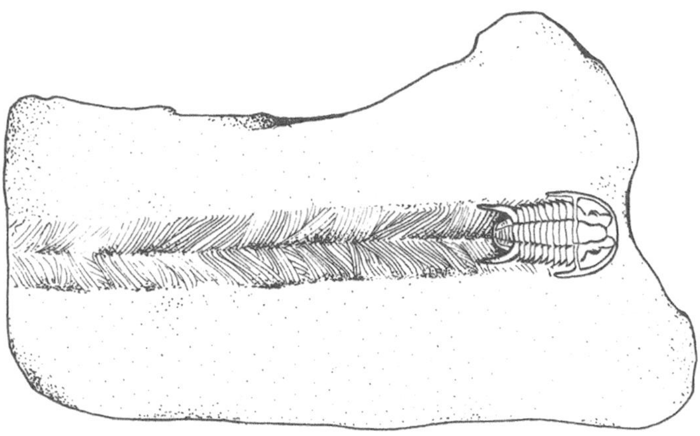

Abb. 39. Lokomationsspur eines Trilobiten (*Cruziana*)

Abb. 40. Trittspiegel. Abdruck der linken hinteren Extremität eines Reptils (*Chirotherium*) der Trias

Abb. 41. Limuliden-Fährte

Die meisten Lebensspuren von Invertebraten stammen von Tieren, die sich durch das Sediment bewegt haben. Dies sind Grabgänge (Anneliden, Gastropoden, Arthropoden, Seeigel) oder Fluchtspuren von Tieren, die von einer plötzlich einsetzenden Sedimentation begraben wurden (Abb. 42). Auf den Oberflächen sind Streifen, Mulden, Einschnürungen usw. zu erkennen, die das Ergebnis der Aktivität ihrer Erzeuger sind und die zur Charakterisierung der verschiedenen fossilen Lebensspuren benutzt werden.

b) Ruhespuren

Um sich vor Feinden zu schützen, graben sich viele Tiere des **vagilen Benthos** zeitweise in das Sediment ein. Es entstehen Spuren, die mehr oder weniger genau mit den Konturen des Tierkörpers übereinstimmen (Trilobiten, Krebse, Seesterne, Fische usw.) (Abb. 43). Die Eindrücke sind orientiert angeordnet, wenn eine Strömung die Lebensstellung bestimmt hat (Abb. 91a). Ruhespuren finden sich bis zu einer Wassertiefe von 120 m. Tiefer ist es so dunkel, daß die Tiere von ihren Feinden nicht mehr erkannt werden.

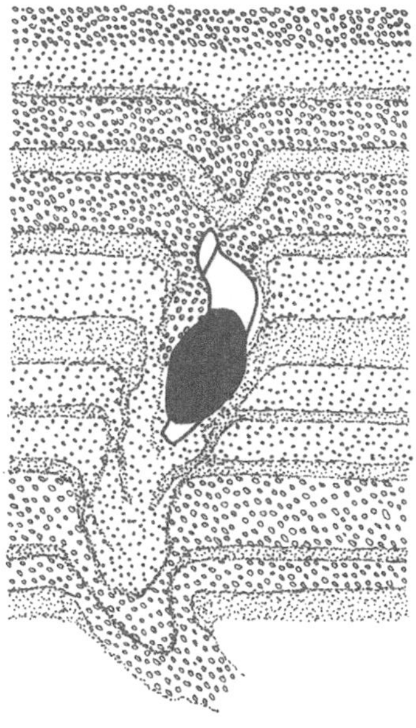

Abb. 42. Bioturbation durch eine Muschel (*Mya*) erzeugt (W. Schäfer 1963)

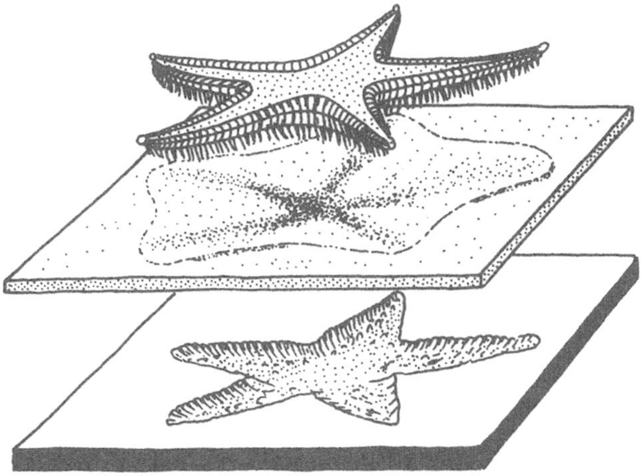

Abb. 43. Ruhespuren eines Seesterns (*Asteriacites*) auf der Oberfläche und innerhalb des Sediments (A. Seilacher 1954)

3. Freßspuren

a) **Weidespuren** mit sich schlängelndem Verlauf (*Helminthoida*) werden von **Depositfressern** erzeugt, die methodisch die Sedimentoberfläche abweiden, auf der die organischen Stoffe angereichert sind.
b) Die **Sedimentfresser** erzeugen **Stollen** und **Gänge**, die netzartig angeordnet und mit verdautem Sediment ausgefüllt sind (**Freßbauten**). Aufgrund des unterschiedlichen Aussehens von frischem und verdautem Sediment ist der Verlauf dieser Gänge gut zu erkennen. Ein Zentral-Schlauch steht mit der Sedimentoberfläche in Verbindung. Die Konstruktion eines derartigen „Gebäudes" beginnt mit der Verzweigung der Anfangs-Röhre (*Chondrites*) (Abb. 44). Ihr manchmal sehr symmetrisches Aussehen hat dazu geführt, daß solche Freßbauten früher als Pflanzenabdrücke betrachtet wurden (*Fucoides*). Andere Bautypen entstehen durch eine horizontale oder vertikale Ausdehnung von U-Röhren (*Gyrophyllites*) (Abb. 46).

Freßspuren sind in Ablagerungen von ruhigem Wasser häufig, d.h. dort, wo sich feiner organischer Detritus absetzen kann. Sie finden sich in einem Bereich mit größerer Wasserbedeckung als die Wohnspuren.

4. Wert und Bedeutung der Ichnologie

Die Informationen, die uns die Ichnofossilien liefern, sind vielfältig.

a) Wassertiefe

Die Fährten der **Tetrapoden** lassen eindeutig auf einen Bereich mit sehr geringer Wassertiefe schließen. Nach Seilacher (1967) besteht eine Beziehung zwischen der Form der Wohn- und Grabgänge und der Wassertiefe (Abb. 45):

Abb. 44. Freßgänge eines Sedimentfressers (*Chondrites*) (S. Simpson 1957)

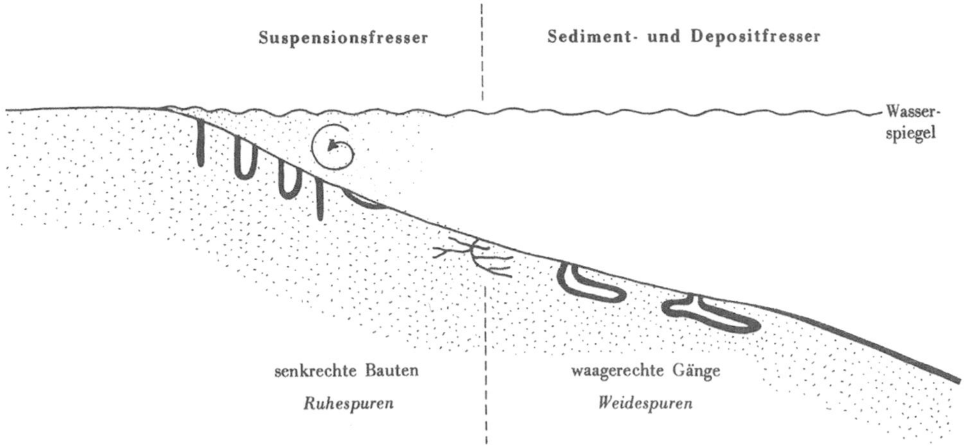

Abb. 45. Anordnung von Lebensspuren in Abhängigkeit von der Wassertiefe (Verändert nach A. Seilacher 1967)

- **einfache Bauten** – in J- oder U-Form –, die mehr oder weniger senkrecht zur Sedimentoberfläche angelegt sind, dominieren im flachen Wasser. Es sind Wohnbauten von Suspensionsfressern, die sich zum Schutz vor Feinden, gegen das Austrocknen oder gegen den Rückgang des Salzgehaltes des Wassers eingraben. Die **Ruhespuren** entsprechen auch dem Schutzbedürfnis in einem Bereich geringer Wasserbedeckung.
- **komplizierte Gangsysteme**, mit schrägem oder horizontalem Verlauf, werden von Tieren erzeugt, die ihre Nahrung im Sediment suchen. Das Absetzen von organischem Detritus kann sich nur im ruhigen Wasser vollziehen, d.h. in Wassertiefen, die i.a. größer sind als die, in denen die Wohnspuren zu finden sind.
- **Weidespuren** entstehen durch das „Abweiden" der dünnen Schicht organischer Substanz an der Sedimentoberfläche oder auf den Schichtflächen. Sie sind häufig in Ablagerungen, die durch Suspensionsströme in tiefem Wasser entstanden sind (Flysch-Fazies) (Abb. 46).

b) Sauerstoffgehalt

Von einigen Ausnahmen abgesehen, ist eine gute Durchlüftung von Wasser und Sediment Voraussetzung für die Entwicklung des Benthos und der Endofauna. Sauerstoffreie Meeresböden enthalten keine lebenden Organismen (z.B. Schwarzes Meer). Das Fehlen von Ichnofossilien kann daher als Indikator eines sauerstoffarmen Milieus betrachtet werden.

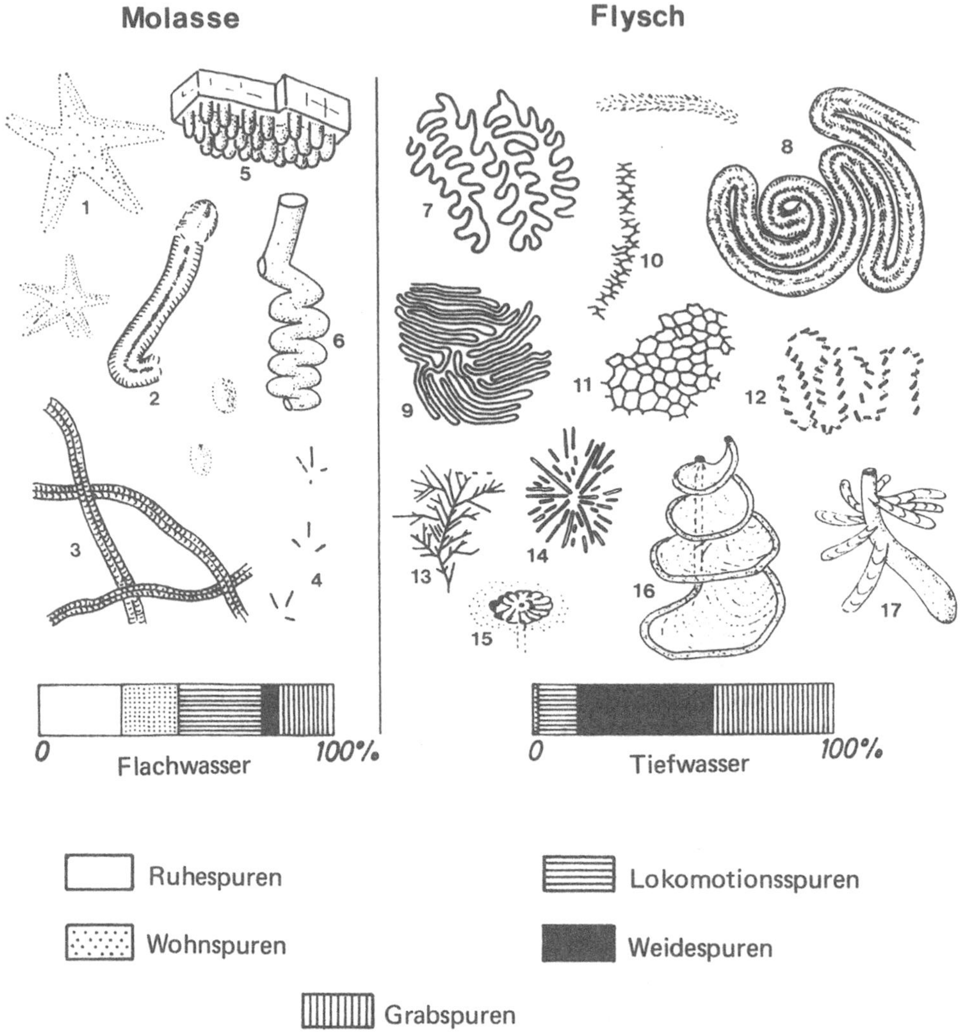

Abb. 46. Lebensspuren als Indikatoren der Wassertiefe in Molasse- und Flyschablagerungen (A. Seilacher in B. Ziegler 1963). Ruhespuren: *1 Asteriacites.* Lokomotionsspuren: *2 Isopodichus; 3 Gyrochorte; 4* Trittsiegel von Vögeln. Wohnbauten: *5 Skolithos; 6 Xenohelix.* Fress-Spuren: *7 Cosmoraphe; 8 Taphrhelminthopsis; 9 Helminthoida; 10 Desmographton; 11 Palaeodictyon; 12 Helicolithus; 13 Chondrites; 14 Lorenzinia; 15 Medusina; 16 Zoophycos; 17 Gyrophyllites*

c) Sedimentationsrate

Die besondere Form von Bauten (z.B. bei *Rhizocorallium*) wird hervorgerufen durch eine „Fluchtbewegung", die das Tier ausführt, um bei einer hohen Sedimentationsrate nicht zu ersticken (Abb. 38). Die von lithophagen Organismen angebohrten harten Substrate entsprechen Bereichen, in denen über einen längeren Zeitraum hinweg keine Sedimentation stattgefunden hat.

d) Verfestigungszustand des Substrats

Bohrlöcher von lithophagen Organismen oder Freßbauten von Sedimentfressern geben Auskunft über den Verfestigungszustand des Substrats im Augenblick des Entstehens der Lebensspuren (Abb. 17).

Wenn man von wenigen, auf enge Bereiche beschränkte Ausnahmen absieht, sind Ichnofossilien als Indikatoren der **Paläosalinität** nicht geeignet.

Literatur

Ager DV (1963) Principles of paleoecology. An introduction to the study of how and where animals and plants lived in the past. Mc Graw-Hill Book Co, New York, 371 S

Dechaseaux C (1951) Contribution à la connaissance des estheries fossiles. Ann Paléontol 37:123–132

Gall JC, Grauvogel L (1966) Pontes d'Invertebres du Buntsandstein supérieur. Ann Paléontol (In: Moore RC (ed) 52:155–161

Häntzschel W (1962) In: Moore RC (eds) Trace fossils and problematica in treatise on invertebrate paleontology, Part W. Miscellanea, Boulder, S 177–245

Häntzschel W, El-Baz F, Amstutz GC (1968) Coprolites. An annotated bibliography. Geol Soc Am Mem 108:132

Lessertisseur J (1955) Traces fossiles d'activité animale et leur signification paléobiologique. Mem Soc Geol Fr N Ser 74:150

Schäfer W (1962) Aktuopaläontologie nach Studien in der Nordsee. Kramer, Frankfurt/M, 666 S

Seilacher A (1953) Die geologische Bedeutung fossiler Lebensspuren. Z Dtsch Geol Ges 105:214–227

Seilacher A (1953) Studien zur Palichnologie I. Über die Methoden der Palichnologie. Neues Jahrb Geol Paläontol Abh 96:421–452

Seilacher A (1954) Studien zur Palichnologie II. Die fossilen Ruhespuren (Cubichnia). Neues Jahrb Geol Paläontol Abh 98:87–124

Seilacher A (1967) Bathymetrie of trace fossils. Mar Geol 5:413–428

Seilacher A (ed) (1976) Palökologie. Konstruktionen, Sedimentologie, Diagenese und Vergesellschaftung von Fossilien. Zentralbl Geol Paläontol Teil II, H 5/6:203–494

Seilacher A, Westphal F (1978) Paleoecology. Constructions, sedimentology, diagenisis and association of fossils. Neues Jahrb Geol Paläntol Abh 157;H 1/2:3–276

Thaler L (1965) Les oeufs des dinosaures du midi de la France livrent le secret de leur extinction. Sci Prog Nat 3358:41–48

Ziegler B (1972) Allgemeine Paläontologie. Schweizerbart'sche Verlagsbuchhandlung, Stuttgart, 245 S

Kapitel 4 Das Sediment

Die Untersuchung der Sedimente kann Auskunft geben über die Herkunft des Materials, seine Transportbedingungen und die Eigenart des Ablagerungsraumes. Die Beobachtungen erstrecken sich auf verschiedene Bereiche:

- Sedimentpartikel
- Bank
- Aufschluß.

I. Beobachtungen im Bereich der Sedimentpartikel: Sedimentpetrographie

1. Die petrographischen Eigenschaften des Sediments

a) Erkenntnisse über das Gebiet oberhalb des Ablagerungsraumes

α) Liefergebiete

Die **klastischen** (detritischen) Sedimente wurden angeliefert aus näher oder ferner gelegenen Gebieten, die der Erosion ausgesetzt waren. Ihre mineralogische Zusammensetzung und vor allem die Gerölle, die den Transport überstanden haben, können über die geologische Beschaffenheit der Liefergebiete Auskunft geben. Nach dem heutigen Anstehenden oder den Ergebnissen von Bohrungen lassen sie sich geographisch lokalisieren.

Auf diese Weise konnte man nachweisen, daß die roten Sandsteine im Buntsandstein der Vogesen aus Hochgebieten stammen, welche im Gebiet des heutigen Pariser Beckens lagen. So hat beispielsweise ein grober Horizont, das Hauptkonglomerat, Lyditgerölle mit silurischen Graptolithen und Quarzitgerölle mit devonischen Spiriferen geliefert. In der Tat haben in jüngerer Zeit Bohrungen silurische und devonische Ablagerungen unter dem Mesozoikum des Pariser Beckens nachgewiesen. Diese Ergebnisse bestätigen die Vorstellungen, die man schon früher durch die Messung von Strömungsrichtungen gewonnen hatte (Abb. 55).

Die Liefergebiete können auch nachgewiesen werden durch die Untersuchung der **Schwermineralien**: Staurolith, Disthen, Andalusit, Granat, Turmalin, Zirkon ... Diese Mineralien charakterisieren die verschiedenen Zonen der Metamorphose in den alten Massiven. Für das Aquitanische Becken konnte Vatan (1950) die Herkunft des klastischen Materials, das während der Kreide und des Tertiärs einmal aus den Pyrenäen, einmal aus dem Zentralmassiv kam, nachweisen.

In jüngerer Zeit ermöglichte die Untersuchung von Quarzkörnern durch **Thermolumineszenz** verschiedene Varietäten dieses Minerals zu unterscheiden und damit auf ihr Liefergebiet zu schließen.

β) Klima

Die Gesteine zersetzen sich an der Erdoberfläche. Die physikalisch-chemischen Vorgänge, die diesen **Verwitterungsprozeß** bewirken, werden stark von Temperatur und Feuchtigkeit beeinflußt.

Unter **gemäßigtem Klima** bildet sich aus den kristallinen Gesteinen ein **Grus**, in welchem die aufgelockerten und teilweise zersetzten Mineralien von einer dünnen tonigen Hülle umgeben sind. Die Quarze bleiben mehr oder weniger intakt. Durch Verfestigung entstehen aus dem Grus **Arkosen** (Abb. 47).

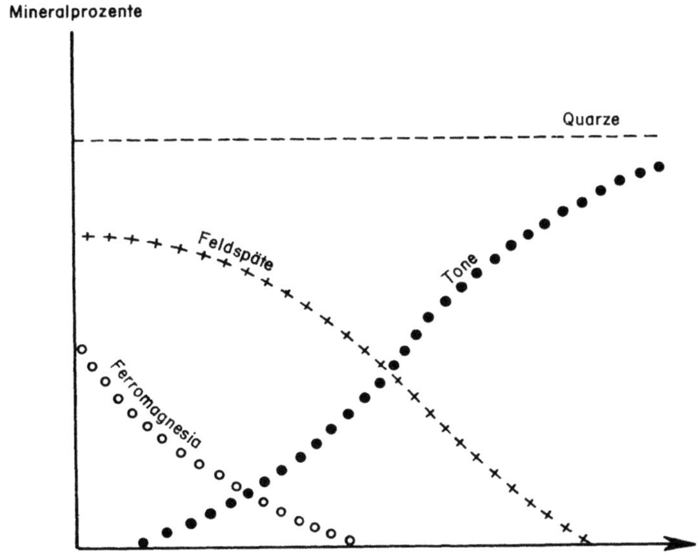

Abb. 47. Änderung der mineralogischen Zusammensetzung eines Granitgruses bei zunehmender Verwitterung unter gemäßigtem Klima. (J. Weller 1960)

Die gleichen Gesteine sind hingegen unter einem feucht-warmen **tropischen** Klima einer fortschreitenden Hydrolyse ausgesetzt. Die Kieselsäure wird zum Teil in Lösung weggeführt. Das Aluminium verbleibt in Form von Gibbsit oder verbindet sich mit der übrigen Kieselsäure zu Kaolinit. Der größere Teil des Eisens wird in Konkretionen und Krusten gebunden. Auf diese Weise bilden sich **Laterite**, die, geologisch gesehen, der **Siderolithfazies** entsprechen und zu der auch Eisenlagerstätten und Bauxite zählen.

Es ist außerdem bekannt, daß nicht alle Mineralien mit der gleichen Geschwindigkeit verwittern: Biotit ist anfälliger als Muskovit, Plagioklase verwittern schneller als Alkalifeldspäte. Dies gilt für das gemäßigte oder tropische Klima. In ariden Gebieten bleiben dagegen die Plagioklase frischer als die Alkalifeldspäte. Derartige Beobachtungen lassen für die Genese der triadischen Feldspatsandsteine mit verwitterten Plagioklasen Rückschlüsse auf ein warmes, wechselweise trockenes und feuchtes Klima zu, das eine Zwischenstellung zwischen gemäßigtem und tropischem Klima einnahm.

b) Erkenntnisse über den Ablagerungsraum

α) Redox-Potential

Bestimmte Eisenmineralien, die im Ablagerungsraum entstanden sind, können als Anzeiger oxydierender oder reduzierender Bedingungen im Sediment gelten. Die Ferrioxyde wie der **Goethit** (FeO(OH)) zeigen ein oxydierendes Milieu an. Der **Siderit** ($FeCO_3$) und der **Pyrit** (FeS_2) charakterisieren dagegen ein reduzierendes Milieu. Letzteres begünstigt auch die Konservierung **organischer Substanz** und damit auch die Fossilisation von Weichteilen der Organismen.

β) Salinität

Es gibt Mineralien, die nur in marinen Sedimenten entstehen. Dies gilt für den **Glaukonit** und den **Chamosit**, beides eisenhaltige Phyllosilikate. Auch die Mehrheit der Phosphatlagerstätten ist mariner Entstehung. Die **Evaporite** – Steinsalz, Sylvin, Gips – deuten auf ein an Salzen übersättigtes Milieu. Aber diese Substanzen sind sehr mobil und wandern leicht. Die Hohlräume, die dabei in den Gesteinen entstehen, können von anderen Mineralien wieder eingenommen werden: es bilden sich **Pseudomorphosen** (Abb. 66). Sogenannte primäre **Dolomite**, die durch winzige Kristalle und eine Feinschichtung charakterisiert sind, scheinen ebenfalls in einem stark salzigen Milieu mit Evaporit-Tendenz zu entstehen.

γ) Tonmineralien

In hauptsächlich klastischen Ablagerungen stammen die Tonmineralien aus den Liefergebieten. Dies gilt für die **Illite** und **Chlorite**, die direkt von der Erosion ausgesetzten Massiven kommen. **Kaolinit** und viele **Montomorillonite** dagegen kommen aus eingeebneten Festländern, deren Bodenbedeckung reich ist an diesen Mineralien.

In Ablagerungen mit stärker betontem chemischem Charakter können sich im Sedimentationsraum selbst die Tone **umwandeln** oder **neu bilden**. Man findet dann **Glaukonite**, die typisch sind für ein marines Milieu, und **magnesiumhaltige Tone** (Saponit, Stevensit, Attapulgit, Sepiolith), die typisch sind für ein geochemisches Milieu, das infolge Verdunstung übersättigt ist an Kieselsäure und Kationen.

Schließlich kommt es vor, daß die **Diagenese** die Tone verändert. Damit wird der Nachweis ihrer Entstehung unsicher.

δ) Geochemie

Die Tonmineralien haben die Fähigkeit, bestimmte Elemente, die im Wasser ihres Ablagerungsraumes vorhanden sind, in ihr Kristallgitter einzubauen. Diese Elemente, die meistens nur in Form von **Spuren** vorhanden sind, können durch die geochemische Analyse qualitativ und quantitativ bestimmt werden. Dadurch ist es möglich, die Schwankungen in ihrem Gehalt in den verschiedenen Milieus zu vergleichen. Man weiß beispielsweise, daß im Meerwasser die **Borgehalte** höher liegen als im Süßwasser. In den illitreichen Tonen mariner Ablagerungen ist das Bor reicher vorhanden (100–300 g/t) als in denen der Süßwassersedimente (30–100 g/t). In einem übersalzenen Milieu sind die Gehalte noch höher. Das Bor kann so als Indikator für die **Paläosalinität** benutzt werden. Gleiches trifft zu für andere Elemente wie Chrom, Strontium und Vanadium.

c) Erkenntnisse über die diagenetische Entwicklung

Die petrographische Untersuchung kann verschiedene geochemische Umgruppierungen, die sich im Sediment nach seiner Ablagerung vollzogen haben, nachweisen: sekundäres Wachstum von Körnern unter Mitwirkung von ionenreichen Lösungen, Bildung von Konkretionen . . . Die Diagenese bestimmt den Endzustand eines Sediments.

2. Morphoskopie

Die morphoskopische Analyse befaßt sich mit der Form und der Oberflächenbeschaffenheit von Körnern und Geröllen. Sie ermöglicht, das Ausmaß der Abnutzung durch das Transportmittel zu bewerten und über seine Natur Auskunft zu geben.

a) Oberflächenbeschaffenheit der Quarzkörner

Die Beobachtungen hierzu werden an trockenen Körnern mit einem Durchmesser > 0,5 mm durchgeführt. Man unterscheidet drei Korntypen (Abb. 48):

- *unbearbeitete Körner* („non usés"): sie waren einem schwachen oder gar keinem Transport unterworfen,
- *abgerundet-glänzende Körner* („émoussés luisants"): sie wurden im Wasser transportiert,
- *rund-matte Körner* („ronds mate"): sie wurden vom Wind transportiert.

Falls in einem Sand oder Sandstein die abgerundet-glänzenden Körner mehr als 30% der Gesamtheit ausmachen, kann man davon ausgehen, daß ihre Bearbeitung im marinen Bereich erfolgte. Liegt dieser Wert jedoch unter 20%, so läßt sich nicht mit Sicherheit sagen, ob ein fluviatiles oder marines Transportmedium vorlag.

Neuerdings scheint die Verwendung des Rasterelektronenmikroskops durch das Studium der Oberflächendetails der Körner neue Möglichkeiten für die Rekonstruktion der Geschichte von klastischen Quarzen zu eröffnen (Exoskopie).

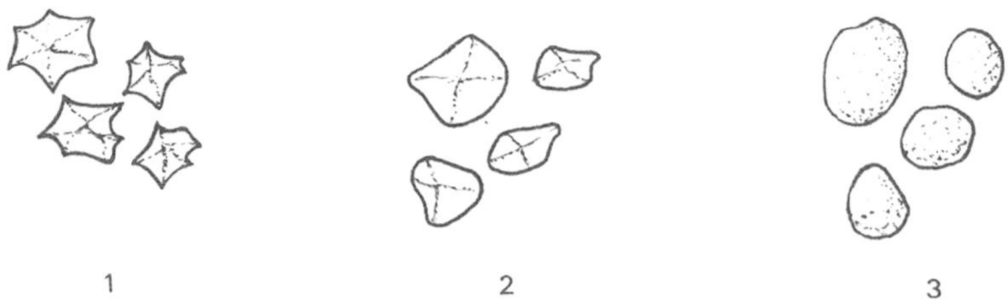

Abb. 48. Verschiedene Sandkorntypen. *1* Unbearbeitete Körner (fehlender oder schwacher Transport); *2* Abgerundet-glänzende Körner (Wassertransport); *3* Rundmatte Körner (Windtransport)

b) Form und Rundung von Geröllen

Die zahlreichen Stöße, welche die Teilchen im Laufe ihres Transports erhalten, bewirken, daß diese im Endeffekt eine kugelige Form annehmen. Sie wird jedoch selten erreicht. Die Form der Gerölle hängt von deren Petrographie ab, aber auch von der Natur des Transportmittels.

Im **marinen Milieu** werden Gerölle gut gerundet. Ihre Abflachung wird stärker betont als im fluviatilen Milieu. In Strandwällen zeigen zudem die Gerölloberflächen oft noch Schlagmarken in Form von Kreisbögen.

Der mit Partikeln beladene **Wind** schleift die Gerölle, wobei ebene, durch Kanten voneinander getrennte Flächen entstehen, sogenannte **Windkanter**. Ein vom Wind bearbeiteter Stein mit drei Facetten heißt **„Dreikanter"** (Abb. 49).

Der Transport durch **Gletscher** erzeugt **gekritzte Geschiebe** mit grob fünfeckigem Umriß (Abb. 50). Die Kritzung entsteht durch die Reibung der Geschiebe untereinander im oder unter dem Eis.

3. Granulometrie

Die Größe von Sedimentteilchen kann bestimmt werden durch direktes Messen (Gerölle) oder durch Sieben (Sand). Im Fall der Feinsedimente (Korngröße $< 0{,}05$ mm) benutzt man die Sedimentationszeit der Teilchen, die im Wasser suspendiert sind. Die Sedimentationsgeschwindigkeit ist eine Funktion der Teilchengröße. Bei harten Gesteinen werden die Messungen an Dünnschliffen vorgenommen.

a) Klastische Gesteine

Die Korngröße und ihre Verteilung hängen hauptsächlich von der Stärke und der Natur des Transportmittels ab. **Graphische Darstellungen** (Verteilungskurven, Summenkurven) ermöglichen es, die Ergebnisse besser

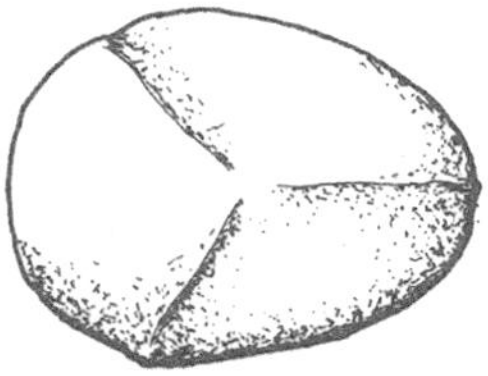

Abb. 49. Windkanter

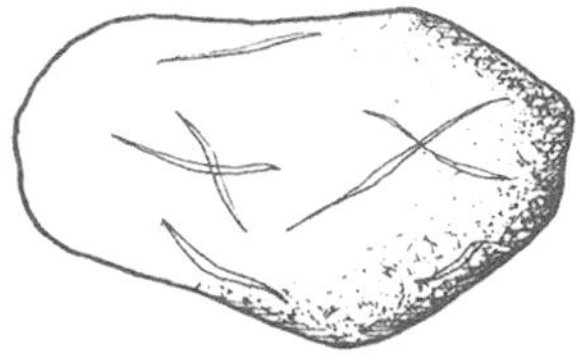

Abb. 50. Gekritztes Geschiebe

zu verdeutlichen und **Indizes** für den Vergleich zwischen verschiedenen Faziesbereichen zu berechnen (Abb. 51).

Aus der Häufigkeitsverteilung (Verteilungskurve) kann man entnehmen:
- den *Sortierungsgrad* aus der Breite der Kurve;
- *einfache oder zusammengesetzte Herkunft* des Sediments je nachdem, ob ein Maximum oder mehrere Maxima vorliegen;
- *Fehlen einer Kornfraktion* aus der Asymmetrie der Kurve.

Das Transportmittel lediglich aus dem Aussehen der granulometrischen Kurve abzuleiten, bleibt riskant. Einige Tatsachen scheinen jedoch festzustehen. Dünensande sind im allgemeinen besser sortiert als Flußsande. Marine Strandsande sind arm an Feinbestandteilen, welche meerwärts weggeführt werden (negative Asymmetrie der Häufigkeitskurve). Im fluviatilen oder äolischen Bereich stellen jedoch die Feinbestandteile die vorherrschende Kornklasse dar (positive Asymmetrie der Häufigkeitskurve).

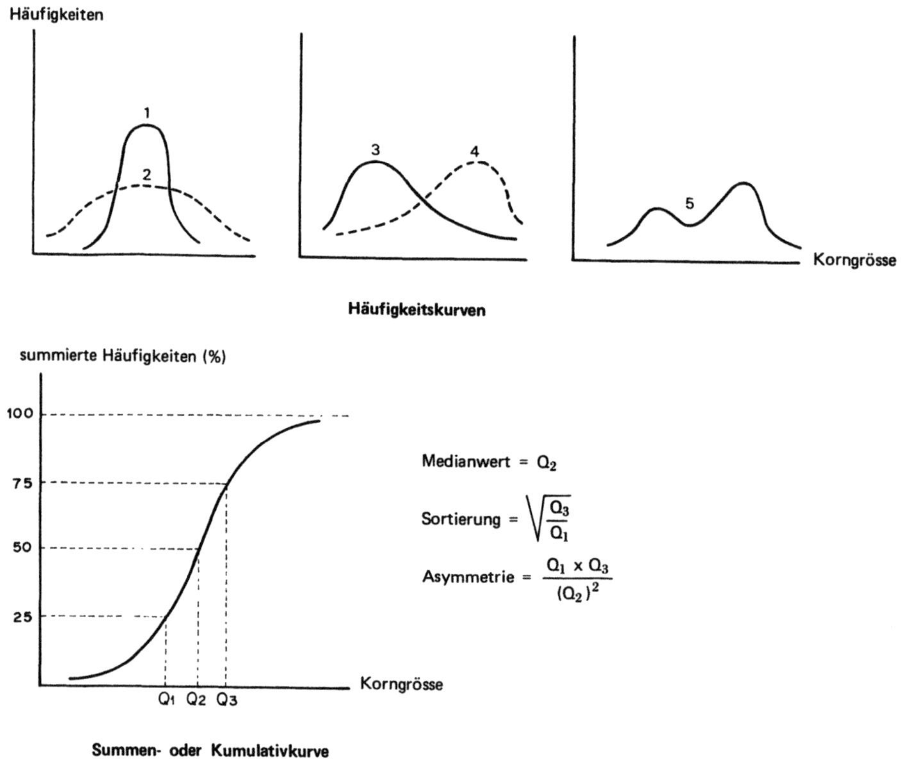

Abb. 51. Granulometrische Kurven. *1* Gut sortiertes Sediment; *2* Schlecht sortiertes Sediment; *3* Positive Asymmetrie; *4* Negative Asymmetrie; *5* Bimodale Kurve (polygenes Sediment)

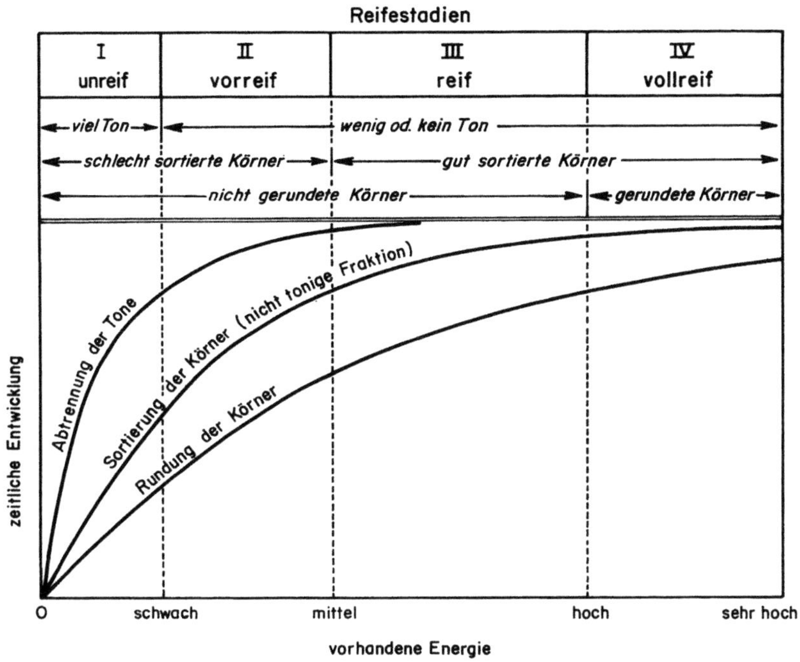

Abb. 52. Verschiedene Reifestadien eines klastischen Sediments in Abhängigkeit von der während seines Transports vorhandenen Energie. (R. Folk 1951)

Die verschiedenen gesteinsbildenden Mineralien sind charakterisiert durch ihren Abrasionswiderstand: die leicht spaltbaren Feldspäte sind weniger widerstandsfähig als die Quarzkörner.

Ausgehend von dem der Verwitterung unterworfenen Muttergestein hat Folk vier Stadien in der Umwandlung eines Sediments im Laufe seiner Geschichte definiert (Abb. 52):

- ein *Stadium der Unreife*, charakterisiert durch ein Sediment, das reich ist an Ton und feinen Glimmerschüppchen; die Grobbestandteile sind eckig und schlecht sortiert;
- ein *vorreifes Stadium*, bei welchem die Tonfraktion zum großen Teil weggeführt wurde; die Gesteinskörner sind noch eckig und schlecht sortiert;
- ein *Stadium der Reife*, bei welchem die Tone vollständig beseitigt sind; die Sedimentteilchen sind gut sortiert, bleiben aber noch leicht eckig;
- ein *Stadium der Voll(reife)*, der letzte Schritt in der Sedimententwicklung, bei welchem die Körner gut sortiert und gut gerundet sind; Tone fehlen gänzlich.

Entsprechend der hydrodynamischen Energie, der das Sedimentmaterial unterworfen ist, erreicht es das eine oder andere dieser vier Entwicklungsstadien.

b) Karbonatgesteine

Karbonate werden entweder in Suspension oder in Lösung transportiert. Im ersten Fall verhalten sie sich wie klastische Partikel. Im zweiten Fall erfolgt ihre Ablagerung durch chemische Ausfällung oder unter Mitwirkung von lebenden Organismen.

Nach der Größe der Kalzitkristalle unterscheidet man:

- **Mikrit** mit Kristallgrößen, die immer unter 10 μ liegen (Abb. 53); er geht hervor aus einem Karbonatschlamm von chemischer oder mechanischer Entstehung; er ist somit ein Hinweis auf ein ruhiges Milieu ohne Strömung. Mikrit ist der Hauptbestandteil der lithographischen Kalke.
- **Sparit** aus klaren, größeren (über 10 μ) Kristallen bildet sich durch Ausfällung in den Hohlräumen zwischen den Grobbestandteilen (Abb. 53).

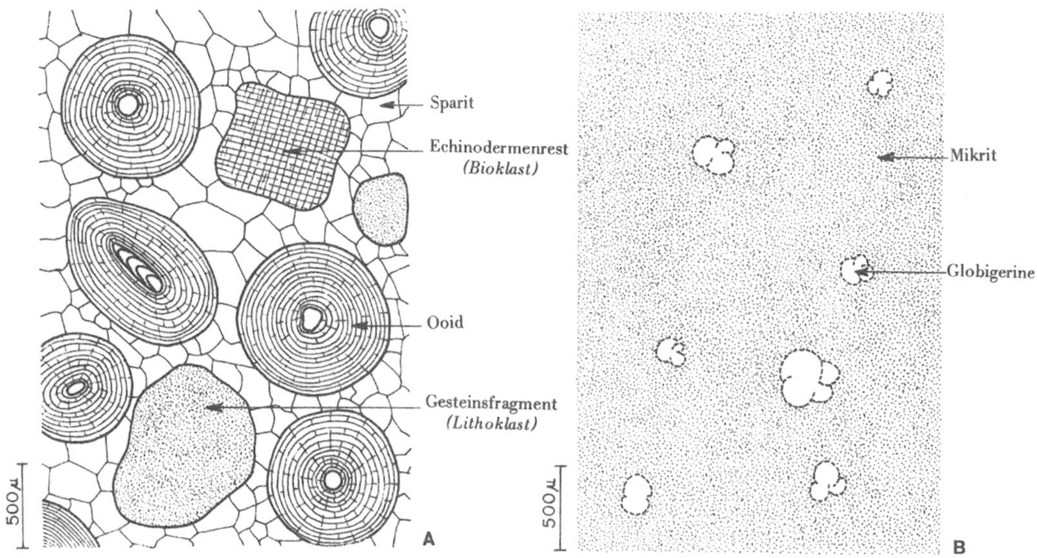

Abb. 53A, B. Schnitte durch zwei Kalkgesteine. **A** Oolithischer Kalk (Kalkarenit). Die Zurundung der Teilchen, die Kornsortierung und das Vorhandensein von Sparit beweisen ein bewegtes Milieu. **B** Kreide (Kalklutit). Die mikritische Natur des Gesteins und das Vorhandensein planktonischer Foraminiferen weisen auf eine Ablagerung in ruhigem Milieu hin

Dieses karbonatische Bindemittel entwickelt sich, wenn kein Mikrit die intergranularen Hohlräume einnimmt. Sein Vorhandensein deutet auf einen bewegten Ablagerungsbereich. Sparit entsteht jedoch auch durch Rekristallisation kleinerer Partikel.

Allgemein geben die **klastischen Sedimente** Informationen über die **Liefergebiete** und über die **Transportarten**, während die Gesteine **chemischen** oder **organischen** Ursprungs eher über den Charakter des **Ablagerungsraumes** Auskunft geben.

4. Anordnung der Partikel

a) Korngrößenklassierung

In dem Maße, wie die Energie des Transportmittels abnimmt, sedimentieren die Teilchen in der Reihenfolge ihrer Größenabnahme: es erfolgt eine Korngrößenklassierung, in diesem speziellen Fall eine **vertikale Korngrößenabnahme** (Abb. 54). Wenn dagegen im Laufe der Zeit die Energie zunimmt, erfolgt eine **Korngrößenzunahme**. Die Korngrößenklassierung kann vertikal oder horizontal sein (Abb. 55). Häufig wird sie dem bloßen Augen sichtbar durch einen Farbunterschied im Gestein: der grobe Anteil ist heller als der feine, in welchem Ton und organische Substanz eingeschlossen sind.

Die Korngrößenklassierung ist besonders deutlich im aquatischen Bereich. Glaziale Ablagerungen dagegen zeigen eine schlechte Klassierung, die durch die große Viskosität des Eises bedingt ist. Dies trifft zu für die Blocklehme, ein Material, das völlig ungeordnet während der Abschmelzperiode abgelagert wurde und dessen fossile Form als Tillit bekannt ist.

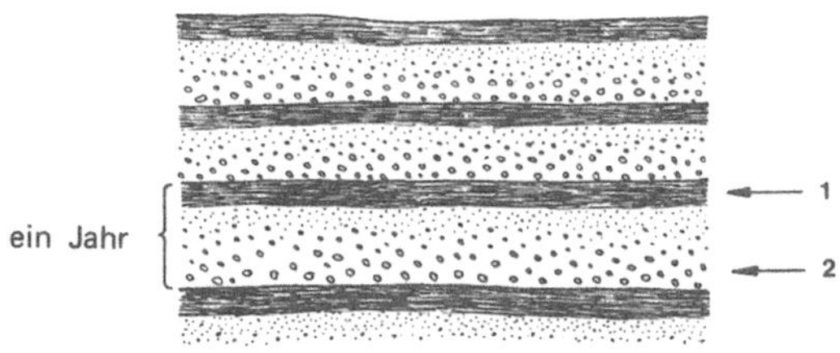

Abb. 54. Warven: periglaziale Sedimente mit vertikaler Korngrößenabnahme (jede Folge ist einige Millimeter dick). *1* Dunkle Tonlage, reich an organischer Substanz, von den herbstlichen Regenfällen stammend. *2* Helle sandige Lage, von den Überflutungen des Frühjahres stammend

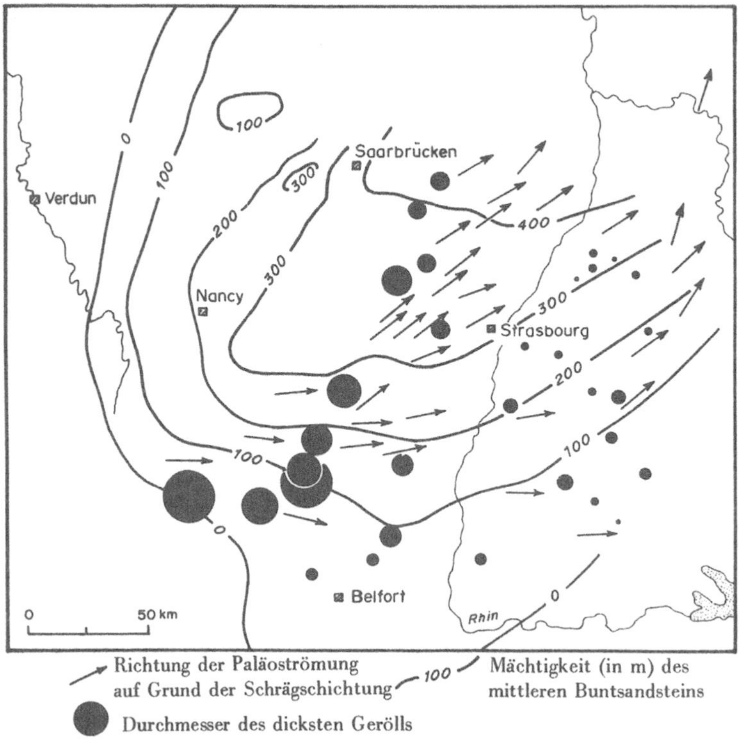

Abb. 55. Rekonstruktion der Paläoströmungen im Mittleren Buntsandstein Ostfrankreichs und Süddeutschlands nach der horizontalen Korngrößenklassierung der Gerölle und Messungen der Schrägschichtung. (F. Forche 1935)

b) Strömungsstreifung

Eine Strömungsstreifung (*parting-lineation* in der englischsprachigen Literatur) läßt sich auf den Schichtflächen der Sandsteine in Form länglicher Absplisse beobachten, deren Längsachsen untereinander vollständig parallel sind (Abb. 56). Diese Abschuppung ergibt sich aus der Orientierung und Absonderung der Teilchen während der Ablagerung. Sie entsteht nur in einem Milieu von großer hydrodynamischer Energie.

c) Orientierung der Gerölle

Längliche Gerölle orientieren sich unter der Einwirkung von Strömungen. Auf Stränden regeln sich die großen Achsen der Gerölle parallel zur Strandlinie infolge der Wellenbewegung ein. Im fluviatilen Bereich tendieren die

Abb. 56. Strömungsstreifung auf der Oberfläche einer Sandsteinplatte. Der *Pfeil* gibt die Strömungsrichtung an

großen Achsen der Gerölle dazu, je nach Fall, sich parallel oder senkrecht zur Fließrichtung einzuordnen. Die Gerölle von unregelmäßiger Form verankern sich im Sediment unter ihrem Schwerpunkt. Der schlankere Teil ist somit stromabwärts orientiert.

d) Imbrikation der Gerölle

Wenn abgeflachte Gerölle durch eine einsinnige Strömung abgelagert werden, ordnen sie sich wie die Ziegel eines Daches an: ihre große Achse fällt stromaufwärts ein. Diese Anordnung läßt sich häufig in fluviatilen Sedimenten beobachten (Abb. 57).

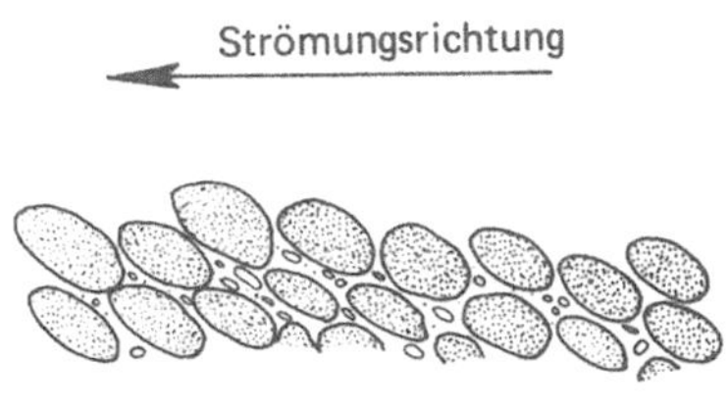

Abb. 57. Imbrikation der Gerölle in einer Flußablagerung

II. Beobachtungen im Bereich der Bank: Stratinomie

1. Bankung (Schichtung) und Feinschichtung

Unter **Schichtung** versteht man die Anordnung von Sedimentablagerungen in deutlichen Lagen, den Schichten oder Bänken. Sie werden voneinander getrennt durch Schichtfugen oder durch Zwischenlagen unterschiedlicher Lithologie. Jede Lage oder Zwischenlage entspricht einem Sedimentationsabschnitt.

Die **Feinschichtung** entspricht den geometrischen Strukturen im Innern einer Bank (oder Schicht), die sich im Laufe der Sedimentation herausgebildet haben.

a) Schichtung (Bankung)

Entsprechend ihrer Anordnung unterscheidet man zwei Arten der Schichtung:

- **Parallelschichtung**, wenn die Oberflächen, die die Bänke begrenzen, auf große Erstreckung parallel zueinander verlaufen. Die Ablagerungen haben hier eine große horizontale Ausdehnung bis zu Kilometer- oder gar Zehnern von Kilometer-Dimension. Sie entstanden am Boden von ausgedehnten Wasserflächen: Meere, Seen.
- **Linsenschichtung**, bei der jede Bank einer Linse von einigen Dezimetern bis mehreren Zehnern von Metern Ausdehnung entspricht (Abb. 105). Es handelt sich dabei also um räumlich eng begrenzte Ablagerungskörper: Mulden- und Strombettausfüllungen, Dünen, Riffe ... **Flußbetten** und **Priele** werden von einer basalen Erosionsfläche begrenzt, die unregelmäßig und meist konkav geformt ist (Abb. 76). Ihre Ausfüllung kann in mehreren Etappen erfolgen. Sie enthält oft Bruchstücke von Gesteinen, die aus dem Untergrund aufgearbeitet sind.

b) Feinschichtung (bankinterne Schichtung)

Die am häufigsten auftretende Form der Feinschichtung besteht aus einer Folge von Sedimentlagen von Millimeterdicke, die als **Blätter** oder **Lamellen** bezeichnet werden. Sie entstehen infolge von Änderungen der Sedimentationsgeschwindigkeit oder einer Änderung in der Natur des angelieferten Materials. Sie können gradiert sein. Diese Sedimentschichtung, die mechanischer und synsedimentärer Entstehung ist, darf nicht mit der tektonisch entstandenen Schieferung, noch mit der durch Algentätigkeit entstandenen Bänderung (Stromatolithen) verwechselt werden.

Innerhalb der Bänke führt die Gruppierung von Blättern zu verschiedenen Schichtungstypen:

α) bankinterne Parallelschichtung (Horizontalschichtung oder lamellierte Struktur)

Die Oberfläche der Blätter ist eben und parallel zur Ober- und Unterseite der Bänke. In einem Feinsediment (Ton, Mikrit) entsteht diese Horizontalschichtung durch Sedimentation der Partikel in einem ruhigen Milieu. In einem Grobsediment (Sandstein) erscheint sie dagegen unter der Einwirkung von Strömungen, in einem Milieu also von hoher hydrodynamischer Energie.

β) Schrägschichtung (schräg-lamellierte Struktur)

Die Blätter bilden mit der Bankoberseite (Dachfläche) einen spitzen Winkel. Die transportierten Teilchen bauen einen schrägen Hang mit einer Abfolge von Schrägblättern auf. Diese fallen immer stromabwärts ein (Leeblätter). Die Schrägschichtung gibt daher die Strömungsrichtung an. Im aquatischen Bereich ist der Winkel, den die Blätter mit der Dachfläche der darunter liegenden Schicht bilden, kleiner als 34°. Im allgemeinen liegt er bei 20°. In äolischen Ablagerungen stellt man höhere Werte fest, die bis 40° erreichen können.

Die Schrägschichtung wird hervorgerufen durch das Vorrücken von rhythmisch wiederholten Sedimentationskörpern: Rippelmarken, äolische oder subaquatische Dünen, Sandbänke . . . Je nach ihrer Größe erhält man

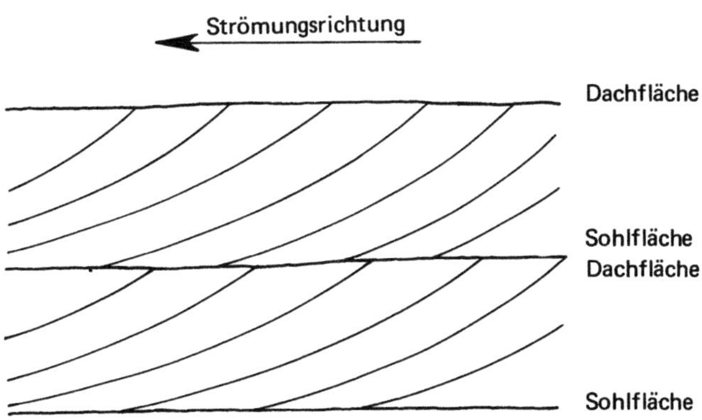

Abb. 58. Schrägschichtung in zwei übereinander liegenden Bänken

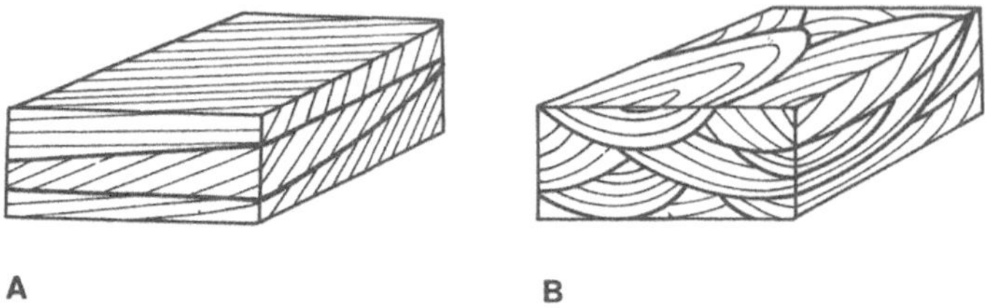

Abb. 59A, B. Formen der Schrägschichtungseinheiten. **A** tafelige Schrägschichtung. **B** trogförmige Schrägschichtung

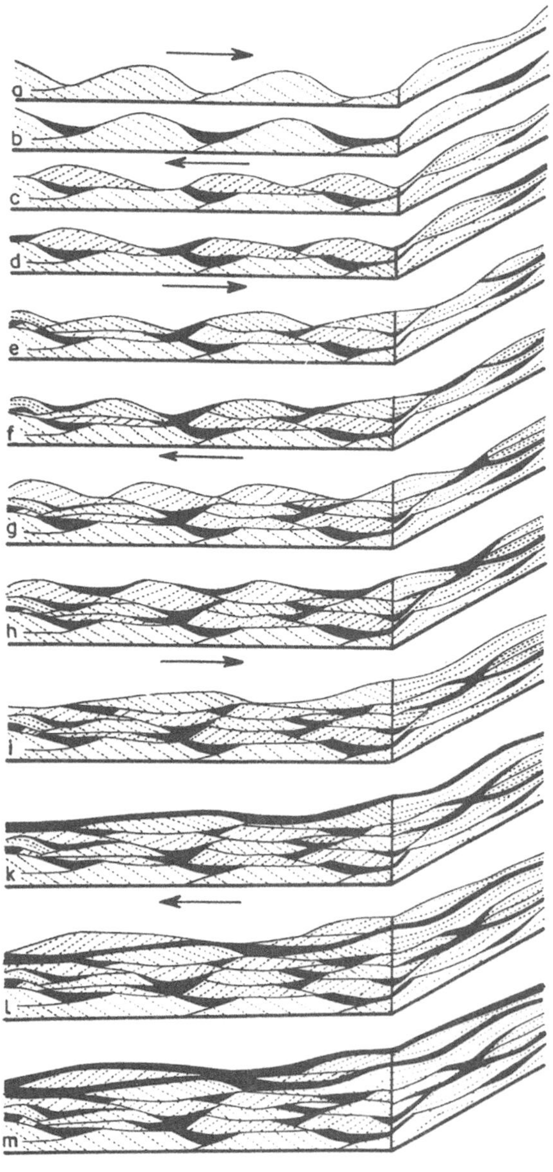

Abb. 60. Entstehung der Flaserschichtung aus aufeinander folgenden Rippelmarkzügen. Die *Pfeile* zeigen die Richtung der Strömung bei Flut (*a, e, i*) und Ebbe (*c, g, l*), getrennt durch Stauwasserperioden (*b, d, f, h, k, m*), an. *Schwarz:* Feinsediment (Schlick). *Punktiert* Rippelschichtung. (H.E. Reineck 1960)

eine kleindimensionierte Schrägschichtung (Rippelmarken; Größenordnung der Schrägschichtungseinheiten: einige cm), die ungenau als **„Mikrokreuzschichtung“** bezeichnet wird, oder eine großdimensionierte Schrägschichtung (Dünen, Sandbänke oder Barren; Größenordnung der Einheiten: einige dm oder m). Im zweiten Falle lassen sich nach der Form der Blatteinheiten unterscheiden (Abb. 59):

– **tafelige Schrägschichtung**, bei der die Grenzfläche zwischen den Einheiten eine Ebene darstellt; sie entsteht bei der Wanderung von subaquatischen Barren;
– **trogförmige Schrägschichtung**, bei der die Einheiten löffelförmig ausgebildet sind; sie entsteht beim Wandern von Dünen oder großen Sandriffen.

γ) Flaserschichtung

Die Wanderung von Rippelmarken kann auch zu Flaserschichtung führen (Abb. 60). So wird beim Erlahmen eines Rippelfeldes das Feinmaterial, das bis dahin in Suspension gehalten worden war, in den Wellentälern festgehalten. Ein später darüber hinwegziehendes Rippelfeld erodiert die vorliegenden Rippelkämme und verschont in der Regel die Rippeltäler. Im Schnitt zeigt dann das Sediment kleine konkav-konvexe Feinmateriallinsen inmitten eines groberen Materials. Dieser Schichtungstyp findet sich besonders häufig im Ebbe-Flutbereich und in Ästuaren, wo Rippelbildung und Stauwassersedimentation miteinander abwechseln. Das abwechselnd gegensinnige Einfallen der Blätter in verschiedenen Niveaus spiegelt darin die Umkehr der Strömungsrichtungen wider („herringbone structure“ der englischsprachigen Literatur).

δ) Schichtverformung

Kurz nach ihrer Ablagerung können Blatteinheiten längs einer Neigung (Beträge von 3° sind bereits ausreichend) in Bewegung geraten. Dabei entsteht eine Serie von mehr oder weniger unregelmäßigen Falten zwischen weniger plastischen und daher horizontal verbleibenden Lagen (Abb. 61). Diese synsedimentären Mikrofalten, als Wickelstrukturen bezeichnet („convolute bedding“ der englischsprachigen Literatur), bilden sich in Feinsedimenten, deren Porenraum noch wassergefüllt ist, d.h. die rasch sedimentiert wurden.

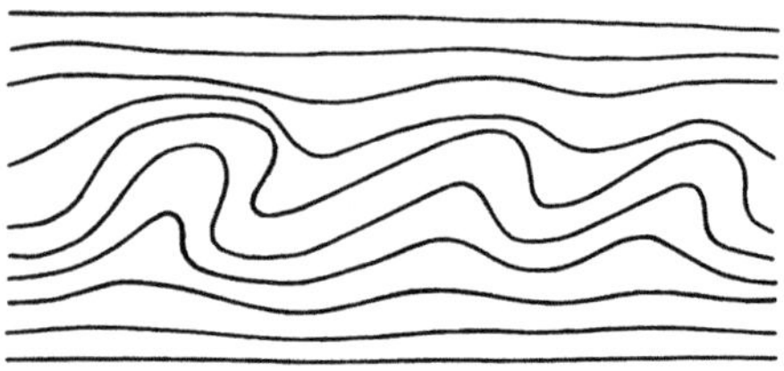

Abb. 61. Gleit- oder Wickelstruktur (*convolute bedding*) innerhalb einer Bank

2. Sedimentstrukturen

Unter Sedimentstrukturen versteht man geometrische Gebilde von geringem Ausmaß auf den Schichtflächen oder innerhalb von Sedimentbänken. Sie entstehen durch die dynamische Aktivität von strömenden Medien (Wasser, Wind).

a) Strukturen der Schichtoberfläche

α) Wellen- oder Rippelmarken

Rippel sind rhythmisch wiederholte Wellungen der Sedimentoberfläche, die unter der Einwirkung von Strömungen oder des Wellenganges entstehen. Die Entfernung zwischen zwei benachbarten Wellenkämmen (Wellenlänge) variiert von einigen Zentimetern (Rippelmarken) bis zu mehreren Zehnern von Metern (Dünen).
Man unterscheidet:
- Rippel mit symmetrischem Profil oder **Oszillationsrippel** (Abb. 62): sie entstehen unter der Einwirkung des Wellenganges und sind ein Anzeichen geringer Wassertiefe;
- Rippel mit asymmetrischem Profil oder **Strömungsrippel** (Abb. 63): sie sind an Transportvorgänge des Sediments gebunden. Sie wandern unter dem Einfluß einer einsinnig gerichteten Strömung durch Anlagerung von aufeinanderfolgenden Schichtungsblättern auf der steiler abfallenden Leeseite. Ihre Kämme, die senkrecht zur Strömungsrichtung verbleiben, können gradlinig oder unterbrochen sein (Tab. II, Abb. 2). Diese Rippel sagen zwar nichts aus über die Tiefenlage zur Zeit ihrer Entstehung, aber sie unterrichten über die Richtung der Paläoströmung. Sie zeigen jedoch ein Maximum an Vielfalt im Niedrigwasser.

Im Prinzip unterscheiden sich Rippelmarken äolischen Ursprungs von solchen aquatischen Ursprungs durch folgendes Kriterium: in den aquatischen Rippeln häufen sich die gröberen Teilchen in den Wellentälern an, in den äolischen dagegen verbleiben sie auf dem Kammbereich.

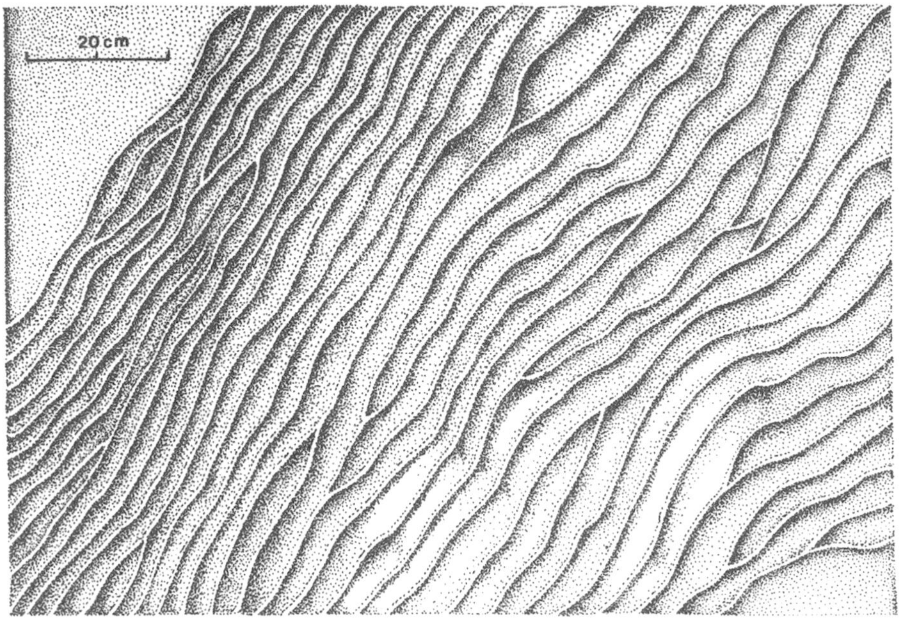

Abb. 62. Oszillationsrippel an der Oberfläche einer Sandsteinbank

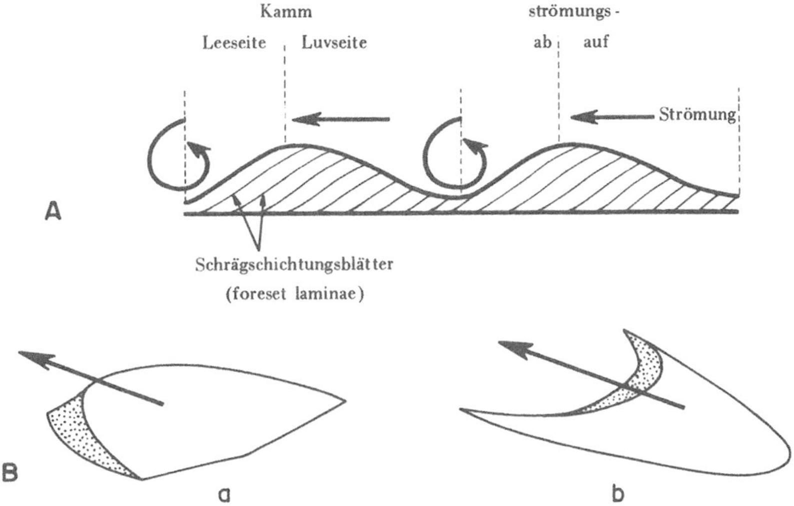

Abb. 63A, B. Strömungsrippel. **A** Profil und innerer Aufbau. **B** einfache Rippel mit unterbrochenem Kamm. *a* zungenförmig; *b* sichelförmig. (J.C. Gall 1971)

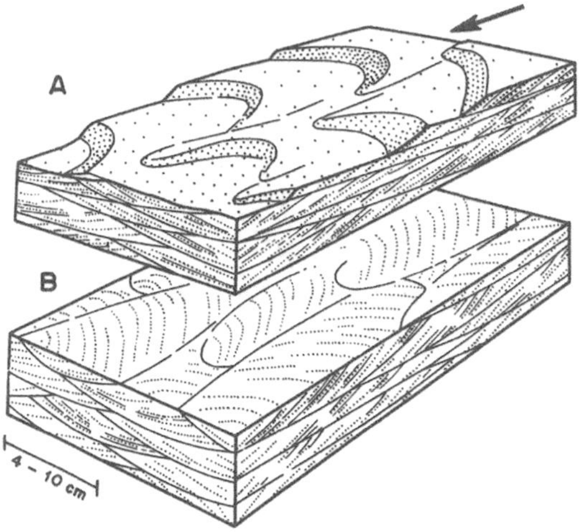

Abb. 64A, B. Blockdiagramm zur Entstehung der Strömungsrippelschichtung aus bogigen Rippeln. **A** Strukturfläche mit Rippelmarken (der *Pfeil* gibt die Strömungsrichtung an) **B** Schnitt entlang einer subhorizontalen Fläche. (P. Wurster 1963)

Die Aufeinanderfolge von Rippelfeldern ergibt spezielle Schichtungstypen: die im Flachwasser häufige **Flaserschichtung** (Abb. 60) und die **Mikroschrägschichtung** (Abb. 64).

β) Hufeisenmarken

Die Hufeisenmarken („*crescent marks*" der englischsprachigen Literatur) stellen hufeisenförmige Vertiefungen (Luvgraben) dar, die sich stromaufwärts um kleine Strömungshindernisse (Gerölle, Schalen) herum bilden (Abb. 65). Die konkave Seite der Figur gibt die Leeseite an.

b) Strukturen der Schichtunterseite

Auf der Schichtunterseite (Sohlfläche) erscheinen Sedimentstrukturen als natürliche Abgüsse (engl. „*casts*") von Vertiefungen oder Erhebungen

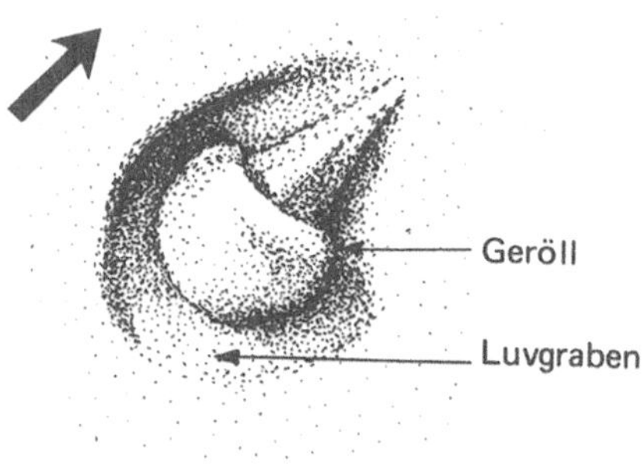

Abb. 65. Hufeisenmarke (*crescent mark*) auf einer Schichtoberseite. Der *Pfeil* gibt die Strömungsrichtung an

(engl. *„marks"*) der darunterliegenden feinkörnigen Schicht. Sie entsprechen den *„sole-marks"* (wörtl.: Abdrücke der Schichtsohle) der englischsprachigen Literatur. Je nach Entstehung lassen sich mehrere Kategorien unterscheiden:

α) Strukturen mit Aussagewert über die physikalisch-chemischen Eigenschaften des darunterliegenden Horizontes:

- **Trocken- oder Schrumpfrisse**, die ein charakteristisches polygonales Netz („Netzleisten") an der Schichtunterseite wiedergeben (s. Deckblatt); sie beweisen die Austrocknung eines aquatischen Milieus;
- **Steinsalzpseudomorphosen**, die der Ausfüllung von Hohlräumen entsprechen, welche nach der Auflösung von Steinsalzkristallen an der ehemaligen Sedimentoberfläche verblieben waren (Abb. 66); sie zeigen einen hohen Salzgehalt des Wassers an.

β) Strukturen, die durch Strömungen entstanden (Erosions- bzw. Strömungsmarken):

- Hierher gehören Strukturen, die im noch lockeren Sediment durch eine Strömung ausgekolkt wurden. Am verbreitetsten sind die **Strömungswülste**. Sie bilden an der Unterseite der hangenden Schicht längliche Wülste von einigen cm Länge, *„flute-casts"* genannt (Abb. 67). Das häufig knollig aufgeblähte Ende zeigt stromaufwärts. Die flutecasts treten oft gebündelt auf. Sie ermöglichen die Festlegung der ehemaligen Strömungsrichtung.
  Unter geringer Wasserbedeckung können sich **Rieselmarken** (*„rill-marks"* der englischsprachigen Literatur) als feines Geäst von Furchen entwickeln.
- Strukturen, die durch in der Strömung transportierte Gegenstände hervorgerufen wurden, **Gegenstandsmarken** (*„tool-marks"* in der englischsprachigen Literatur), variieren je nach Form und Auftreffwinkel des Objekts (Abb. 68). **Schleifmarken** (*„groove-marks"* in der englischsprachigen Literatur) (Abb. 69, 93) z.B. entstehen beim Schlepptransport verschiedener Objekte (Pflanzen, Kadaver, Gerölle . . .) am Boden. Sie geben die Transportrichtung, jedoch meistens nicht den Richtungssinn an.

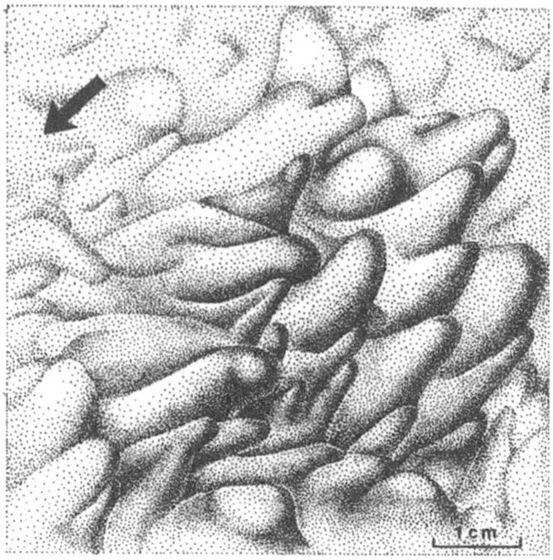

Abb. 67. Flute-casts auf einer Schichtunterseite. Der *Pfeil* gibt die Richtung der Paläoströmung an

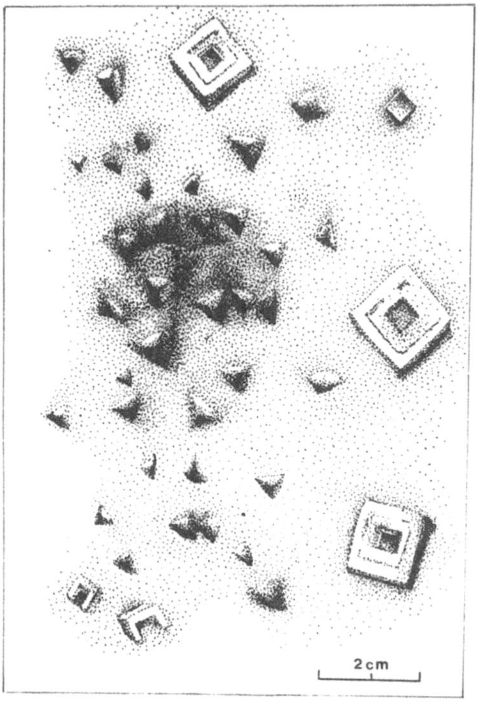

Abb. 66. Steinsalzpseudomorphosen auf einer Schichtunterseite

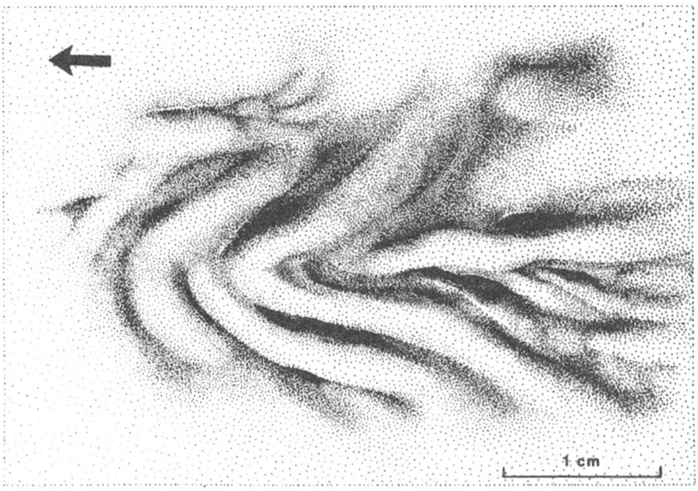

Abb. 68. Impaktstruktur, die von einem in der Strömung transportierten Objekt hervorgerufen wurde

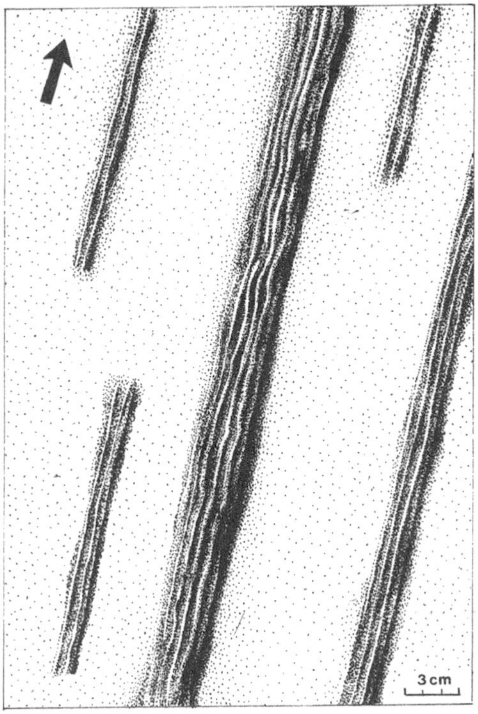

Abb. 69. Schleifmarken (*groove casts*) auf einer Bankunterseite

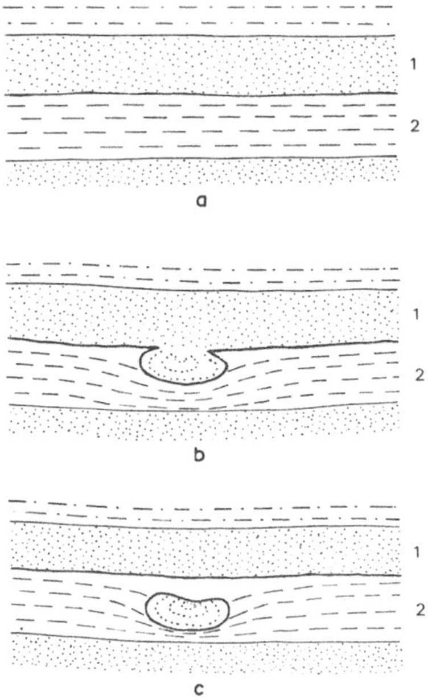

Abb. 70. Bildung einer Pseudoknolle („Ballenstruktur") im Innern eines wassergesättigten Sediments. *1* Sand; *2* Ton

γ) *Deformationsstrukturen*

Durch Sackungen des Sediments kann dieses in der liegenden Schicht, die noch wassergetränkt ist, Eindrücke erzeugen. Auf diese Weise können **Belastungsmarken** („*load-casts*" in der englischsprachigen Literatur) und „**Pseudoknollen**" (**Ballenstrukturen**) (Abb. 70) entstehen.

Abb. 71. Stylolithen in einer Kalkbank

c) Strukturen innerhalb der Schichten (schichtinterne Strukturen)

Innerhalb von Schichten oder Gesteinsbänken können verschiedene Strukturen auftreten, die auf die Orientierung der Sedimentpartikel (**Strömungsstreifung**, Abb. 56) oder auf die Verformung der Feinschichtung (**synsedimentäre Mikrofaltung**, falls die Horizontalkomponente der Bewegung gegenüber der Vertikalkomponente überwiegt, **Pseudoknollen** oder **Ballenstrukturen** im umgekehrten Falle) zurückzuführen sind. Andere Strukturen entstehen erst allmählich nach der Überdeckung des Sediments: sie sind diagenetischen Ursprungs. Ihre Beziehungen zum ursprünglichen Ablagerungsmilieu sind nur schwierig nachweisbar. Dies trifft im Falle der verschiedenen Konkretionsformen und -arten (Geoden, Septarien, Ooide . . .) zu. **Stylolithen**, in Kalken häufig auftretende zickzackförmige Suturen (Abb. 71) entstehen bei der Lösung von Karbonat während der Kompaktion des Sediments oder infolge tektonischen Druckes.

3. Schlußfolgerungen

Das Studium der Sedimentstrukturen erweist sich als fruchtbares Arbeitsfeld für die Bestimmung des Sedimentationsmechanismus wie auch der physikalisch-chemischen Bedingungen im Sedimentationsmilieu.

Insbesondere wird es durch die Beobachtungen in heutigen Sedimentationsbereichen und durch Laborversuche ermöglicht, Parallelen zwischen der **hydrodynamischen Energie**, der Transportart der Teilchen und dem sedimentologischen Charakter einer Ablagerung aufzustellen (Abb. 72, 106). So erzeugt, für eine gegebene Korngröße, eine zunehmend stärkere Strömung nacheinander Rippelmarken, subaquatische Dünen, schließlich ebene horizontale Schichteinheiten mit Strömungsstreifung. Bei stark turbulenten Strömungsverhältnissen wie in Suspensionsströmen entstehen **Antidünen**, die durch stromaufwärts einfallende Schrägschichtungseinheiten gekennzeichnet sind. Sie bleiben allerdings nur selten erhalten. Im Gegensatz dazu führen die in diesem Bereich häufigen Erosionserscheinungen zu Abtragungsmarken und Marken, die durch Objekte (Hindernisse) hervorgerufen werden.

Sediment-strukturen	Gefüge des Sediments		Bewegungsart der Sediment-teilchen	Hydro-namische Verhältnisse
häufige Bioturbation	ebene und horizontale Feinschichtung		Sedimentation der Feinpartikel	niedrige Energie
Strömungsrippel von geringer Wellenlänge (ripple-marks)	kleine Schrägschichtungsblätter stromab-einfallend (Mikro-Schräg-Schichtung)	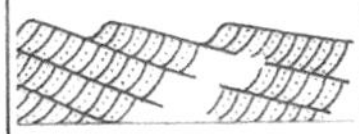	Transport durch Schleppung	
Strömungsrippel von großer Wellenlänge (subaquatische Dünen)	große Schrägschichtungsblätter stromab einfallend (Laminen)	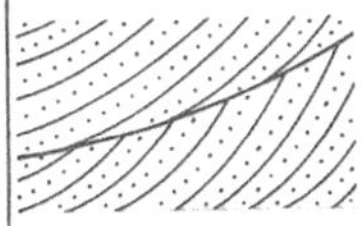	Transport durch Schleppung	
Strömungs-streifung	ebene und horizontale Lamination	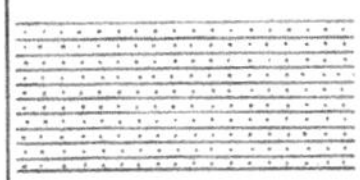	Transport durch Schleppung	hohe Energie
Anti-Dünen (selten erhalten)	Schrägschichtungs-blätter stromauf einfallend	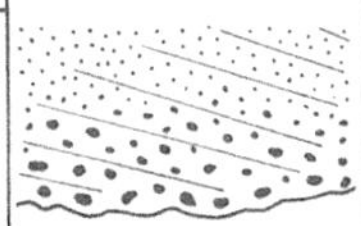	Transport durch Suspension	
Abtragungsfläche mit Gegenstands-marken („tool-marks“) und Erosionsmarken („flute-marks“)	saigere gradierte Schichtung			

Abb. 72. Aufeinanderfolge von Sedimentstrukturen und -gefügen, die von einer einsinnig gerichteten Strömung (von unten nach oben) abnehmender Stärke hervorgerufen werden. Die Tabelle gilt für eine bestimmte Korngrößenverteilung u. eine gleichbleibende Wassertiefe

III. Beobachtungen im Aufschlußbereich: die Analyse der Schichtfolge

Im Aufschlußbereich ist es oft möglich, eine gewisse Logik in der augenscheinlichen Unregelmäßigkeit der vertikalen Abfolge oder in den horizontalen Übergängen der Schichten zu erkennen. In einer geologischen Serie führt der Nachweis von **Schichtfolgen**, in denen die verschiedenen

Einheiten ohne größere Diskordanzen in bestimmter, sich manchmal rhythmisch wiederholender Ordnung aufeinanderfolgen, zu einem besseren Verständnis des Sedimentationsmechanismus.

1. Die allgemeine virtuelle Serie

Die allgemeine virtuelle Serie, von Goldschmidt definiert und von Millot (1964) modifiziert, umfaßt die Aufeinanderfolge der Ablagerungen, die man normalerweise in einem Sedimentationsbecken anträfe, das in der Nachbarschaft eines der fortschreitenden Erosion ausgesetzten Hochgebiets liegt. Die Serie umfaßt folgende Komponenten:

a) die **unlöslichen Grobbestandteile**, Gerölle und Sand, die aus der intensiven mechanischen Abtragung des Reliefs hervorgehen;

b) die „**Hydrolysate**", die der feinen Tonfraktion entsprechen, die von den Flüssen mit geringer Strömungsgeschwindigkeit auf schwachem ausgeglichenem Relief abgetragen werden.

   Diese beiden Einheiten, als **klastische** (oder detritische) Sedimente bezeichnet, werden vom Wasser als feste Bestandteile mitgeführt.

c) die „**Oxydate**", vertreten durch die Eisen- und Manganerze sedimentären Ursprungs; sie entwickeln sich während der zunehmenden Einebnung des Reliefs;

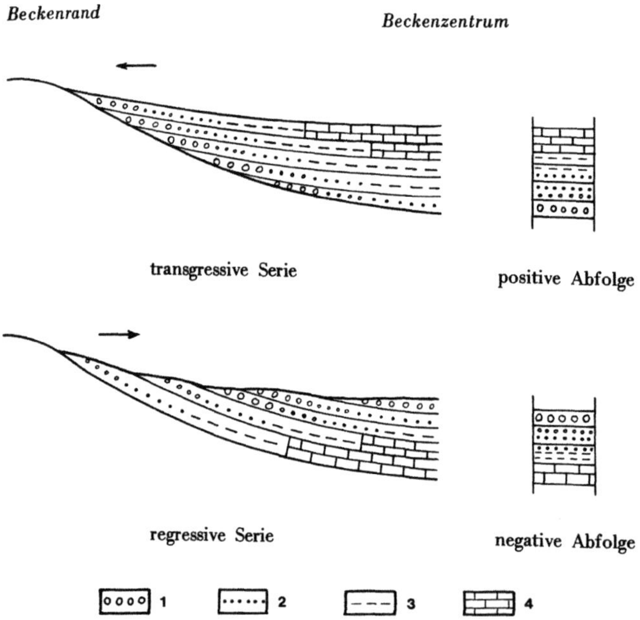

Abb. 73. Bedeutung der lithologischen Abfolgen. *1* Konglomerat; *2* Sandstein; *3* Ton; *4* Kalk

d) die **Kalzium- und Magnesiumkarbonate**, aus denen Kalke und Dolomite hervorgehen;
e) die **Salzablagerungen (Evaporite)**, die in Milieus ausgefällt werden, wo das Wasser nicht erneuert wird; sie entsprechen dem letzten Stadium der Einebnung des Reliefs.
Diese drei letzten Einheiten werden als **chemische Sedimente** bezeichnet, ihr Transport erfolgte in Lösung.

2. Die lithologischen Abfolgen

Die vollständige Abfolge der fünf Glieder der allgemeinen virtuellen Serie kann praktisch in der Natur nie beobachtet werden. Lediglich Teile der Serie sind in geologischen Aufschlüssen anzutreffen: man nennt sie **lithologische Abfolgen**.

a) Positive und negative Abfolgen

Gemäß der Anordnung, in der im Aufschluß die Glieder einer lithologischen Folge aufeinander folgen, unterscheidet Lombard (1972) zwei Typen der Sedimententwicklung (Abb. 73):
- **positive Folgen**, die der Anordnung der virtuellen Serie entsprechen: in der Vertikalen gelangt man von den klastischen zu den chemischen Sedimenten. Diese Entwicklung ist typisch für **Transgressionsablagerungen**;
- **negative Folgen**, deren Glieder in der der virtuellen Serie entgegengesetzten Anordnung aufeinanderfolgen. Sie charakterisieren **regressive** Sedimentationsbereiche.

Ein klassisches Beispiel für eine positive Abfolge, die mit einer Transgression verbunden ist, liegt, sehr vereinfacht, in der germanischen Trias vor: rote Sandsteine des Buntsandsteins, Mergel und Kalke des Muschelkalks, Gips und Steinsalz des Keupers.

b) Abfolgen pedologischen Ursprungs

Die Theorie der **Biorhexistasie** von Erhart (1955) unterstreicht die Rolle des Waldes, der die Böden vor der Erosion schützt und die Wegfuhr der Verwitterungsprodukte von den Kontinenten reguliert.

Während der **Biostasie**-Periode spielt der Wald die Rolle eines Filters: unlösliche Teilchen verbleiben am Ort ihrer Bildung, nur lösliches Material gelangt in die Sedimentationsbecken.

Während der **Rhexistasie**-Periode wird infolge der Zerstörung der Vegetationsdecke klastisches Material talab transportiert.

Die Aufeinanderfolge dieser beiden Perioden bewirkt im Sedimentationsbecken den Aufbau negativer Abfolgen, in denen man von chemischen zu klastischen Gliedern gelangt. Desprairies (1964) hat solche Abfolgen aus dem limnischen Stampien der südlichen Limagne beschrieben (Abb. 74).

3. Die rhythmischen Serien

Manche Sedimente bestehen aus einer großen Zahl sich wiederholender Abfolgen: es sind die rhythmischen Serien. Die rhythmische Wiederholung kann sich in verschiedenen Dimensionen zeigen. In allen Fällen ist die Entstehungsursache in der wiederholten Einwirkung von Faktoren zu sehen, die der Sedimentation vorherging.

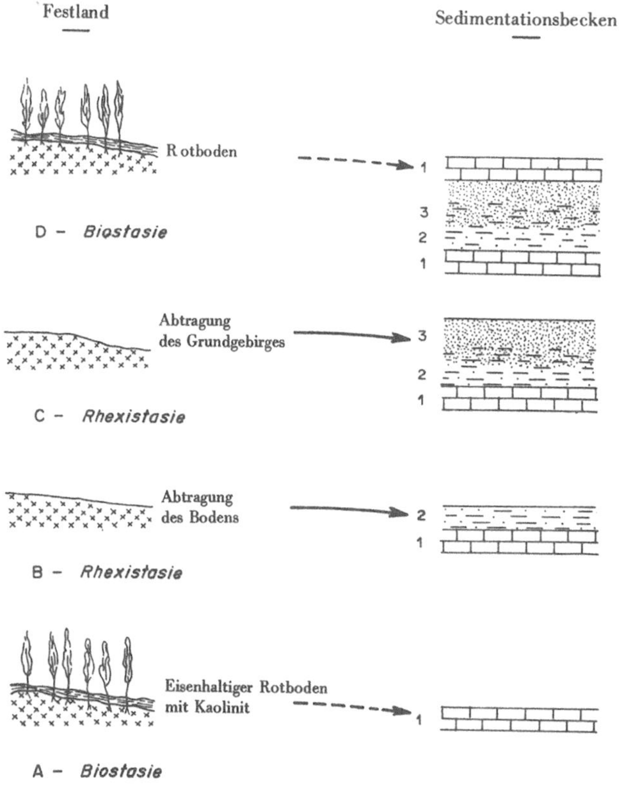

Abb. 74. Abfolgen pedologischen Ursprungs im Eozän und Oligozän der südlichen Limagne (Zentralplateau, Frankreich). *A* Desprairies in J. Aubouin et al. 1968). *1* Kalke; *2* rote kaolinhaltige Tone; *3* Sande

a) Warven (Bändertone)

Varven sind Sedimente aus periglazialen Seen oder Meeren. Sie bestehen aus einer Folge von zwei Gliedern im Millimeterbereich (Abb. 54):
– helle sandige Ablagerungen der frühsommerlichen Schmelzwasserüberflutungen
– dunklere tonige Ablagerungen der herbstlichen Regenfälle, reicher an organischer Substanz.

Jede Folge entspricht genau einem Jahr. Dies ermöglichte es De Geer, die absolute Dauer des Postglazials in Skandinavien festzulegen. Außerhalb von Vereisungsgebieten findet sich Varvensedimentation in Süßwasserbecken. Ihre Entstehung wird ebenfalls auf saisonale Rhythmen zurückgeführt.

b) Wechsellagerungen von Kalk und Mergel

Ablagerungen aus einer Wechselfolge von Kalk und Mergel sind in geologischen Bildungen weit verbreitet. Sie nehmen eine bedeutende Stellung ein in der Flachmeersedimentation der Trias und des Jura. Diese Wechselfolgen lassen sich durch verschiedene Entstehungsmechanismen erklären.

α) Eustatisch bedingte Entstehung nach Hallam

Hallam (1961) erklärt die Wechsellagerungen Kalk-Mergel durch periodische Schwankungen des Meeresspiegels. In der Tat ist die chemische oder biochemische Fällung von Kalziumkarbonat maximal in Flachwasser, wo die Bedingungen von Belüftung, Temperatur und Durchlichtung optimal sind; die Sedimentation von Tonpartikelchen dagegen wird begünstigt durch eine mächtigere Wasserbedeckung, bei der die Durchbewegung geringer ist.

Somit entwickeln sich bei Absenkung des Meeresniveaus Kalkbänke, die von einer reichen Fauna begleitet sind. Ihre Oberfläche kann Anzeichen einer Emersion aufweisen. Wenn der Meeresspiegel ansteigt, sedimentieren Mergel, und entsprechende Schiefer enthalten eine verarmte Fauna. In manchen Fällen kommt es zu stagnierendem Wasser, und das Milieu wird anaerob (im Fall der bituminösen Schiefer).

Die Erklärung Hallams läßt sich in zufriedenstellender Weise auf die Karbonatsedimentation des Lias von Westeuropa anwenden.

β) *Abgleiten durch Gravitation nach Lombard*

Nach Lombard (1972) reichern sich die Karbonate im Flachwasser an. Periodisch, unter der Einwirkung der Schwere, kommt es jedoch zu einer Störung des Gleichgewichts, und die Ablagerungen geraten längs der Abhänge ins Abgleiten. Sie breiten sich als breite Decken in den tieferen Beckenbereichen aus. Verschiedene Sedimentstrukturen sprechen in der Tat für eine Verlagerung des Kalkmaterials. Die Fossilien weisen mechanische Abnutzungsspuren auf. Die Entstehung der Kalkbänke und ihrer Faunen ist demnach allochthon. Die Tonpartikel dagegen sedimentieren kontinuierlich und bilden so den „Untergrund" („*bruit de fond*") der Sedimentation. Sie ergeben die mergeligen Zwischenlagen und enthalten eine verarmte autochthone Fauna.

Dieser Mechanismus findet seine Bestätigung in der kalkigen Sedimentation der alpinen Geosynklinale.

Im oberen Muschelkalk Ostfrankreichs hat Haguenauer (1963) positive Abfolgen von Dezimeterstärke nachgewiesen, welche durch Erosionsspuren voneinander getrennt sind (Abb. 75). Das untere Glied entspricht einem oft gradierten organismenreichen Kalk (Trochiten, Muschelschill ...), der häufig mikritisches Bindemittel zeigt: es handelt sich um einen Biokalkarenit. Seine Entstehung ist allochthon. Das Zwischenglied der Abfolge kann mergelig sein. Es resultiert aus der Sedimentation der Feinfraktion des klastischen Materials. Die hangende Partie der Abfolge besteht aus einem tonigen mikritischen Kalk. Er enthält die Spuren einer

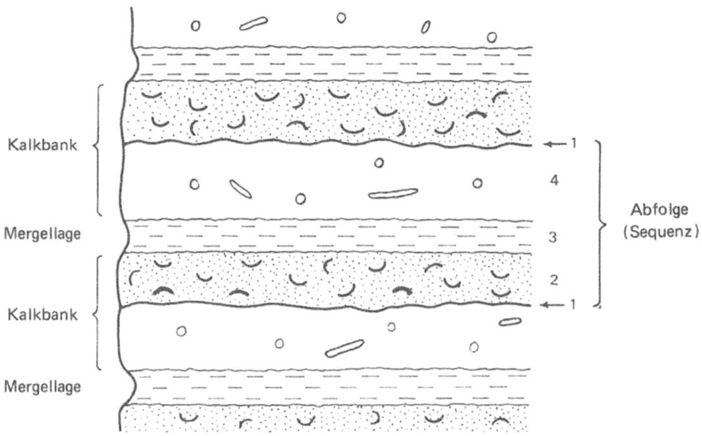

Abb. 75. Rhythmische Sedimentation im oberen Muschelkalk von Elsass und Lothringen (Mächtigkeit der Abfolge: einige Dezimeter). (Verändert nach B. Haguenauer 1963). *1* Erosionsflächen. *2* Kalkarenit mit allochthonem Fossilschutt (Schalen, Trochiten). *3* Mergellage. *4* Toniger Kalk von chemischer Ausfällung.

autochthonen Fauna (Wühlgefüge). In diesem speziellen Falle stimmen die Grenzen der Abfolge nicht mit denen der Bänke überein. Die Ablagerungen entstanden unter einer dünnen Wasserbedeckung, in kalkreicher Umgebung, wo die Karbonatfällung in Form von Mikrit kontinuierlich ablief. Periodisch wurde groberes Material in das Sedimentationsbecken von den umgebenden Gebieten her angeliefert, wo eine variationsreiche Fauna lebte. Dies war ein relativ rasch ablaufender Vorgang, der den kontinuierlichen Sedimentationsprozeß der Karbonatfällung und des Tonabsatzes gelegentlich störte (starke Stürme).

γ) Klimatische Schwankungen

Im oberen Jura Deutschlands wies Seibold (1952) nach, daß die Wechsellagerung Kalk-Mergel in einem Milieu ablief, wo die Sedimentation der Tone eine andauernde Erscheinung darstellte. Sie wurde periodisch unterbrochen durch eine kräftige Kalziumkarbonatfällung. Diese kalkigen Episoden könnten mit Phasen klimatischer Erwärmung in Verbindung gebracht werden, die für eine Karbonatfällung besonders günstig waren.

δ) Diagenetische Entstehung

In manchen Fällen kann die Wechsellagerung von Kalk und Mergel von einer späteren Mobilisation der Karbonate im ursprünglichen Schlamm herrühren. Als Ergebnis liegen dann Horizonte vor, in denen sich Kalk in *knolliger* Form angereichert hat.

c) Molasse

Unter Molasse versteht man vorherrschend klastische Sedimente, die aus der Abtragung von jung entstandenen Reliefs hervorgingen. Sie entspricht einer späten Phase der Gebirgsbildung.

Die Gesteine bestehen oft aus Sandstein mit kalkigem Bindemittel und von unreifem Aufbau. Die Bänke, meist von linsenförmiger Ausbildung, wurden in einem temporären aquatischen Milieu abgelagert: Flußläufe, Seen, flache Meeresarme . . .

Bersier (1958) erklärt den rhythmischen Aufbau der aquitanisch bis chattischen Molasse der Schweiz durch **Hin- und Herpendeln** der Wasserläufe auf der Alluvialebene während aufeinanderfolgender Überflutungsperioden. Der fortschreitende Energieverlust der Wasserläufe infolge der Auffüllung ihres Bettes führt zu bestimmten Schichtfolgen oder **Cyclothe-**

men, die im Idealfall von unten nach oben folgenden Aufbau zeigen: gradierte Sandsteine, Mergel, Kalke und Kohle (Abb. 76). Die Cyclotheme können im oberen Teil durch Erosion gekappt sein. Sie können auch verkümmert sein, ohne das sandige Basisglied im Randbereich der Bettfüllungen (Abb. 77). Da die Wasserläufe sich durch die Ablagerung klastischen Materials ihr eigenes Bett ständig auffüllen, durchbrechen sie schließlich ihre natürlichen Dämme, um ein neues Bett einzunehmen. Auf diese Weise wird eine regelmäßige Verteilung des Sediments über die gesamte in Senkung begriffene Sedimentationsebene gewährleistet.

Den tertiären Molassen, die aus der alpinen Orogenese hervorgingen, entsprechen im Herzynikum (bei der variskischen Orogenese) die roten Sandsteine der Permo-Trias. Im Buntsandstein der Vogesen umfassen die Folgen zwei Hauptglieder: grobe Ablagerungen in den Wasserläufen und tonige Ablagerungen in temporären stehenden Gewässern (Abb. 81).

d) Flysch

Unter Flysch verstehen wir Sedimentfüllungen von in Absenkung begriffenen Becken, die während der Auffüllungsphase entstanden, die ihrerseits der Heraushebung der Gebirgsketten vorausging. Flysch ist also präorogenetisch oder synorogenetisch.

Der lithologische Aufbau hängt von demjenigen der durch die Erosion angegriffenen Faltenzüge ab: es gibt sandigen, kalkigen, tonigen Flysch ... Die Sedimente sind stets arm an organischer Substanz. Die Abfolgen, oft von komplexem Aufbau und großer horizontaler Ausdehnung, sind charakterisiert durch gut gradierte Glieder, die eine Fülle von Strömungsstrukturen zeigen (Abb. 85). Flysch erreicht große Mächtigkeiten und deutet auf ein **Tiefseemilieu.** Allgemein nimmt man an, daß Flysch aus **Trübeströmen** („turbidity currents") abgesetzt wurde.

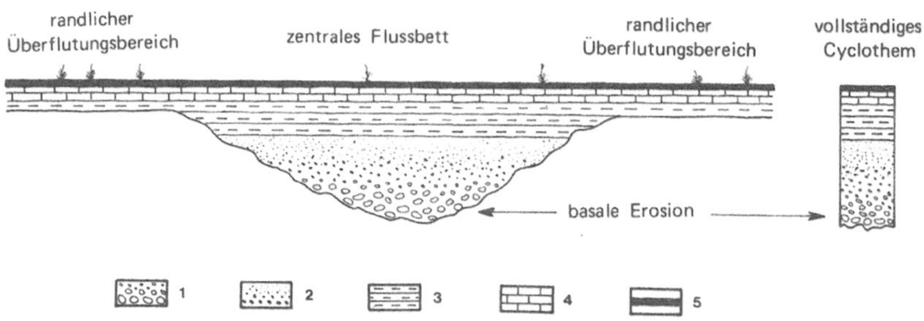

Abb. 76. Entstehung der fluviatilen Folge in der Molasse. (Verändert nach A. Bersier 1958). *1* Kalksandstein (Molasse); *2* Kalk-Ton-Sandstein (Macigno); *3* Mergel und Tone; *4* Süßwasserkalk; *5* Kohle

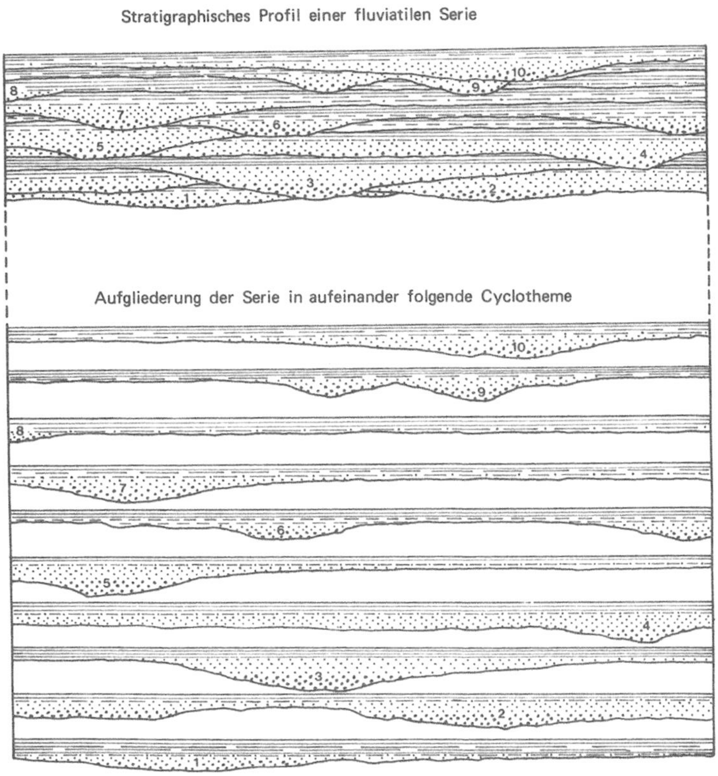

Abb. 77. Erklärung der fluviatilen Folgen (Cyclotheme) der aquitanischen Molasse in der Gegend von Lausanne. (A. Bersier 1958)

Dabei handelt es sich um Strömungen von hoher Dichte, die periodisch submarine Hänge hinabgleiten und das dabei von ihnen mitgeführte Sedimentmaterial an den tieferen Stellen der Becken ablagern. Dabei erfolgt eine Korngrößenklassierung im Sediment („Turbidite"). Flysch entsteht bevorzugt in Gebieten tektonischer Instabilität. Das untere grobere Glied der Folge füllt die morphologischen Unebenheiten des Untergrundes und enthält eine aufgearbeitete Fauna. Das tonige obere Glied dagegen entspricht dem „Untergrund" (background) der Sedimentation und liefert oft autochthone Mikrofossilien und verschiedene Zeugen biologischer Tätigkeit.

Ursprünglich nur auf Sedimente des alpinen Orogens angewendet, wird heute der Begriff des Flyschs als eine Fazies betrachtet, die allgemein einen Schritt innerhalb der Geosynklinalentwicklung darstellt. Für den Bereich der variskischen Orogenese hat sich jedoch der Begriff des **Kulm** in Europa gehalten.

e) Kohle

Kohle entsteht in absinkenden Süßwasser- oder Meeresbecken, die im allgemeinen am Rande von im Entstehen begriffenen Gebirgsketten liegen. Die Kohleflöze sind das Ergebnis von Akkumulationen pflanzlicher Substanz in subaärischem Milieu. Die sie begleitenden Sandsteine und Schiefer wurden unter geringer Wasserbedeckung abgelagert.

Bei den Abfolgen, die in beschränkter horizontaler Ausdehnung innerhalb von Kohlelagerstätten vorliegen, unterscheidet man gewöhnlich zwischen **Nebengestein** (Sandsteine, Schiefertone ...) und **Kohleflöz** (Abb. 78, 105). In den nordfranzösischen Westfal-Becken lassen sich 400 derartige Abfolgen innerhalb einer Gesamtmächtigkeit von 2000 m Sediment erkennen.

Für die Erklärung der Rhythmizität dieser Ablagerungen wurden zahlreiche Mechanismen in Betracht gezogen: Subsidenz mit wechselnder Geschwindigkeit und daraus folgender periodischer Zerstörung der Vegetationsdecke, Ausweitung eines Flußnetzes mit kräftiger Überflutung der

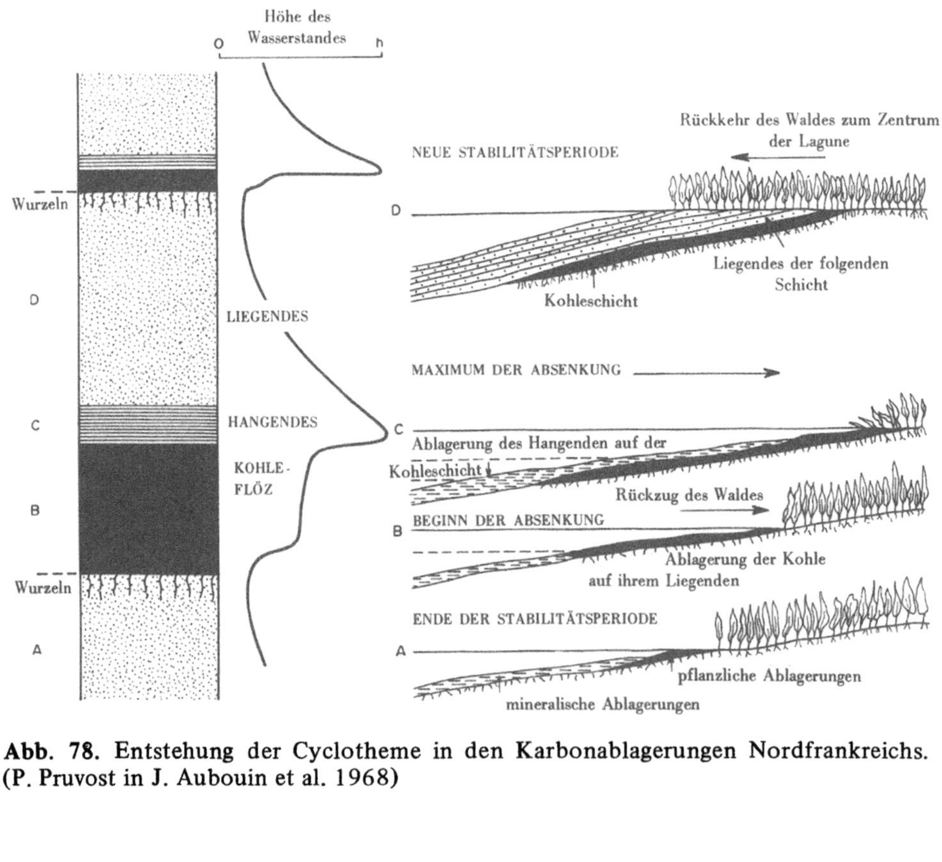

Abb. 78. Entstehung der Cyclotheme in den Karbonablagerungen Nordfrankreichs. (P. Pruvost in J. Aubouin et al. 1968)

Alluvialebene, Aufeinanderfolge von abwechselnd ariden und feuchteren Klimaphasen ...

Zusammenfassend lassen sich rhythmische Serien durch mehrere Mechanismen erklären:

- durch die Ausbreitung von Flußsystemen auf einer in ständiger Absenkung begriffenen Fläche; Beispiele: die Molasse, kohleführende Ablagerungen;
- durch tektonische Einbrüche oder eine Absenkung mit wechselnder Geschwindigkeit; Beispiele: bestimmte Kohlebecken;
- durch Schwankungen des Meeresspiegels infolge von Veränderungen der Ozeanböden oder eventuell durch die Auswirkungen von Glazial- und Interglazialzeiten; Beispiele: Wechsellagerungen von Kalken und Mergeln;
- durch Klimaschwankungen oder saisonale Schwankungen; Beispiele: Warven (Bändertone), bestimmte Evaporite;
- durch Rutschungen auf subaquatischen Hängen; Beispiele: Flysch, bestimmte Wechsellagerungen von Kalk und Mergel;
- durch diagenetische Veränderungen; Beispiele: bestimmte Wechsellagerungen von Kalk und Mergel.

Die Beobachtungen im Bereich der Sedimentpartikel, der Schicht und schließlich des Aufschlusses müssen durch Untersuchungen im **regionalen** Rahmen ergänzt werden, um Schritt für Schritt Korrelationen zu ermöglichen und die Faziesänderungen räumlich zu verfolgen. Schließlich ermöglicht die Verknüpfung der verschiedenen Milieus, Aussehen und Dynamik der Umwelt, d.h. der Landschaften, zu erfassen.

Literatur

Allen JRL (1970) Physical processes of sedimentation. An introduction. G Allen and Unwin, London, 248 S

Aubouin J, Brousse R, Lehman JP (1968) Précis de géologie, Bd I. Pétrologie, 712 S; Bd III. Tectonique, morphologie, globe terrestre. Dunod, Paris, 549 S

Bellair P, Pomerol C (1965) Eléments de géologie. A Colin, Paris, 512 S

Bersier A (1958) Séquences détritiques et divagations fluviales. Eclogae Geol Helv 51:854–893

Duff PMD, Hallam A, Walton EK (1967) Cyclic sedimentation. Elsevier, Amsterdam, 280 S

Füchtbauer H, Müller G (1970) Sedimente und Sedimentgesteine. Schweizerbarth'sche Verlagsbuchhandlung, Stuttgart, 726 S

Geyer OF (1973/1977) Grundzüge der Stratigraphie und Fazieskunde, 2 Bde. Schweizerbarth'sche Verlagsbuchhandlung, Stuttgart, 279, 341 S

Gubler Y, Bugnicourt D, Faber S, Kubler B, Nyssen R (1966) Essai de nomenclature et caractérisation des principales structures sédimentaires. Technip, Paris, 291 S

Hallam A (1961) Origine des cycles mineurs de sédimentation carbonatée dans le Lias. Mem BRGM 4:171–175
Lombard A (1972) Séries sédimentaires. Genèse-evolution. Masson, Paris, 425 S
Millot G (1964) Géologie des argiles. Altérations, sédimentologie, géochimie. Masson, Paris, 499 S
Müller G (1964) Methoden der Sedimentuntersuchung. Schweizerbarth'sche Verlagsbuchhandlung, Stuttgart, 303 S
Pettijohn FJ, Potter PE (1964) Atlas and glossary of primary sedimentary structures. Springer, Berlin Heidelberg New York, 370 S
Reineck HE, Singh IB (1973) Depositional sedimentary environments. Springer, Berlin Heidelberg New York, 439 S
Vatan A (1967) Manuel de sédimentologie. Technip, Paris, 397 S

Kapitel 5 Die Sedimentationsräume

Zur Rekonstruktion ehemaliger Sedimentationsbereiche werden Informationen herangezogen, die von den fossilen Organismen und vom Sediment stammen. Auf diese Weise wird das sehr weit gespannte Spektrum von Landschaften erfaßt, die im Laufe der langen Erdgeschichte aufeinander folgten. Es ist möglich, diese Bereiche in eine begrenzte Zahl von Kategorien zu gruppieren.

I. Der festländische Lebensraum

Die Physiognomie der kontinentalen Bereiche wird in weitem Maße vom Klima (Temperatur und Feuchtigkeit) beeinflußt. Sie unterscheiden sich von den marinen Bereichen durch mehrere Eigenschaften:

- Auftreten von terrestrischen oder Süßwasserfossilien;
- massenhaftes Vorkommen von Emersionsspuren wie Trockenrisse;
- Vorhandensein von Paläoböden oder Kohleablagerungen;
- Häufigkeit von roten Farben (Eisenoxide), die Anzeiger der oxidierenden Bedingungen an der Erdoberfläche darstellen;
- Hinweise auf äolische oder glaziale Einwirkungen;
- Vorherrschen klastischer Sedimente gegenüber chemischen;
- schwache oder wechselnde Paläosalinität.

1. Der fluviatile Sedimentationsraum

a) Die Schwemmkegel

Bäche und Flüsse, die sich in eine Ebene oder ein Tal ergießen, laden dort ihre Sedimentfracht ab und bauen so einen Schwemmkegel oder -fächer auf. Er breitet sich normalerweise am Fuße des Liefergebietes aus. Seine Ablagerungen lassen sich an mehreren Merkmalen erkennen:

– das Material ist nur wenig verwittert, da die massig und dicht erfolgende Ablagerung das Sediment der Einwirkung der Atmosphärilien rasch entzieht;
– das Material ist grob und wenig abgenutzt, da von lokaler Herkunft und begrenztem Transport: es ist **unreif**;
– Sortierung der Korngrößen und Schichtung sind schlecht, da die Ablagerung in massenhaften Schüben erfolgt.

b) Die Flußablagerungen

Die Natur der von Flüssen und Strömen transportierten Sedimente variiert beträchtlich mit dem Klima und der Morphologie. Jedoch lassen sich folgende, allen fluviatilen Ablagerungen gemeinsame Merkmale anführen:
– die **Schichtung** ist **linsenförmig**, da die Sedimente sich in Flußbetten oder Tümpeln ablagern; die bogige Schrägschichtung herrscht vor;
– die **Fließrichtung**, die sich aus dem Sedimentgefüge ableiten läßt, ist **einsinnig** und beweist eine große Beständigkeit (Abb. 55);
– die Ablagerungen ordnen sich in **Sequenzen** an, in denen die im Laufe der Zeit abnehmende Strömungsstärke festgehalten ist: an der Basis noch Abtragung, dann deutliche Korngrößenabnahme, auf Schrägschichtung folgt Horizontalschichtung, die Größe der Sedimentstrukturen nimmt nach oben ab (Abb. 106). Innerhalb einer fluviatilen Sedi-

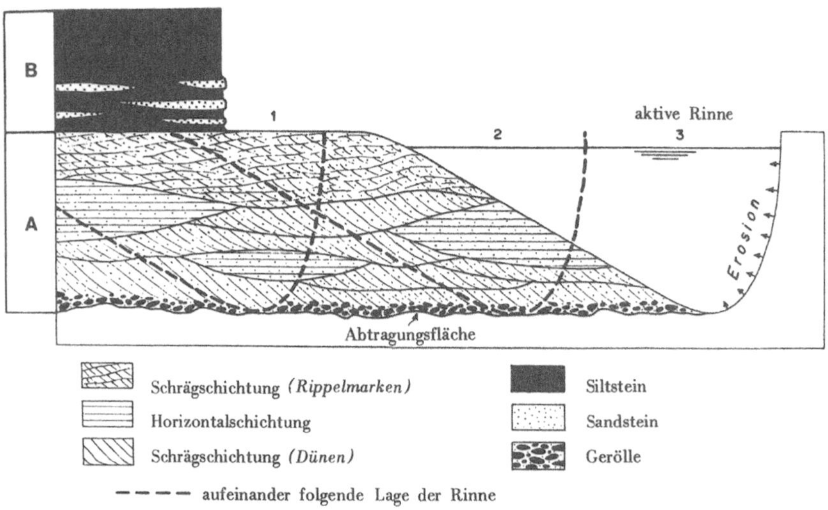

Abb. 79. Ablagerungen eines mäandrierenden Flußnetzes. (J. Allen 1971) **A** Mäanderbarre; **B** Überschwemmungsebene

mentation lassen sich zwei Hauptfazien unterscheiden (Abb. 79, 80, 101):

- die **Flutfazies**, in der sich, bei Überflutungen, die gröbsten Sedimente ablagern; organische Reste sind darin selten und zerbrochen;
- die **Stillwasserfazies**, die während Niedrigwasserperioden oder vor aktiven Strömungen geschützt entsteht; das Sediment ist darin feinkörnig und die autochthonen Organismen zahlreich. Ein Flußlauf kann zwei Extremtypen zugeordnet werden (Abb. 81):
- **Flußlauf mit anastomosierenden Rinnen** („*braided river*" der englischsprachigen Literatur): das Gefälle ist stark und die Sedimentfracht bedeutend. Der Lauf der Rinnen wechselt häufig im Verlaufe heftiger und aufeinanderfolgender Hochwasser, jedoch die Streubreite der Strömungsrichtung bleibt gering. Die Ablagerungen sind im allgemeinen grobkörnig;
- **Mäanderlauf**: die Strömungen sind langsam und transportieren hauptsächlich Feinmaterial. Die Ablagerungen häufen sich auf der konvexen Seite des Flußbettes, dem Gleithang, an und bilden **Sandbarren** („*point bar*" der englischsprachigen Literatur), in denen sich leicht die sedimentologischen Merkmale allmählich abnehmender hydrodynamischer Energie beobachten lassen (Abb. 79). Horizonte von Paläoböden oder von Kohle sind häufig.
  Die Streuung der Strömungsrichtungen ist größer als im Falle der anastomosierenden Rinnennetze.
  Bei einem Flußnetz können anastomosierendes Rinnensystem und Mäandernetz flußabwärts oder auch zeitlich aufeinander folgen.

2. Der limnische (lakustrische) Bereich

Die Sedimentation im limnischen Bereich ist abhängig vom Klima und der Anlieferung durch Wasserläufe. Außerhalb der Deltagebiete ist die Schichtung eben und parallel. Die Ablagerungen zeigen eine Tendenz zur Anordnung in **konzentrischen Aureolen** abnehmender Korngrößen vom Ufer zum Seebeckenzentrum. Das Vorhandensein von stillem Wasser begünstigt die tonige oder kalkige Sedimentation.

Limnische Gewässer sind bedeutenden Variationen ihrer geochemischen Konzentrationen infolge klimatischer Schwankungen unterworfen. Jahreszeitliche Änderungen können Bänderton-Serien hervorrufen. Arideres Klima verursacht stagnierende Wasser und die Ausfällung von Evaporiten oder die Anreicherung bestimmter Mineralien (Eisenerze). Limnische Sedimente sind oft mit fluviatilen Ablagerungen vergesellschaftet, mit denen sie jedoch nicht zu verwechseln sind.

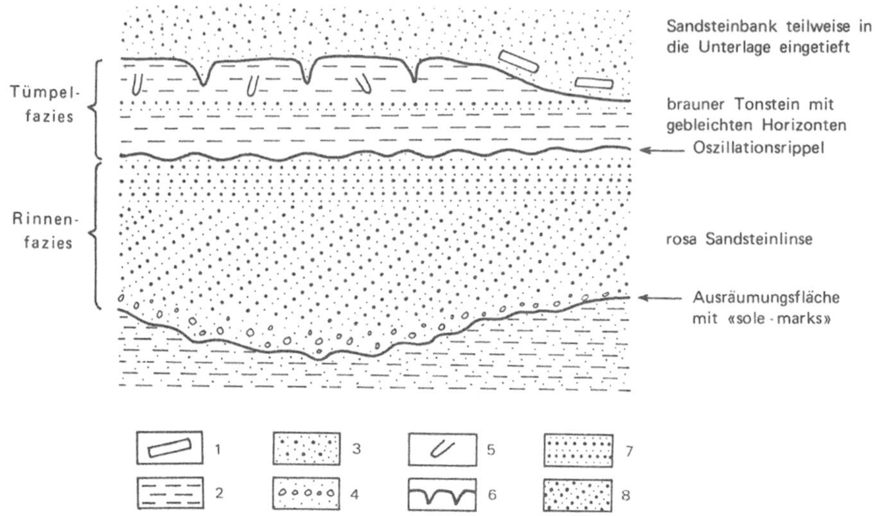

Abb. 80. Typische Abfolge der fluviatilen Sedimentation im mittleren Buntsandstein der Vogesen (Mächtigkeit der Ablagerungen: einige Meter). *1* Tongeröll; *2* Ton; *3* Sandstein; *4* Quarz- und Quarzitgerölle; *5* Lebensspuren; *6* Trockenrisse; *7* Horizontalschichtung; *8* Schrägschichtung

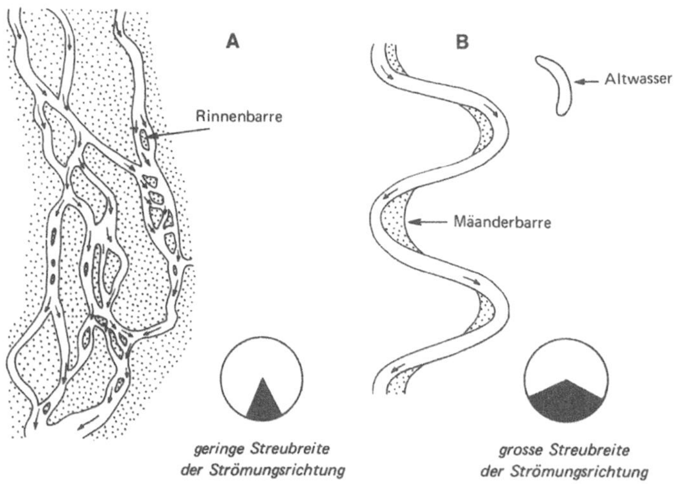

Abb. 81A, B. Die beiden Haupttypen von Flußläufen mit den Streuungsdiagrammen ihrer Strömungsrichtungen. (J. Allen 1965). **A** Flußlauf mit anastomosierenden Rinnen („verwildert"). **B** Flußlauf mit Mäandern

Die **limnische Fauna** ist im Vergleich zur marinen arm an Arten. Sie besteht vor allem aus Lamellibranchiaten und Gastropoden und aus Fischen. Grabende Organismen sind im allgemeinen selten, da die Belüftung des Sediments unzureichend ist. Die **Flora** ist in der Uferregion üppig.

3. Die äolische Sedimentation

Die Charakterisierung des vom Wind abgelagerten Materials, insbesondere der fossilen Dünen, ist schwierig. Es handelt sich dabei in der Tat um in freier Luft abgelagerte Lockersedimente, die leicht vom Wasser aufgearbeitet werden können.

Die äolischen Sedimente bestehen hauptsächlich aus Sand, dessen Korndimension zwischen 0,06 und 2 mm schwankt. Die Tonfraktion und die Glimmer wurden ausgeweht. Am Einzelkorn führt der Wind zu einer deutlichen Bearbeitung: die Körner sind rund und matt, die Gerölle zeigen geschliffene Flächen (Windkanter, Abb. 49). Die **Sortierung** ist immer gut. Die Schichtung besteht aus dicken Schrägschichtungspaketen, die allgemein nach oben konkav sind. Ihre Neigung ist beträchtlich: sie kann 40° erreichen. Aber ihre Einfallsrichtung kann stark schwanken in Abhängigkeit von den jeweiligen Windrichtungen. An der Oberfläche von Dünen entstehen Rippelmarken. Aber es entstehen niemals Oszillationsrippel.

Während des Quartärs entstand aus dem vom Wind auf große Entfernungen verfrachteten Feinstaub der **Löß**. Die Korngrößen liegen zwischen 0,015 und 0,045 mm. Diese Ablagerungen zeigen keine Schichtung. In ihnen finden sich Lungenschnecken und Vertebratenknochen.

4. Der glaziale Bereich

Die **glazial geprägte Morphologie** verleiht der Landschaft ein typisches Aussehen: Trogtäler, Rundhöcker, Gletscherschliff ... Die Sedimente sind lokalen Ursprungs. Infolge der niedrigen Temperaturen werden die anfälligeren Mineralien wie Feldspäte und Ferromagnesia nicht zersetzt. Die Körner bleiben kantig. Das Sediment ist **unreif**. Das in den Moränen vorhandene Material, das häufig durch Schmelzwässer aufgearbeitet wird, ist durch völliges Fehlen einer Sortierung charakterisiert: Blöcke und oft eckige und gekritzte Geschiebe liegen unregelmäßig verteilt in einer feinkörnigen Sedimentmatrix (Abb. 50). Diese Block- und Geschiebelehme sind das Ausgangsmaterial der **Tillite**. Vereisungsperioden sind auch durch die Periglazialerscheinungen nachweisbar: Polygonalböden, Girlandenböden, Frostspalten, Eiskeile . . .

II. Der marine Lebensraum

Die Verschiedenheit der marinen Bereiche beruht hauptsächlich auf den Variationen von Meerestiefen und Wasserbewegungen (Abb. 82). Diesen Bereichen sind einige Merkmale gemeinsam, die sie von den festländischen unterscheiden:

- Vorhandensein einer mannigfaltigen marinen Fauna und Flora;
- Fehlen von Emersionsspuren (außer in der intertidalen Zone);
- Konstanz der Paläosalinität (außer in Lagunen);
- Überwiegen chemischer und biochemischer (insbesondere kalkiger) Sedimente über die klastischen;
- horizontale Ausdehnung der Ablagerungen, die unter dauernder und weit ausgedehnter Wasserbedeckung entstanden;
- schwaches Einfallen von Sedimentkörpern und Entwicklung tafeliger Schrägschichtungseinheiten anstelle von bogigen;
- Seltenheit roter auf Eisenoxid beruhender Farben.

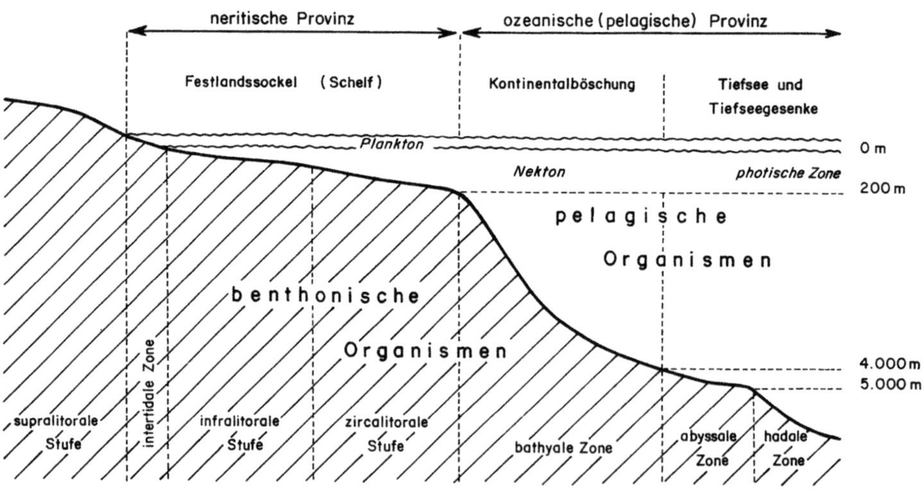

Abb. 82. Zonengliederung des marinen Lebensraumes und Verteilung der lebenden Organismen

1. Die intertidale Zone oder Eulitoral

Die intertidale Zone umfaßt den Küstensaum, der dem Rhythmus der Gezeiten ausgesetzt ist („*tidal flat*" der englischsprachigen Literatur). Es handelt sich um ein Milieu hoher hydrodynamischer Energie, wo die Ablagerungen Objekt ständiger Aufarbeitung sind. Die Sedimentationsrate ist hoch. Die Emersionsanzeichen sind häufig.

a) Die Sedimente

Die Sedimente bestehen aus Sanden und Schlamm mit Feinschichtung, die jedoch unregelmäßig oder schräg ist. **Strömungsrippel** sind die am häufigsten auftretenden Sedimentstrukturen. Sie sind die Ursache besonderer Schichtungsarten wie der Flaserschichtung, wo die Neigung der Schichtungseinheiten die jeweilige Umkehr von Ebbe- und Flutstrom anzeigen (Abb. 60). Im Sediment während der Emersionsphase eingeschlossene Luftblasen können ein typisches **lakunöses** Gefüge hervorrufen („*birds-eyes*" der englischsprachigen Literatur).

In der **supralitoralen Zone**, die nur ausnahmsweise überflutet wird, entstehen Trockenrisse. Unter aridem Klima können sich dort Dolomitisierungen oder Ausfällungen von Evaporiten vollziehen. Ihre spätere Auflösung führt zur Bildung einer intraformationellen Breckzie.

Die Sedimente des Intertidalbereichs unterliegen einer horizontalen Zonierung: sie sind schlammiger in den hochgelegenen, sandiger in den niedrig gelegenen Abschnitten des Intertidals. Häufig sind sie von **Prielen** durchzogen, deren Sedimentfüllung grobkörniger und schräg geschichtet ist. Letzteres deutet die Wechsel in der Richtung der Gezeitenströme an.

Die säkularen Schwankungen des Meeresspiegels verursachen Sedimentfolgen, deren verschiedene Einheiten zwischen Sanden, die dem Transgressionsmaximum entsprechen, und Moorbildungen, die einer langen Emersionsperiode entsprechen, variieren.

b) Die Organismen

Die Fauna umfaßt eine große Zahl grabender Lebewesen, die sich durch Eingraben vor der Austrocknung schützen und dabei im Sediment eine kräftige **Bioturbation** hervorrufen. Eine hohe Sedimentationsrate veranlaßt die Tiere zu Fluchtreaktionen in Richtung Sedimentoberfläche, was sich in einer Häufung vertikaler Röhren äußert.

Kotpillen der Tiere stellen einen nicht zu vernachlässigenden Anteil am Sediment. Algenrasen können sich entwickeln. In älteren Ablagerungen sind sie die Ursache von **Stromatolithbauten**. Unter tropischem Klima führt die Besiedlung der Intertidalzone durch höhere Pflanzen zur Ausbildung von Mangrovewäldern.

2. Die neritischen Bereiche

Die neritische Provinz erstreckt sich über dem Kontinentalsockel und umfaßt heute ein Gebiet, dessen Meerestiefe kaum die 200 m-Linie unterschreitet. Sie fällt mit der **photischen Zone** zusammen, die vom Sonnenlicht durchstrahlt wird und eine kräftige photosynthetische Aktivität begünstigt. Hier erreicht die Fauna ihre maximale Dichte und Vielfalt.

Die große Mehrheit der marinen Sedimente, welche dem Geologen zugänglich ist, entspricht diesen Ablagerungen des Flachmeeres, welches dank der Transgressionsvorgänge die Kontinentalränder in weitem Ausmaß überdeckt hat (**Epikontinentalmeere**). Es gibt eine große Vielfalt neritischer Bereiche, die weitgehend durch die Natur der Sedimentlieferung und durch die Bewegungen des Wassers beeinflußt sind.

a) Die neritischen Bereiche mit terrigener Sedimentation

Das von den Festländern gelieferte klastische Material wird im Meer durch Strömungen und Wellengang verteilt. Unterhalb einer bestimmten Wassertiefe, der **Wellenbasis**, haben die Wellen kaum noch Einwirkungen auf die Partikel. Diese Grenze liegt im allgemeinen in Tiefen unter 30 m. Nahe der Küste brechen die Wellen über dem Boden und schaffen so eine Zone maximaler Durchbewegung. Dort liegen die gröbsten Sedimente. Sie bauen unter Wasser längliche, der Küste parallel verlaufende Erhebungen auf: **Barren** oder **Strandwälle** oder **subaquatische Dünen**. Von ihnen ausgehend verfeinern sich die Korngrößen zugleich meerwärts und landwärts.

α) Die Sedimente

Die *Küstenbarren* bestehen aus Sand und Resten mariner Organismen. In diesem Milieu großer hydrodynamischer Energie sind die Sedimente sehr gut sortiert, da die Feinfraktion weggeführt wurde. Die Körner sind gut gerundet. Meerwärts gelangt man nach und nach in schlammige Ablagerungen aus Ton und Feinsand.

Im Innern der Barren ist die Schrägschichtung die Regel, wobei die Einzelblätter eine schwache Neigung meerwärts aufweisen. Die Schichtung ist tafelig. Bei einer Meeresspiegelschwankung wandern die Sandbarren über die meerwärts oder in der intertidalen Zone liegenden feineren Sedimente. Daraus entsteht eine vertikale Korngrößenzunahme. Dieses Merkmal ermöglicht, in einer Bohrung die Küstenbarren von einer fluviatilen Ablagerung zu unterscheiden, in der eine Korngrößenverminderung nach oben vorliegt. Die Schlammablagerungen auf der Meerseite weisen eine feine Horizontalschichtung auf, die normalerweise durch Bioturbation gestört ist; sie kann gelegentlich auch bei starken Stürmen gestört sein.

Auf die meerwärtigen Schlammsedimente und die Barrensande können küstenwärts Lagunensedimente oder solche der Intertidalzone und schließlich kontinentale Sedimente folgen.

β) Die Organismen

Die Küstenbarren enthalten reichlich benthonische Organismen, deren Skelette oder Schalen im allgemeinen zerbrochen sind. Meerwärts findet sich eine reichhaltige Endofauna.

b) Die neritischen Bereiche mit Kalksedimentation

Falls die terrigenen Lieferungen schwach bleiben, kommt es auf dem Kontinentalshelf zur Karbonatsedimentation. Je nach Tiefenlage lassen sich vom Meere her in Richtung Küste drei Bereiche unterscheiden (Abb. 83):

- auf dem **offenen Meer**, dort, wo die Einwirkung der Wellen am Boden nicht mehr vorhanden ist, entwickelt sich ein Milieu geringer Energie, welches die Ablagerung eines feingeschichteten Kalkschlammes (**Mikrit**) begünstigt. Die Fauna besteht hauptsächlich aus **pelagischen** Organismen. In einem solchen Milieu kann sich **Glaukonit** bilden. Falls die Belüftung des Wassers schlecht ist, kann die organische Substanz fossilisiert werden,
- **oberhalb der Wellenbasis** besteht ein Milieu hoher hydrodynamischer Energie, wo die Feinpartikel weggeführt werden. Als Ergebnis bleibt ein Grobsediment, das gut sortiert und reich an Hartteiltrümmern ist (**Kalkarenit**) und sich in Form einer Barre anhäuft. Es liegt Schrägschichtung vor. Diese Bedingungen sind günstig für die **Oolithbildung** und die Ansiedlung von Riffen. **Benthonische Foraminiferen** mit dicken Schalen sind zahlreich;
- **zwischen Barre und Küste** erstreckt sich ruhigeres und flacheres Wasser. Es ist der Bereich der **Lagune**, in der eine verarmte Fauna lebt. Die Sedimente sind fein: an **Kotpillen** reicher Kalkschlamm, dessen Mikrit

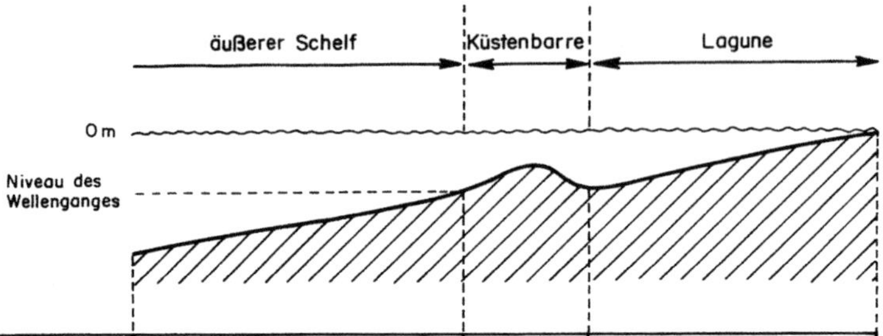

Lithologie	Mikrit	Kalkarenit	Mikrit, Dolomit oder Evaporite
Grobbestandteile		Schalentrümmer Ooide	Kotpillen
Sedimentgefüge	Horizontallamellierung	Schräg-schichtung	Horizontallamellierung
Organismen	Verschiedenartige Fauna (pelagische Organismen)	Verschieden-artige Fauna (Riffe)	verarmte Fauna Stromatolithen
hydrodynamische Bedingungen	schwache Energie	große Energie	schwache Energie

Abb. 83. Kennzeichen der Bereiche neritischer Karbonatsedimentation. (Verändert nach M. Irwin 1965)

teilweise aus chemischer Ausfällung hervorgeht, und eventuell Dolomit und Evaporite.

c) Die Riffbereiche

Riffe sind Kalkbildungen, die sich aus den Aktivitäten festgewachsener Organismen ergeben, deren Skelette am Orte ihres Wachstums gegen mechanische Einwirkungen widerstandsfähige Gebilde aufbauen.

α) Sedimente

Nach der Art ihres Aufbaues unterscheidet man:
- **Bioherme**, die innerhalb verschiedenartiger Sedimente massive Aufwölbungen bilden;
- **Biostrome**, die als geschichtete Bänke von mehr oder weniger konstanter Mächtigkeit auftreten.

β) Organismen

Riffe sind Bereiche intensiver Ausbreitung von Lebewesen. Im Laufe der Erdgeschichte waren unterschiedliche **riffbildende** Organismengruppen am

Aufbau von Riffen beteiligt: krustenbildende Algen (Blaualgenbiostrome oder Stromatolithe sind seit dem Präkambrium bekannt), die Archaeocyathiden im Unter- und Mittelkambrium, Schwämme, Coelenteraten (Stromatoporen, Tabulaten und Tetrakorallen während des Paläozoikums, Hexakorallen seit der Trias), Bryozoen, Serpuliden, Lamellibranchiaten (Rudistenbiostrome der Kreide).

Neben den riffbildenden Organismen ist auch eine **rifflebende Fauna** anzutreffen aus Lebewesen, die im Riff festsitzend oder auch freibeweglich leben. Ihre Hartteile oder Schalen sind dick infolge des hohen Kalziumkarbonatgehaltes (Kalkalgen, Brachiopoden, Muscheln, Echinodermaten . . .).

γ) Bedingungen der Riffbildung

Die heutigen von Hexakorallen aufgebauten Riffe entwickeln sich unter ganz bestimmten Bedingungen: die Wassertemperatur soll über 18° sein, die Salinität normal und konstant, die Tiefenlage unterhalb 40 m (euphotische Zone), das Wasser klar und bewegt. Diese Forderungen werden zum großen Teil bedingt durch die Anwesenheit von Braunalgen, **Zooxanthellen** im Korallengewebe, von deren photosynthetischer Tätigkeit der Wirt Nutzen zieht.

Es ist wahrscheinlich, daß im Laufe der Erdgeschichte diese Bedingungen etwas variiert haben, je nach den im Riff vorherrschenden Organismengruppen. So sind die Stromatolithen normalerweise mit Ablagerungen sehr flachen Wassers mit wechselnder Salinität assoziiert, während die Archaeocyathiden wahrscheinlich in kühlerem Wasser als die heutigen Korallen lebten.

δ) Aufbau der Riffbildungen

Die heutigen Riffe treten entweder als Atolle in Ringform auf oder als Saumriffe oder als Barriereriffe, die sich auf dem Kontinentalsockel entwickeln. Letzterer Typ tritt in den geologischen Formationen am häufigsten auf. Er zeigt vom Meere her küstenwärts folgende Zonengliederung:

- **Zone des Vorriffs**, wo sich die Abtragungsprodukte des Riffs als Breckzie mit mikritischem Bindemittel anhäufen; die Schichtung ist geneigt, und Rutschungserscheinungen sind häufig;
- **das eigentliche Riff**, das aufgebaut ist aus den Kalkskeletten der betreffenden Organismen in Lebensstellung; ihre teilweise Zerstörung durch die Wellen und durch räuberische und weidende Organismen führt zur Ausbildung eines Kalkarenits mit sparitischem oder mikritischem Bin-

demittel. Innerhalb des Bioherms läßt sich manchmal eine vertikale Zonierung der Organismen erkennen, welche die Niveauschwankungen der überdeckenden Wasserfläche widerspiegelt;
- **Zone des Rückriffs**, eingeschaltet zwischen Riff selbst und der Küste; vor dem Wellengang geschützt, kann sie sich zu einer Lagune entwikkeln; hier erfolgt eine Feinsedimentation von Mikrit und eventuell auch von Dolomit oder Evaporiten.

Dieses Schema weist eine Fülle von Variationen auf, je nach den lokalen paläogeographischen Gegebenheiten (Abb. 114).

3. Der ozeanische Bereich

Der ozeanische Bereich erstreckt sich weit vor den Küsten, über dem Kontinentalhang und den Tiefseebecken. Die Sedimentation erfolgt in großen Wassertiefen.

a) Sedimente

Die Sedimente der Tiefsee gelangen durch zwei deutlich unterscheidbare Mechanismen in ihren Ablagerungsraum.
- Klastisches Material der Küstenregion gelangt in die Tiefseebecken durch **Trübeströme**, die sich dem Kontinentalhang entlang abwärts bewegen. Sie verfrachten **allochthones** Material in den ozeanischen Bereich.
- Weit von jeder terrigenen Beeinflussung und beim Fehlen von Strömungen baut ein **langsames Absetzen** von Feinpartikeln und von Schalen von Mikroorganismen am Boden der Ozeane einen **pelagischen Schlamm** auf. Diese Sedimente können kalkig, tonig oder kieselig sein. Aus ihnen entstehen feine knollige Kalke, die oft rot gefärbt sind (Fazies des „**ammonitico rosso**" der Trias und des Jura), Mergel und Radiolarite. Letztere sind oft mit untermeerischen vulkanischen Eruptionen verbunden.

Die pelagischen Sedimente enthalten oft zahlreiche **Manganknollen**.

b) Organismen

Die von den Trübeströmen transportierten Sedimente enthalten eine allochthone Fauna, die dem Flachwasserbereich entstammen. Sie zeigt Aufarbeitungscharakter.

Pelagische Schlämme bestehen zu einem großen Teil aus den Schalen planktonischer Organismen: kalkige Hüllen von Flagellaten (Coccolithen) und von Foraminiferen (Globigerinen), Kalkschalen von Mollusken (Pteropoden), Kieselskelette von Diatomeen oder Radiolarien. Die Makrofauna besteht aus fleischfressenden nektonischen Formen (Cephalopoden). Das Benthos ist selten, und die Flora fehlt, da der Ozeanboden weit unterhalb der photischen Zone liegt.

Alte Sedimente, die mit Sicherheit auf Ablagerungsräume in sehr großer Meerestiefe hinweisen, sind sehr selten. In der Tat sind Gesteine, die weit von der Küste jenseits terrigenen Einflusses entstanden, leicht mit solchen zu verwechseln, die in großer Tiefe sedimentieren. Die Transportweite kann sich auf Sedimente in ähnlicher Weise auswirken wie die Meerestiefe. So wurden **Kreideablagerungen**, die im wesentlichen aus Coccolithen aufgebaut sind, früher mit den Globigerinenschlämmen der Tiefsee gleichgesetzt. Die Untersuchung der darin vorhandenen Makrofauna (Bryozoen, Muscheln, Echinodermaten) jedoch bewies, daß es sich in Wirklichkeit um eine neritische Bildung handelt.

III. Deltas und Ästuare

Am Kontakt mit einem größeren stehenden Gewässer, dem Meer oder einem See, werden Flußläufe abgebremst, und als Folge davon laden sie ihre Sedimentfracht ab. Falls die Wellen und Strömungen nicht in der Lage sind, das terrigene Material weiter zu verfrachten, entsteht ein Delta. Seine Ablagerungen bauen sich immer weiter in das Meer bzw. den See hinaus. Wenn dagegen die Einwirkung der Gezeiten im Unterlauf des Flusses überwiegt, wird die Mündung zum Ästuar (Trichtermündung).

1. Deltas

Die Deltas sind Gebiete aktiver Sedimentation. Ihre Gestalt hängt einerseits von der Stärke der angelieferten Flußfracht, andererseits von der Intensität der Verteilung dieses Materials durch Wellen und Strömungen ab.

Stromauf geht der Deltabereich in die Alluvialebene über (Abb. 84, 111). Die Wasserläufe bilden **Mäander** und hinterlassen **Altarme**, da das Gefälle abnimmt. Mehr stromabwärts entstehen längs der Wasserläufe natürliche **Uferdämme** aus antransportiertem Sediment. Diese Dämme werden jedoch rasch durchbrochen, und ein neuer Wasserlauf entwickelt sich. Auf diese Weise baut sich eine **Deltaebene** auf. Sie ist teilweise überflutet. Weiter seewärts nach dem Gefälleknick des **Deltahanges** gehen die Ablagerungen in die Feinsedimente des Meer- oder Seewassers über; dieser Sedimentationsbereich wird **Prodelta** genannt.

Im Laufe der Zeit verlagert sich der aktive Teil des Deltas. Dabei bilden sich Altwasser, Tümpel, Sümpfe und Lagunen heraus. Der Deltakörper kann durch Wellen und Strömungen angegriffen und abgetragen werden. Die Mündung kann schließlich in einen Ästuar umgeformt werden.

a) Sedimente

– Die gröbsten Sedimente finden sich im Basisbereich des Deltas. Es sind Alluvionen, welche die Flußbetten ausfüllen. Sie haben daher auch alle fluviatilen Merkmale. Seitlich werden sie begleitet von feineren Sedimenten, die den natürlichen Dammablagerungen entsprechen. Die Vegetation hat hier oft die ursprüngliche Schichtung gestört. Konzentrationen von Eisenoxiden sind häufig. Die tonigen Teilchen setzen sich in den Depressionen der Überschwemmungsebene ab: in Tümpeln, Altarmen, Sümpfen . . . Die Gesamtheit dieser Ablagerungen im hochgelegenen Teil des Deltas umfaßt die **Deckschichten** oder *„topset beds"* der englischsprachigen Literatur.

– Im landfernen, überfluteten Teil des Deltas häufen sich die Sedimente in großer Mächtigkeit an, wodurch der **Deltaabhang** weiter vorrückt. Dies sind die *„foreset beds"* der englischsprachigen Literatur (**„Vorsetzschichten"**). Sie umfassen in Wirklichkeit eine große Vielfalt von Sedimenten. In Verlängerung der Zufuhrkanäle entstehen **Mündungsbarren**. Die Sedimente bestehen aus Lagen von Grobsand und Feinsand mit zahlreichen Pflanzenresten. Die Tone werden zu einem großen Teil von den Wellen weggeführt. Die Schichtung ist schräg und bogig. Zwischen diesen Zonen aktiver Ablagerung erfolgt eine Feinsedimentation.

Die große Sedimentationsgeschwindigkeit bewirkt, daß eine große Menge organischer Substanz eingebettet wird. Bei ihrer Zersetzung entwickeln sich Gasblasen, die im Laufe ihres Aufstiegs an die Sedimentoberfläche die Schichtblätter deformieren. Die Neigung des Deltahanges ruft oft subaquatische Rutschungen hervor, die die Schichtung verformen.

– In den Schlammablagerungen des **Prodeltas** reichert sich organische Substanz an. Die feine Horizontalschichtung wird des öfteren durch Bioturbationen gestört. Die Schlämme entsprechen den *„bottomset beds"* der englischsprachigen Literatur (**„Sohlschichten"**).

Der Deltabereich ist Ort einer besonders hohen **Sedimentationsrate**: mehrere Zehner von Zentimetern Sediment können sich innerhalb eines

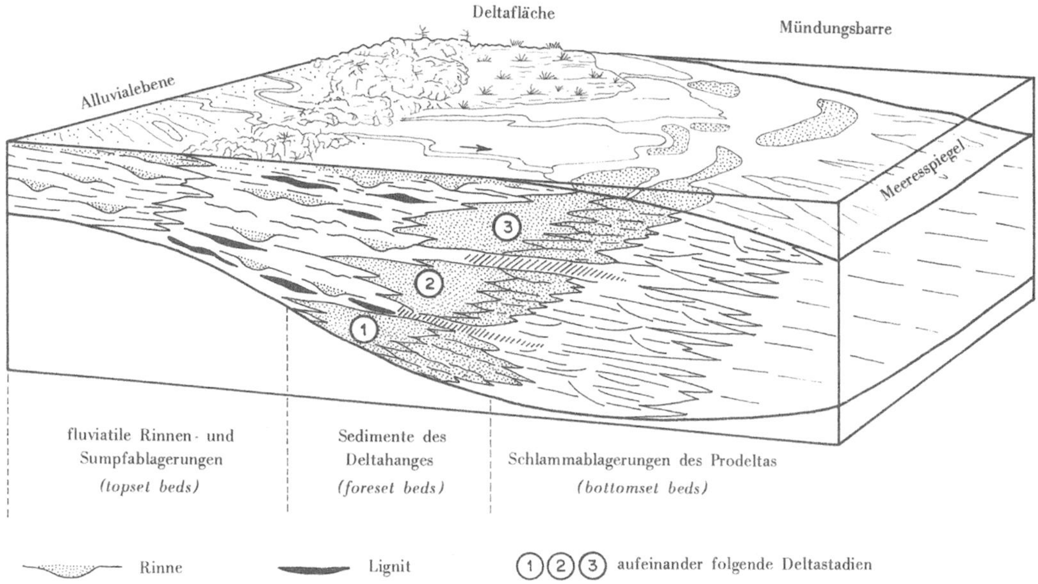

Abb. 84. Blockdiagramm einer Deltabildung: das Mississippidelta. (Verändert nach A. Lombard 1972)

Jahres ablagern. Daher entwickeln sich Deltas auch in Zonen starker Subsidenz.
Im Laufe des Deltavorbaues werden die Schlämme des Vordeltas allmählich von groberen Sedimenten des überfluteten Deltas und schließlich von der Alluvialebene überdeckt. Die entsprechende Sedimentabfolge zeigt daher eine **vertikale Korngrößenzunahme**.

b) Organismen

Im subaerischen Teil des Deltas entwickeln sich Süßwasser- und terrestrische Organismen. Das Auftreten zahlreicher **Süßwasserflächen** begünstigt eine üppige Vegetation, deren Wurzelsystem in situ fossilisiert werden kann. Daraus können sich Kohlen ohne Lignite entwickeln.

Im überfluteten Teil des Deltas vollzieht sich eine Durchmischung von Süßwasser und Meerwasser. Die Fauna ist typisch für ein **brackisches Milieu**. Wenn das Sediment fein ist, finden sich grabende und wühlende Organismen ein, die für eine intensive Bioturbation der Ablagerungen verantwortlich sind. Im Gegensatz hierzu ist die Zone des Deltahanges mit ihrer hohen Sedimentationsrate für eine dauerhafte Besiedlung durch Organismen ungünstig.

Weiter seewärts entwickelt sich auf dem Schlamm des Prodeltas eine marine (bzw. lakustrische) benthonische Fauna, unter der die grabenden Organismen vorherrschen. Auch Reste pelagischer Organismen sind hier anzutreffen.

2. Ästuare

Unter dem Einfluß der Gezeiten entwickeln die Ästuare zahlreiche Merkmale der intertidalen Zone. Der Wechsel von Ebbe und Flut zeigt sich im Sediment in den Spuren gegensinniger Strömungen.

Die Ablagerungen sind im allgemeinen feinkörnig; Sande sind auf die Strömungsbetten beschränkt, während sich der Schlamm an ihren Ufern anhäuft, wo er leicht von der Vegetation festgehalten wird. Häufig wird der Schlamm in Form von **Weichgeröllen** aufgearbeitet und führt so zur Ausbildung intraformationeller Konglomerate.

Die Fauna besteht hauptsächlich aus **brackischen** Arten. Sie werden flußaufwärts von Süßwasserformen, flußabwärts durch marine Formen abgelöst.

IV. Lagunen

Unter Lagunen versteht man Wasserflächen, die eine zeitweilige oder ständige Verbindung zum Meer haben, von dem sie jedoch durch eine natürliche Barriere mehr oder weniger getrennt sind. Diese Lage bewirkt ein Milieu schwacher hydrodynamischer Energie, die in einem Bereich geringer Wassertiefe für eine große Variabilität physikalisch-chemischer Faktoren wie Temperatur, Salinität, Sauerstoffgehalt . . . verantwortlich ist.

1. Sedimente

Lagunenablagerungen bestehen aus feinkörnigen Sedimenten, Sande und Tone, mit deutlich ausgeprägter Horizontalschichtung, die oft bioturbat gestört ist. Sie sind oft reich an organischer Substanz insbesondere an **Kotpillen**. Die Sedimentbänder können eine rhythmische Aufeinanderfolge aufweisen, die durch die Einwirkungen der jahreszeitlichen Klimaschwankungen auf das Gewässer bedingt sind. Rippelmarken sind häufig.

Falls die terrigene Zufuhr gering ist, wird die Karbonatausfällung (Mikrit) zur Haupterscheinung. In aridem Klima kann die Ausfällung von Evaporiten einsetzen.

2. Organismen

Die Lebewelt, welche im Vergleich zum benachbarten Meer stark verarmt ist, spiegelt getreulich die physikalisch-chemischen Gegebenheiten des lagunären Milieus wider. Je nach Gegebenheit ist die Fauna marin oder, was häufiger der Fall ist, typisch für **brackisches** Milieu (Mollusken, Krustaceen, Insekten). Grabende Organismen sind zahlreich. Periodisch treten **Massensterben** der Wasserfauna auf infolge extremerer klimatischer Bedingungen (Wassererwärmung, Einengung, Austrocknung ...). Wenn die Salinität zu hoch wird, verschwinden die Organismen und die Sedimente werden azoisch.

Zunehmende Verschlammung der Lagune begünstigt die Entwicklung der Vegetation, wie z.B. von Mangrovewäldern.

V. Trübeströme („Turbidity Currents“)

Trübeströme sind Dichteströme; angereichert mit suspendiertem Material fließen sie unter dem Einfluß der Schwere hangab und breiten ihre Sedimentfracht in den tieferen Zonen der Becken aus.

Es handelt sich um eine kurzlebige, schnelle Erscheinung auf subaquatischen Hängen (Neigungen von 1 Grad reichen bereits aus), bei der infolge einer Störung des Gleichgewichts eine bedeutende Menge von Sediment in Bewegung gesetzt wird. Im Verlaufe des Abgleitens verwandelt sich das Ganze in eine schlammige Masse von größerer Dichte als das umgebende Wasser, die in der Lage ist, den Untergrund zu erodieren. In dem Maße, in welchem die Strömung sich verlangsamt, nimmt auch seine Transportkapazität ab, und die Teilchen setzen sich in der Reihenfolge abnehmender Größe ab: es entsteht eine sowohl vertikale als auch horizontale **Korngrößenabnahme**. Die entsprechende Ablagerung wird als **Turbidit** bezeichnet.

Der Sedimentationsprozeß, der zu Turbiditen führt, wurde zunächst herangezogen, um die Entstehung des Flyschs in den Geosynklinalräumen zu erklären. Man ist sich jedoch bewußt geworden, daß in Wirklichkeit Trübeströme in den verschiedensten Bereichen entstehen und sogar unter flacher Wasserbedeckung Ablagerungen liefern können.

1. Sedimente

Jeder Turbidit stellt eine **Sedimentfolge** dar (Abb. 85), deren Basis einer **Abtragungsfläche** entspricht, die durch eine Anhäufung von Sedimentfiguren (v. Typus *„flute casts“*) hervorgehoben ist. Die vertikale Korngrößenabnahme ist sehr deutlich. Die groberen Körner sind, in allen Niveaus des Turbidits, durch ein feinkörniges Bindemittel voneinander getrennt. Darüber folgen dünne Lagen mit ebenen parallelen Oberflächen. In den feinen oberen Abschnitten sind die Sedimentlagen durch Rutschungen und Kompaktion deformiert. Sie gehen schließlich in die feinsten autochthonen Schlammabsätze über, den Lombard'schen *„bruit de fond“*.

Die Sedimentfolgen weisen oft eine große horizontale Verbreitung auf. Nahe dem Ausgangsort können sie auf die Rinnen submariner Canyons beschränkt bleiben. Weiter beobachtet man, vom Ursprung der Ablagerungen ausgehend, den Übergang der Grobsedimente, die unregelmäßig dickbankig und mit Erosionsmarken versehen sind, zu Feinsedimenten aus dünnen Lagen und selteneren Sedimentfiguren. Die Messung der ehemaligen Strömungsrichtungen ermöglicht es, ehemalige Fließrichtungen und in manchen Fällen die Paläotopographie der Becken zu bestimmen.

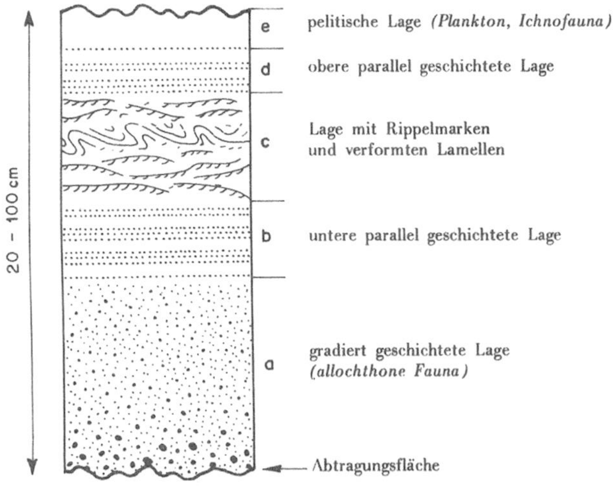

Abb. 85. Idealisierte Abfolge des Flyschs von Peira-Cava (Alpes maritimes). (A. Bouma 1962)

2. Organismen

Der untere Abschnitt der Sedimentfolge enthält Organismen, die mit dem Sediment aus Gebieten geringerer Wassertiefe herangebracht wurden. Es handelt sich oft um benthonische Formen. Sie sind größensortiert wie die klastischen Partikel.

Die pelitische Folge enthält Schalen von planktonischen Arten (Foraminiferen, Radiolarien, Diatomeen . . .) und Reste pelagischer Tiere (Fischzähne . . .). Im Flysch liefern diese Horizonte oft eine verschiedenartige **Ichnofauna**, die ausreichend konserviert wurde: Weidenspuren, Bauten von Sedimentfressern.

VI. Bildungsbereiche von Evaporiten

Salzablagerungen (Steinsalz, Gips, Sylvin . . .) können in Anhängseln des Meeres oder auf dem Festland entstehen.

Es scheint heute gesichert, daß Evaporite festländischer Depressionen zum großen Teil aus der Aufarbeitung älterer Salzablagerungen hervorgingen. Die meisten der großen Salzlagerstätten sind jedoch marinen Ursprungs.

Zwei Bedingungen waren Voraussetzung ihrer Entstehung:
- ein **arides Klima**, das für eine starke Verdunstung sorgte
- eine **starke Reduktion detritischer Anlieferungen.**

Die Wassertiefe ist für ihre Genese nicht maßgebend.
Mehrere Mechanismen können die Ausfällung und Anhäufung der Evaporite erklären.

1. Lagunen

Eine Lagune ist teilweise vom offenen Meer durch eine **Barre** abgetrennt (Abb. 86). Eine starke Verdunstung verursacht die Konzentration des Wassers. Seine Dichte steigt, und es kann sich am tiefsten Punkt der Lagune ansammeln, wo die Salze ausfallen. Die Erneuerung der oberflächlichen Wasserschicht vom offenen Meer her ermöglicht es, daß der Prozeß sich über lange Perioden fortsetzen kann.

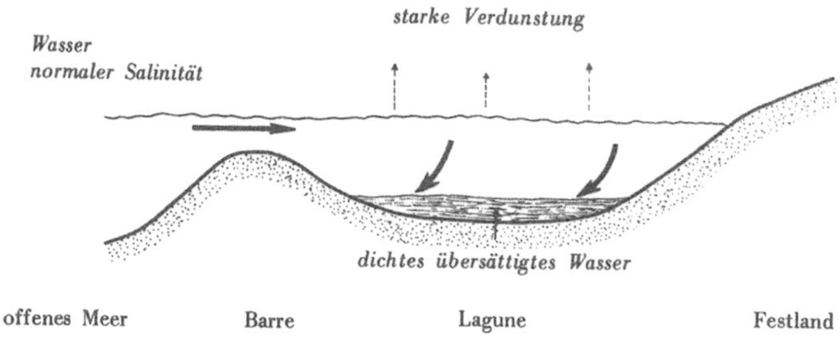

Abb. 86. Mechanismus der Salzausfällung in einer Lagune („Barrentheorie")

2. Große marine Plattformen

Hier ist der Prozeß der Salzausfällung ähnlich dem in den Lagunen. Jedoch wird der salzreiche Rückstrom des Wassers nicht durch ein mechanisches Hindernis (die Barre) abgebremst, sondern durch ein dynamisches. Die Dichteunterschiede des Wassers, die Reibung an der Berührungsfläche der Flüssigkeiten verhindern eine Durchmischung und die Rückführung der Salzlauge. Auf der marinen Plattform entwickelt sich so ein Salinitätsgradient von dem Gebiet in der Nähe des offenen Meeres, wo sich die weniger löslichen Salze (Gips) absetzen, bis zu den festlandsnahen Zonen, wo die löslichsten Salze ausfallen (Steinsalz und manchmal Kalisalz).

Dieser Mechanismus wurde besonders von Busson (1968) für die Evaporite der Trias und des Jura der Sahara-Plattform nachgewiesen.

Die Salzablagerungen der beiden genannten Mechanismen sind dick und gut geschichtet. Sie treten oft mit Dolomit zusammen auf. Ihre horizontale Ausdehnung ist groß. Sie sind normalerweise azoisch.

3. Ausfällung innerhalb des Sediments

Die Salze, die ursprünglich im Porenwasser mariner Schlammablagerungen enthalten sind, können anschließend an die Einbettung auskristallisieren. Die Evaporite bilden dann unregelmäßige Taschenfüllungen oder isolierte Kristalle. Nach Bourcart und Ricour (1954) soll dieser Mechanismus bei der Entstehung bestimmter Salzablagerungen der französischen Trias mitgewirkt haben.

In der **supratidalen** Zone können Dolomit, Anhydrit, Gips oder Steinsalz im Sediment durch diagenetische Ersetzungsvorgänge entstehen. Die Versorgung mit Salzlösung wird durch kapillaren Aufstieg und durch zeitweilige Überflutung gewährleistet. Derartige Evaporitbildungen sind in der heutigen Natur nur von geringer Bedeutung, wurden aber in mehreren älteren Formationen nachgewiesen.

Literatur

Allen JRL (1965) A review of the origin and characteristics of recent alluvial sediments. Sedimentology 5:89–191
Allen JRL (1970) Physical processes of sedimentation. An introduction. Allen and Unwin, London, 248 S
Busson G (1968) La sédimentation des évaporites. Comparaison des données sahariennes à quelques théories, hypothèses et observations classiques ou nouvelles. Mem Mus Nat Hist Nat Ser C 19:125–169
Geyer OF (1973, 1977) Grundzüge der Stratigraphie und Fazieskunde, 2 Bde. Schweizerbarth'sche Verlagsbuchhandlung, Stuttgart, 279, 341 S
Lombard A (1972) Séries sédimentaires. Genèse-evolution. Masson, Paris, 425 S
Menot JC, Rat P (1967) Sur la structure du complexe récifal jurassique supérieur de la vallée de l'Yonne. CR Acad Sci Ser D 264:2620–2623
Reineck HE, Singh IB (1973) Depositional sedimentary environments. Springer, Berlin Heidelberg New York, 439 S
Seilacher A (1976) Palökologie. Bericht 1970–1975 des Sonderforschungsbereiches 53, Tübingen. Zentralbl Geol Paläontol II:203–494
Seilacher A, Westphal F (1978) Paleoecology. Constructions, sedimentology, diagenesis and association of fossils. Report 1976–1978. Sonderforschungsbereich 53, Tübingen. Neues Jahrb Geol Paläontol Abh 157:1–2, 1–276
Selley RC (1970) Ancient sedimentary environments. Chapman and Hall, London, 237 S

Kapitel 6 Die Fossillagerstätten

Fossillagerstätten sind bestimmte Horizonte in Sedimentenserien, die außergewöhnlich reich an paläontologischen Dokumenten sind, die sich zugleich durch die große Zahl vorhandener Arten und die gute Qualität ihres Erhaltungszustandes auszeichnen. Sie sind ein besonderer Anziehungspunkt für Sammler, aber auch für den Geologen für den sie eine unschätzbare Quelle von Informationen über die ehemaligen Lebensräume und von Daten darstellen, die es ermöglichen gleichaltrige fossilarme oder fossilfreie Ablagerungen zu interpretieren.

Die Fossillagerstätten sind das Ergebnis einer langen Reihe von biologischen und physikalisch-chemischen Umwandlungen, die das Bild der ursprünglichen Biotope beträchtlich verändert haben.

Die Aufgabe des Paläoökologen besteht darin, durch diese Veränderungen hindurch das ursprüngliche Aussehen der Landschaften und ihrer Bewohner zu rekonstruieren.

Dieser Vorgang umfaßt mehrere Schritte:
- Charakterisierung des Fossilisationsprozesses;
- Bestimmung der Todesursachen der Organismen und ihrer Anhäufung;
- Rekonstruktion der ursprünglichen Lebensgemeinschaften und ihrer Lebensräume.

I. Die Entstehung von Fossillagerstätten: Taphonomie

Die Taphonomie befaßt sich mit der Geschichte der Organismen nach ihrem Absterben, d.h. mit den Vorgängen, die zwischen dem Zeitpunkt ihres Todes und dem ihrer Fossilisation am heutigen Fundort ablaufen.

1. Anhäufung der Organismen

Viele Fossillagerstätten sind durch eine starke Konzentration an Fossilien gekennzeichnet. Dies kann verschiedene Ursachen haben.

a) Dichte Population

Dichte Populationen von Organismen, die eng aufeinander wachsen, ergeben biogene Anhäufungen, die um so größer sind, je länger sie existieren. Beispiele hierfür sind Riffbildungen, Torfmoore.

b) Massensterben

Massensterben von Lebewesen können dann vorkommen, wenn eine plötzliche Änderung der physikalisch-chemischen Bedingungen des Milieus eintritt. Orkane, Überflutungen oder Vulkanausbrüche verursachen beträchtliche Verluste unter den terrestrischen Lebewesen. Im aquatischen Lebensraum ruft der Einbruch trüben Wassers Erstickung und Einbettung zahlreicher benthonischer Formen hervor. Die Entwicklung von Schwefelwasserstoff oder die jahreszeitliche üppige Vermehrung planktonischer Arten, die Toxine produzieren („**Wasserblüte**", verursacht durch Blaualgen, Dinoflagellaten . . .), können ebenfalls Massensterben verursachen und dabei ganze Faunen treffen. Die Austrocknung von Gewässern konzentriert die Wasserfauna oder die Amphibien in Resttümpeln, wo sie vom Tod ereilt werden.

c) Anhäufung durch Transport

Im Gefolge eines mehr oder weniger weiten Transportes werden Organismen, die oft aus unterschiedlichen Biotopen stammen, an bestimmten als Falle wirkenden Stellen angehäuft. Molluskenschillkalke und der Großteil der Kohlevorkommen entstehen durch derartige Mechanismen.

2. Einbettung der Organismen

Nach ihrem Tod fallen die Organismen der Zersetzung durch physikalisch-chemische und biologische Agentien anheim.

– Bei **Anwesenheit von Sauerstoff** gehen die Weichteile in Fäulnis über. Eine besonders aktive Rolle kommt den saprophytischen und nekrophagen Organismen zu, jedoch speziell den Bakterien, die für Gärungsprozesse zuständig sind. Die Schalen der Brachiopoden und Lamellibranchiaten, die Gehäuse der Echinodermaten, das Skelett der Vertebraten . . . werden mechanisch zerlegt. Unter der Einwirkung der Gärungsgase, die sich in den Körperhöhlungen ansammeln, treiben die

Kadaver der Vertebraten eine Zeitlang an der Wasseroberfläche. Im Laufe ihrer Verfrachtung trennen sich einzelne Skeletteile voneinander und sinken zu Boden. Daraus ergeben sich dann unvollständige Fossilien und verstreut auftretende Knochen. Schließlich trägt die Wasserzirkulation zur Auflösung der Hartteile und zur Abfuhr der aus der Zersetzung resultierenden Elemente bei. So führen nach mehr oder weniger langer Zeit diese Prozesse zum völligen Verschwinden der Kadaver.

Bei Fehlen jeglicher Feuchtigkeit werden die Kadaver **mumifiziert**. – **Falls Sauerstoff fehlt**, wird die Wirkung dieser verschiedenen Faktoren beträchtlich verzögert. Die Pflanzenreste werden inkohlt; die Zersetzung der Tiere führt zur **Sapropelbildung**. Solche Verhältnisse entstehen, wenn die Kadaver in einem Feinsediment (Ton, Kalkschlamm) rasch eingebettet werden, wo der Austausch von Wasser und Sauerstoff gering bleibt. Sie erklären die Erhaltung von Bakterien in den Steinsalzkristallen des Paläozoikums und der Arthropoden im oligozänen Bernstein der Ostsee. Dies trifft auch zu für die eingefrorenen Mammuts im quartären Eis Sibiriens. Die Feinkörnigkeit des umhüllenden Sediments erlaubt auch eine getreue Überlieferung der Form der Fossilien. Diese bleiben als **Abdruck** erhalten, wenn die ursprüngliche Substanz völlig verschwunden ist.

Zusammenfassend läßt sich feststellen, daß die optimalen Bedingungen für die Fossilisation der Organismen bei rascher Einbettung in einem Feinsediment und bei Fehlen von freiem Sauerstoff gegeben sind.

3. Diagenese

Nach ihrer Einbettung unterliegen die Reste der Lebewesen noch einer langsam fortschreitenden Umwandlung durch Austausch von Substanzen. Die Eigenschaft dieser Umwandlungen hängt von der Natur und der Porosität des umschließenden Sedimentes ab, aber auch von der chemischen Zusammensetzung der Fossilien selber und ihrer Zersetzungsprodukte. Die Gesamtheit dieser Reaktionen bildet die Diagenese. Sie führen zu einer Ersetzung oder einer Verfestigung der Hartteile durch Rekristallisation oder Mineralisation.

Als Faustregel kann gelten, daß Kalke die Fossilisation von Schalen, Panzern und karbonatischen Skeletten begünstigt. Sie werden in Sandsteinen aufgelöst. Dort dagegen können **Verkieselungen** entstehen, in welchen die feinsten anatomischen Einzelheiten (z.B. in Kieselhölzern) erhalten bleiben. Die **Dolomitisierung** von Karbonatgehäusen verändert im allgemeinen die ursprünglichen Strukturen. In Tonen und Mergeln entstehen oft um Fossilien herum **Konkretionen**. Ihre mineralogische Zusammenset-

Abb. 87. Fossillagerstätte durch Anhäufung von Organismen: die Fossilien (Schalen, Panzer, Knochen ...) sind verstreut und zerbrochen. Die Schichtung ist schräg. (W. Schäfer 1963)

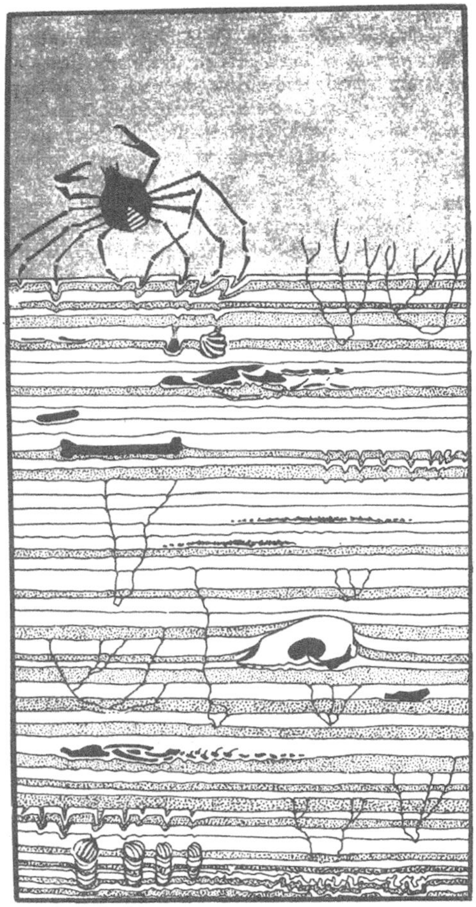

Abb. 88. Fossillagerstätte durch Erhaltung von Organismen: die Fossilien (Schalen, Skelette ...) sind autochthon und oft vollständig. Die Tierfährten und Bauten sind zahlreich. Die Schichtung ist horizontal. (W. Schäfer 1963)

zung ist verschieden (Kalk, Siderit ...). Wenn reichlich organische Substanz vorhanden ist, führt der freigesetzte Schwefel zur **Pyritisierung** der Fossilien.

Fossillagerstätten sind das Ergebnis des Zusammenwirkens einer großen Zahl von Faktoren, die zugleich oder nacheinander im Laufe ihrer Entstehung einwirken. Jeder Einzelfall benötigt eine gesonderte Betrachtung. Der zweite Teil des vorliegenden Buches bringt hierzu einige Beispiele.

4. Klassifizierung der Fossillagerstätten

a) Lagerstätten durch Anhäufung

Bestimmte Fossillagerstätten sind das Ergebnis einer Anhäufung von Hartteilen verschiedener Organismen. Dabei sind die Skelettelemente voneinander getrennt (Abb. 87). Solche Lagerstätten entstehen in Bereichen geringer Sedimentationsraten (z.B. die Lehme in quartären Höhlen). Sie können aber auch durch Transportvorgänge zustandekommen, bei denen die Strömung eine Art Sortierung der biogenen Bestandteile vorgenommen hat (z.B. Schillkalke, Trochitenkalke (Taf. I, Abb. 2), die **„bonebeds"**, welche aus Knochen und Zähnen von Wirbeltieren zusammengesetzt sind . . .) oder die Organismenreste in Sedimentfallen zusammengeschwemmt hat (z.B. Spaltenfüllungen).

b) Lagerstätten durch Konservierung

Diese zweite Kategorie von Fossillagerstätten ist gekennzeichnet durch die teilweise Erhaltung der organischen Materie (insbesondere des Chitins) und durch das Auftreten von Schalen oder Skeletten, deren Einzelelemente in anatomischer Verbindung geblieben sind (Abb. 88). Stehende Gewässer, in denen anaerobe Bedingungen vorherrschen, sind besonders für diesen Fossilisationstyp geeignet (z.B. bituminöse Schiefer, lithographische Kalke . . .). Das gleiche Ergebnis liegt vor, wenn die Kadaver in einem reduzierenden Sediment rasch eingebettet oder in einer konservierenden Substanz eingeschlossen werden (z.B. Bernstein). Dies ist auch der Fall bei bestimmten frühdiagenetischen Konkretionen (z.B. Feuersteine der Kreide).

II. Die Organismengruppierungen: Paläosynökologie

Selbst unter günstigsten Bedingungen wird nur ein geringer Teil der Organismen einer früheren Landschaft durch Fossilisation überliefert. Die Lebewesen ohne mineralische Hartteile und die meisten Mikroorganismen entgehen der paläontologischen Forschung. Man schätzt, daß **weniger als 1%** der Arten eines heutigen Biotops fossilisiert werden können. Zudem stammen die gefundenen Formen hauptsächlich aus benthonischen Populationen. Der Umfang, den diese **Informationslücke** annimmt, verbietet es, die Vorstellungen und Methoden der heutigen Ökologie auf das Gebiet der Rekonstruktion ehemaliger Lebensbereiche direkt zu übertragen. Insbesondere, auch wenn sich der Begriff des **Ökosystems** leicht auf den **Faziesbegriff** übertragen läßt, wird eine heutige Lebensgemeinschaft in keinem Falle das Äquivalent einer Faunen- oder Florenliste sein, die an Hand einer Fossillagerstätte erstellt wurde. Zahlreiche Gruppen wurden nicht fossilisiert, und die festgestellten Formen können von aufeinanderfolgenden Populationen oder von ursprünglich getrennten Biotopen stammen.

Diese Schwierigkeiten werden teilweise durch eine detaillierte Untersuchung des Sediments und der Organismen der Fundstätte ausgeräumt. Im Hinblick auf die Gruppierungen fossiler Organismen soll die Paläosynökologie auf die folgende Frage antworten: Haben die aufgesammelten Arten am Ort ihrer Einbettung gelebt oder entsprechen sie einer zufälligen Anhäufung von Formen aus verschiedenen Biotopen oder verschiedenen Epochen?

1. Paläobiozönosen

Unter Berücksichtigung der obigen Reserven können die Gruppierungen fossiler Organismen, die am Ort ihrer Einbettung zu einem bestimmten Zeitpunkt gelebt haben, als Paläobiozönosen angesehen werden.

Eine solche Schlußfolgerung liegt nahe, wenn sich die Lebewesen in **Lebensstellung** finden. Dies ist der Fall bei den Riffbildungen, die von den Karbonatskeletten zahlreicher Generationen von Organismen aufgebaut wurden, und bei bestimmten fossilen Mooren, wo Wurzelsysteme in den Palööböden in situ konserviert wurden (Abb. 124). Festgewachsene oder grabende benthonische Arten (Brachiopoden, Lamellibranchiaten . . .) können ebenfalls in Verbindung mit dem Substrat gefunden werden, auf dem sie gelebt hatten (z.B. Populationen von Hartböden). Mehrfach wurden von vereinzelten Beispielen von Fossilgemeinschaften des Kommensalismus und Parasitismus berichtet. Hierher gehört die klassische Gemeinschaft eines devonischen Tabulaten, *Pleurodictyum*, mit einem Wurm, *Hicetes* (Sipunculide?), die auch als **Symbiose** interpretiert wird (Abb. 89). Aber das beste Zeugnis eines autochthonen Lebens wird durch die Spuren tierischer Aktivität geliefert (Kriechspuren, Bauten . . .).

Viele Fundplätze von Fossilien, die durch Konservierung am Ort erhalten blieben, liefern Beispiele von Paläobiozönosen. Die Autochthonie der Organismen läßt sich aus verschiedenen Beobachtungen ableiten:

– Fehlen von Transportspuren und mechanischer Auslese,

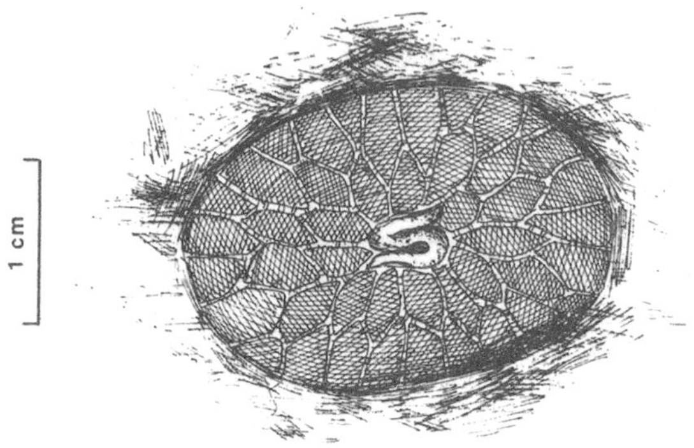

Abb. 89. Symbiose zwischen *Pleurodictyum*, einem Tabulaten des Devons, und einem Wurm (*Hicetes*)

- unversehrte Erhaltung von Hartteilen (z.B. die beiden Klappen von Lamellibranchiatenschalen bleiben zusammenhängend),
- Koexistenz verschiedener Entwicklungsstadien innerhalb einer monospezifischen Population,
- Häufigkeit junger Individuen als Ergebnis der hohen Sterblichkeit, die kurz nach dem Schlüpfen eintritt,
- Auftreten von Anzeichen biologischer Aktivität: Eier, Koprolithe, Spuren, Bauten . . .

Die Organismen in Lebensstellung und die Eigenschaften des Sediments (Feinkörnigkeit, Fehlen von Strömungsmarken . . .) bestätigen, daß das untersuchte Vorkommen einer primären Lage entspricht, deren Populationen kaum eine Aufarbeitung erfahren hat.

2. Thanatozönosen

Thanatozönosen, für die auch die Bezeichnungen **Taphozönosen** (Quenstedt) oder **Symmigien** (Babin 1971) vorgeschlagen wurden, resultieren aus einer mechanischen Anhäufung von Organismen. Sie sind Ausgangspunkt der Fossillagerstätten (durch Konzentration). Sie spiegeln nicht das Bild einer Lebensgemeinschaft wider, sondern das Ende einer langen, im Anschluß an den Tod der Organismen abgelaufenen Geschichte.

Die Fossilien der Thanatozönosen sind allochthon. Sie können aus verschiedenen Milieus und verschiedenen geologischen Epochen stammen. Es ist die Aufgabe des Paläoökologen, in diesen Fossilgruppierungen den Anteil, der den ursprünglichen Biozönosen zukommt, von dem zu unterscheiden, der den taphonomischen Prozessen zuzuordnen ist. Die Allochthonie der Thanatozönosen läßt sich vom Sedimentationstyp ableiten (Anzeichen starker hydrodynamischer Verhältnisse, Sedimentationslücken . . .), aber auch von Aussehen und Anordnung der Fossilien in den Lagerstätten.

Abb. 90. Orientierung der Schalen von silurischen Orthoceren unter dem Einfluß einer Strömung

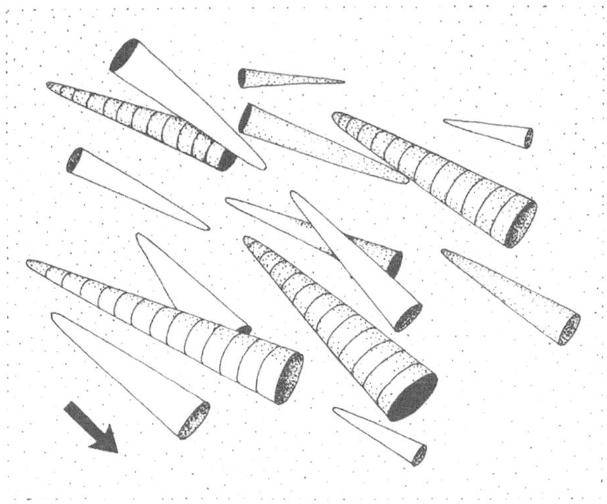

a) Orientierung der Fossilien

Beim Transport in Wasser oder Wind verhalten sich die toten Organismen wie Sedimentpartikel (Abb. 119). Unter der Einwirkung einer einsinnig gerichteten Strömung orientieren sich längliche Schalen (Schnecken, Orthoceren, Belemniten) mit ihrer Längsachse parallel zur Strömungsrichtung (Abb. 90). Ihre Spitze ist in den meisten Fällen stromauf gerichtet. Wenn sich dagegen das schwerere Ende im Untergrund verankert, zeigt die Spitze stromab. Im Küstenbereich orientiert das Hin und Her der Wellen die Längsachsen quer zu ihrer Bewegungsrichtung. Die Schalen häufen sich dann auch in den Vertiefungen der Rippelmarken an. In beiden Fällen unterscheidet sich die Orientierung der Fossilien von der der Suspensionsfresser in Lebensstellung, deren Öffnung stets der Strömung entgegen gerichtet ist (Abb. 91).

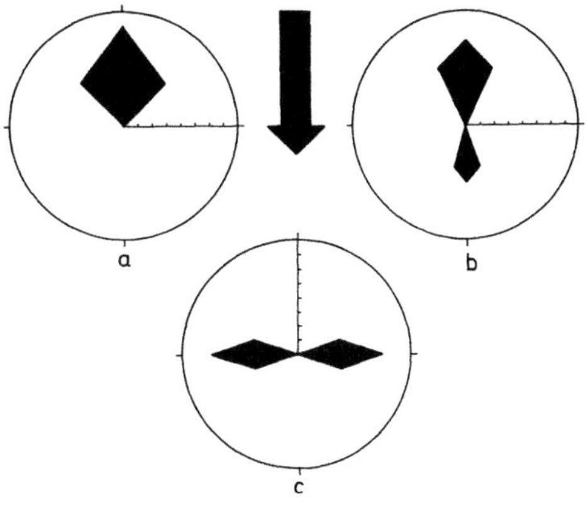

Abb. 91a–c. Orientierung der Längsachse von Organismen aus dem gleichen Niveau. **a** in Lebensstellung (Strudler). **b** unter Einwirkung einer Strömung, **c** unter Einwirkung der Wellen. Der **Pfeil** gibt die Strömungsrichtung bzw. die Fortpflanzungsrichtung der Wellen an. (Verändert nach A. Seilacher 1960)

A

B

◄**Abb. 92A, B.** Klappen von Muscheln: **A** in ruhigem Milieu (Lage in instabilem Gleichgewicht). **B** in bewegtem Milieu

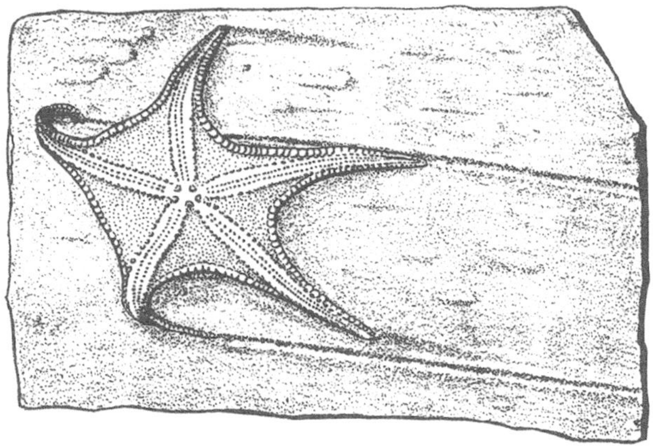

Abb. 93. Orientierung eines Seesterns (*Euzonosoma*) unter der Einwirkung einer Strömung im devonischen Hunsrückschiefer. Strömungsrichtung *von rechts nach links*. (Seilacher 1960)

Falls die konkave Seite nach oben gerichtet ist, befinden sich Brachiopoden- und Lamellibranchiatenklappen in einer Position des instabilen Gleichgewichts auf dem Untergrund. Diese Lage wird leicht durch eine, wenn auch nur schwache, Strömung verändert. Klappen, die einen Transport mitgemacht haben, sind mit ihrer konkaven Seite nach unten eingebettet (Abb. 92).

b) Korngrößensortierung

Im Verlaufe des Transportes sind die Hartteilelemente einer Auslese nach Größe und Gewicht ausgesetzt. Zahlreiche Fossilanhäufungen bestehen aus Organismen oder Bruchstücken von Hartteilen von etwa gleicher Größe (bonebeds, Trochitenkalke, bestimmte Schillkalke . . .) (Taf. 1, Abb. 2).

In Gruppierungen von Lamellibranchiaten kann sich die granulometrische Auslese durch eine Anreicherung von linken oder rechten Klappen andeuten. Die beiden Klappen unterscheiden sich bekanntlich oft durch ihre Form und die Anordnung bzw. Verteilung der Schloßzähne, was ihr hydrodynamisches Verhalten beeinflußt. In Fossillagen des Muschelkalks beispielsweise sind linke Klappen von Myophorien manchmal dreimal häufiger als rechte.

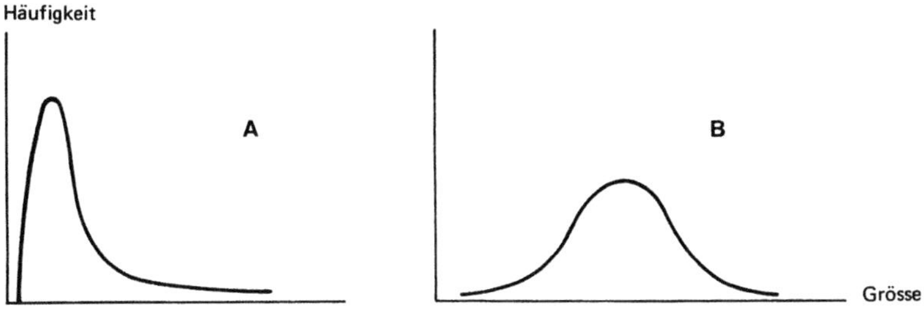

Abb. 94A, B. Autochthone (Paläobiozönose) (**A**) oder allochthone Herkunft (Thanatozönose) (**B**) einer Gruppierung von Organismen, abgeleitet aus Häufigkeitskurven. (A. Boucot 1953)

In Häufigkeitskurven läßt sich die granulometrische Auslese der Fossilien leicht nachweisen (Abb. 94).

c) Erhaltungszustand

Transport und nachfolgende Aufarbeitung der Fossilien verursachen eine mehr oder weniger starke Abrasion der Hartteile. Zerbrechliche und verzweigte Formen sowie Jugendstadien verschwinden als erste. Die Schalen, Panzer und Skelette sind zerlegt, zerbrochen und abgenutzt (Abb. 95). Die Ecken der Skelettelemente runden sich ab. Diese mechanischen Vorgänge werden im allgemeinen noch gefördert durch die Mitwirkung chemischer (teilweise Lösung der Schalen in saurem Milieu) und biologischer Faktoren (bohrende Organismen: Algen, Pilze, Schwämme . . .).

d) Anzeichen von Aufarbeitung

Eine Thanatozönose ist selten das Ergebnis eines einzigen Transportvorganges. Vor der endgültigen Einbettung wurden Fossilien oft von der Erosion aufgearbeitet und an anderer Stelle wieder abgelagert. Diese

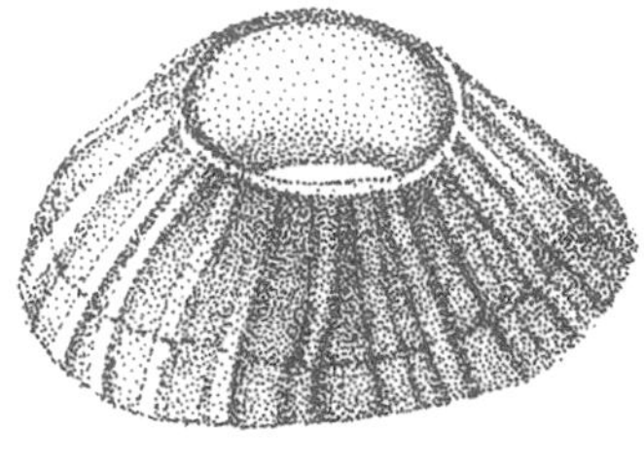

Abb. 95. Durch langen Transport abgenutzte Schale von *Patella*

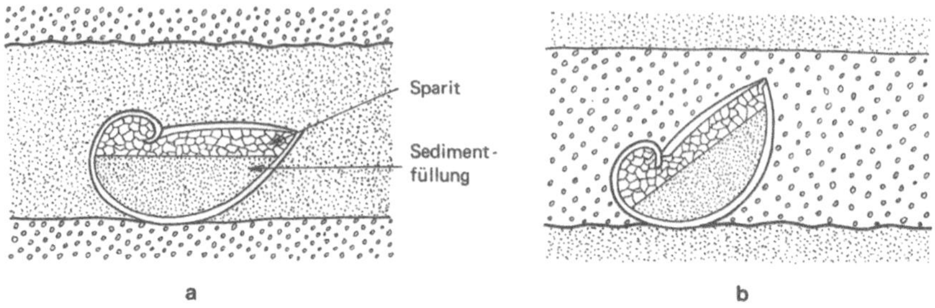

Abb. 96a, b. Wasserwaageneffekt (geotrope Struktur) fossiler Schalen. **a** Schale in ursprünglicher Lage. **b** Umgelagerte Schale

Aufarbeitungen lassen sich an Sedimentfüllungen in den Hohlräumen von Schalen erkennen. Besonders, wenn diese durch ihre petrographische Natur von dem umgebenden Sediment verschieden ist, besteht kein Zweifel an der Allochthonie der Fossilien.

Das gleiche gilt für Kristallisationen von Geodencharakter (Sparit), die sich in dem Hohlraum vollziehen, der bei teilweiser Füllung der Schale übrig blieb („**geotrope Struktur**"). Die Trennfläche zwischen den beiden Füllungen gibt die Horizontale der ursprünglichen Fossilisationslage an, die im übrigen mit der des Lebensraumes zusammenfallen kann. Das Ganze entspricht einer regelrechten Wasserwaage (Abb. 96, Taf. 1, Abb. 1). Später beweist die von den Schichtungsebenen abweichende Orientierung, daß der Fund aufgearbeitet worden war.

e) Mischung von Faunen und Floren

Wenn Thanatozönosen Organismen enthalten, die eindeutig verschiedenartigen Biotopen zugehören (z.B. gemeinsames Auftreten von benthonischen Formen, die auf hartem Untergrund leben, und wühlenden Arten), ist die Allochthonie der Fossilien leicht nachzuweisen.

III. Die Auswertung von Fossillagerstätten

1. Die Besonderheit paläoökologischer Methoden

Für die Untersuchung eines Fossilvorkommens ist es nicht ohne weiteres möglich, die Analysenmethoden der Ökologie direkt anzuwenden. Bei der Auswertung erfaßt man in Wirklichkeit aufeinanderfolgende Populationen, die das betreffende Milieu bewohnten oder dort in verschiedenen Schüben eingeführt wurden. Dieser Zeitfaktor zwingt den Paläoökologen dazu, die Fundstelle Lage für Lage abzutragen. Im geologischen Zeitmaßstab gesehen, stellen diese Lagen echte Momentaufnahmen dar. Sie bestehen manchmal aus Lagen von nur Bruchteilen eines Millimeters (Abb. 97).

Ebenso wie der Archäologe befindet sich der Paläoökologe vor einer erstarrten Welt. Die Eigenschaften der ursprünglichen Lebensräume sind ihm nur erkennbar durch die Organismen und das Sediment. Sein Vorgehen wird daher gezwungenermaßen **induktiv**. Darin besteht eine weitere Besonderheit paläoökologischer Untersuchungen (vgl. Anhang I).

2. Die Zusammenstellung der Informationen

Fossilien werden nach **qualitativen und quantitativen** Gesichtspunkten aufgesammelt. Bei der Auswertung von Fossillagerstätten müssen alle Organismen, vollständige und bruchstückhafte, in Betracht gezogen werden, desgleichen die Anzeichen ihrer Tätigkeit. Nur eine vollständige Erfassung aller Lebewesen führt zu einer befriedigenden Vorstellung der ursprünglichen Populationen. In den Faunen- und Florenlisten sollte auch die relative Häufigkeit der verschiedenen Arten aufgeführt werden. Sie erlaubt es, vorherrschende, begleitende oder zufällige Arten voneinander zu trennen (Abb. 24).

Besondere Aufmerksamkeit erfordert der **Erhaltungszustand** der Fossilien und ihre **räumliche Verteilung**. Diese Beobachtungen ermöglichen oft, Paläobiozönosen und Thanatozönosen zu erkennen. Im Verlaufe der Auswertung liefert die Untersuchung des **begleitenden Sediments** eine Fülle von Erkenntnissen über die physikalisch-chemischen Verhältnisse der Umwelt und über ihre Stellung innerhalb des regionalen paläogeographischen Rahmens.

3. Darstellung der Ergebnisse: Paläoökologische Profile

Alle paläobiologischen und sedimentologischen Daten, die an einer Fossilfundstelle gewonnen wurden, werden schließlich, Niveau für Niveau, auf Diagrammen oder paläoökologischen Profilen zusammengestellt (Abb. 97). Diese ermöglichen es, auf einen Blick den Ablauf der Sedimentation und die Aufeinanderfolge der Faunen und Floren zu erfassen. Durch Vergleiche der verschiedenen Informationen wird es daher möglich, die wich-

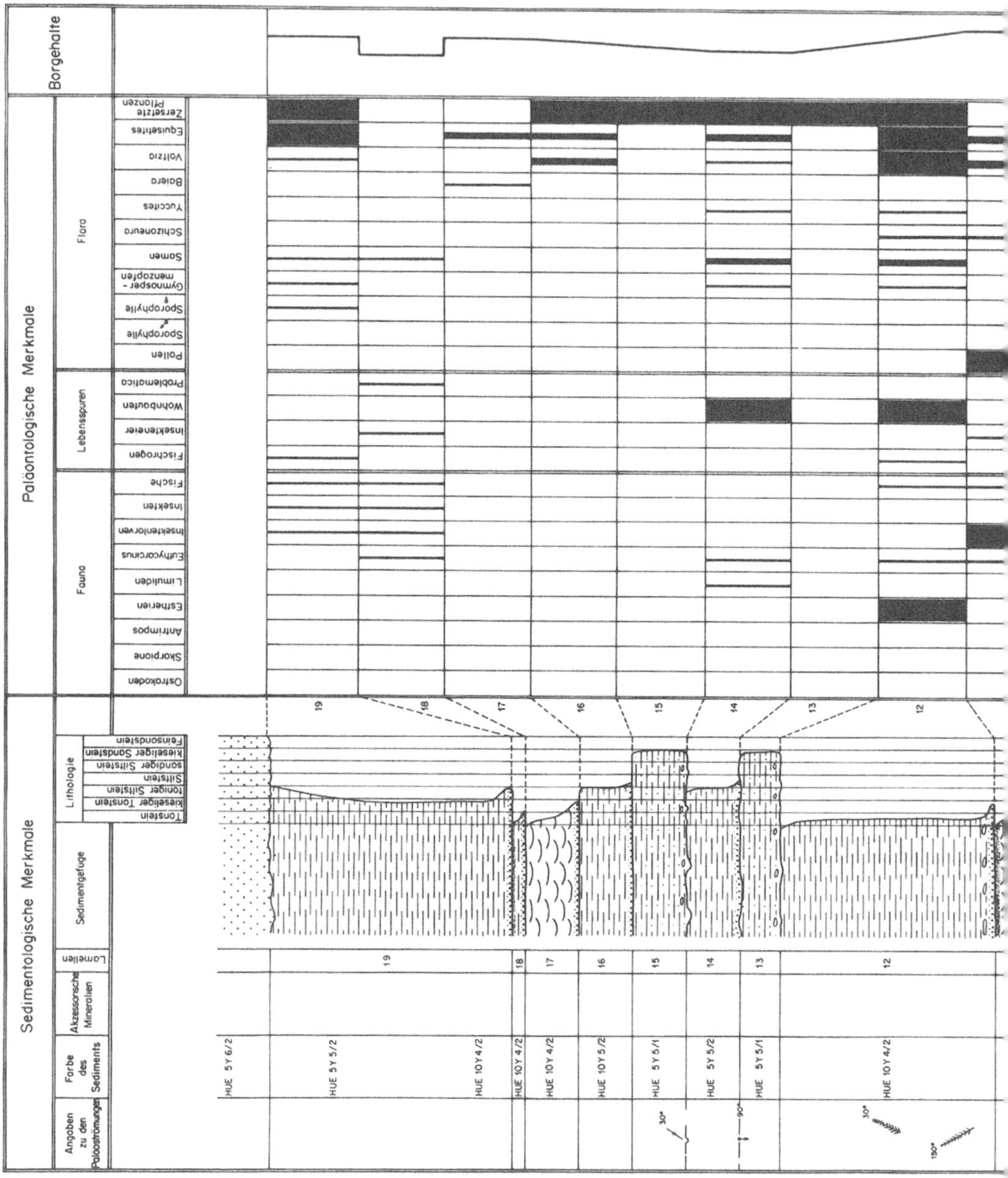

Abb. 97. Beispiel eines paläoökologischen Profils aus einer Fossillagerstätte des Buntsandsteins (Voltziensandstein) der Vogesen. (J.C. Gall 1971). *1* Horizontalschichtung; *2* Schrägschichtung; *3* Schuppige Absonderung; *4* Grauer Horizont (reich an organischer Substanz); *5* Gradierte Schichtung; *6* Tongerölle; *7* Karbonatbrekzie; *8* Guilielmites; *9* Trockenrisse; *10* Bioturbater Horizont; *11* Rippelmarken (mit Angabe der Kammrichtung); *12* Solemarken (mit Angabe der Strömungsrichtung); *13* Eingeregelte Pflanzenreste; *14* Pyrit; *15* Baryt; *16* Eisenoxid-Konkretionen

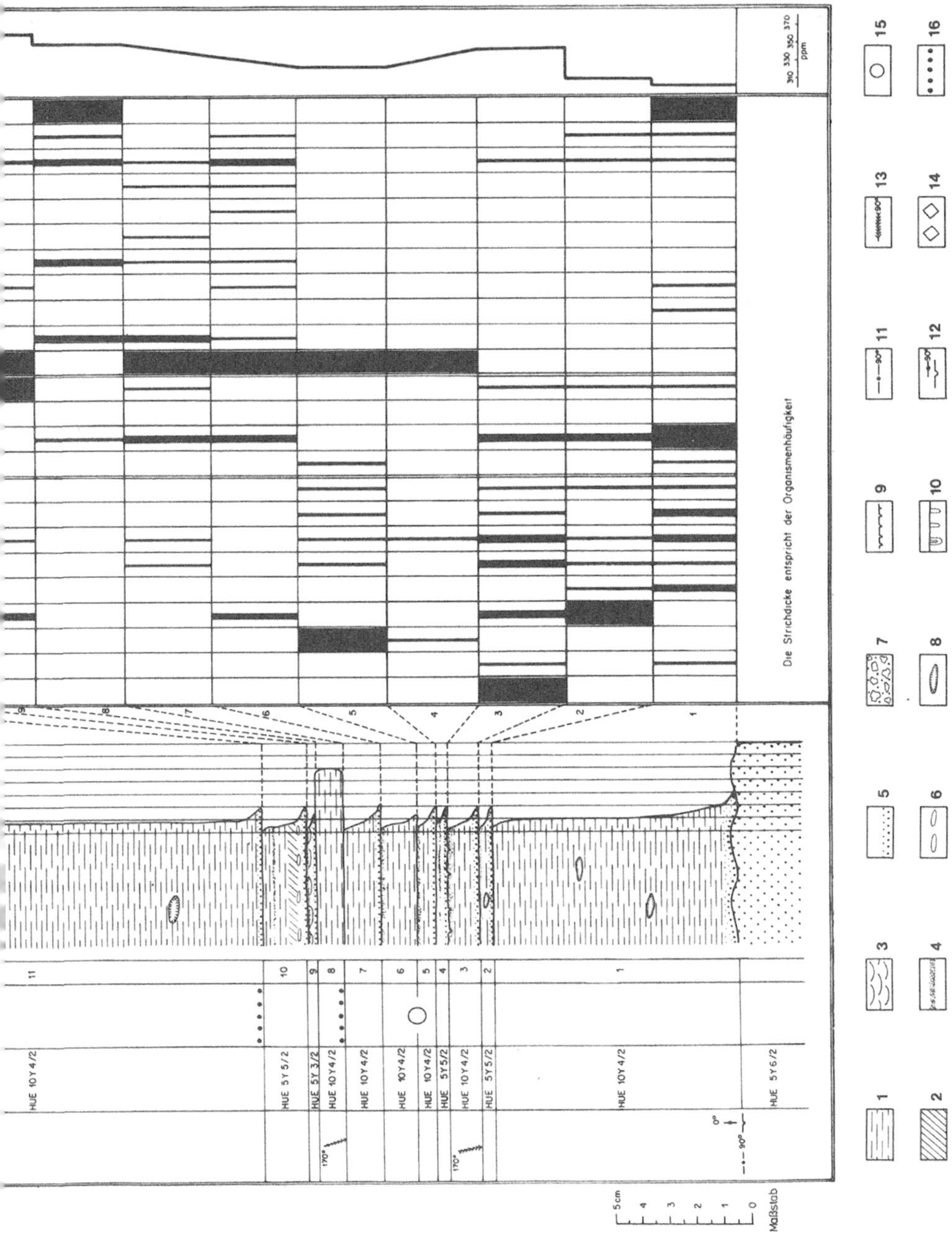

310 330 350 370
ppm
Die Strichdicke entspricht der Organismenhäufigkeit
HUE 10Y 4/2
HUE 5Y 5/2
HUE 5Y 3/2
HUE 10Y 4/2
HUE 10Y 4/2
HUE 10Y 4/2
HUE 10Y 4/2
HUE 5Y 5/2
HUE 10Y 4/2
HUE 5Y 5/2
HUE 10Y 4/2
HUE 5Y 6/2
170°
170°
0°
90°
5 cm
4
3
2
1
0
Maßstab
1
2
3
4
5
6
7
8
9
10
11
12
13
14
15
16

Abb. 98. Rekonstruktion der Karbonlandschaft Nordfrankreichs. (P. und P. Corsin 1970). *1 Lepidodendron; 2 Lepidodendron* oder junger *Ulodendron; 3 Ulodendron; 4 Lepidophloios; 5 Sigillaria; 6* junge *Sigillaria; 7 Sphenophyllum; 8* junger *Asterocalamites; 9* junger *Calamites; 10 Cordaites*

tigsten Kennzeichen der Umwelt herauszuarbeiten (Abb. 98; Taf. II, Abb. 1).

Fossillagerstätten gewähren interessante, aber punktuelle Einblicke in die Faunen und Floren, die im Dunkel der Zeiten aufeinander folgten. Ihre Auswertung erfolgt im engen Kontakt mit verschiedenen Nachbardisziplinen: Paläontologie, Sedimentologie, Geochemie ... und bietet sich somit für eine Teamarbeit an. Dieser Weg wurde vor allem von den Erforschern prähistorischer Fundplätze beschritten.

Literatur

Babin C (1971) Eléments de paléontologie. A Colin, Paris, 408 S

Fischer JC (1970) Tendances et méthodes en paléoécologie. Bull Soc Geol Fr 12:318–326

Lehman JP (1967) La paléoécologie. Mises a jour sci. 1:369–385

Müller AH (1963) Lehrbuch der Paläozoologie I. Allgemeine Grundlagen. Fischer, Jena, 387 S

Perès JM (1965) Réflexions sur les rapports entre l'écologie et la paléoécologie marines. Palaeogeogr Paleoclim Palaeoecol 1:51–68

Roger J (1974) Paléontologie générale. Masson, Paris, 419 S

Schäfer W (1962) Aktuo-Paläontologie nach Studien in der Nordsee. Kramer, Frankfurt, 666 S

Seilacher A (1970) Begriff und Bedeutung der Fossil-Lagerstätten. Neues Jahrb Geol Paläontol Monatsh 1:34–39

Seilacher A (1971) Preservational history of ceratite shells. Palaeontology 14:16–21

Seilacher A (1976) Palökologie. Bericht 1970–1975 des Sonderforschungsbereichs 53, Tübingen. Zentralbl Geol Paläontol II:203–494

Seilacher A, Westphal F (1978) Paleoecology. Constructions, sedimentology, diagenesis and association of fossils. Report 1976–1978. Sonderforschungsbereich 53, Tübingen. Neues Jahrb Geol Paläontol Abh 157:1–2, 276

Termier H, Termier G (1968) Biologie et écologie des premiers fossiles. Masson, Paris, 213 S

Ziegler B (1972) Allgemeine Paläontologie. Schweizerbarth'sche Verlagsbuchhandlung, Stuttgart, 245 S

Zweiter Teil

Rekonstruktion einiger Landschaftsbilder der Erdgeschichte

Kapitel 7 Ediacara-Fauna

Obwohl Ediacara nicht in Europa liegt, soll diese „Fossillagerstätte" hier besprochen werden, da die dort gefundenen Fossilien eine sehr wichtige Etappe der Entwicklung des Lebens auf der Erde dokumentieren. Nach unserer heutigen Kenntnis entspricht Ediacara dem ältesten Biotop einer Tierpopulation.

Ediacara liegt im Süden Australiens, zwischen dem Torrens-See und den Flinders Ranges, etwa 600 km nördlich der Stadt Adelaide. Die fossilführenden Schichten erstrecken sich über eine Distanz von 140 km. Einige Vertreter der Fauna von Ediacara sind auch an anderen Stellen der Erde gefunden worden und zwar in Ablagerungen, deren Alter mit 600–700 Millionen Jahren bestimmt wurde. Dies entspricht dem **obersten Präkambrium.**

I. Die Sedimente

Die Fossilien von Ediacara liegen in zwei, je 10 m mächtigen Bänken. Die Ablagerungen bestehen aus feinkörnigem Sandstein, Silt- und Tonstein, die durch die oberflächliche Verwitterung eine rote Farbe angenommen haben. Umgeben sind sie von parallel- oder schräggeschichteten, fossilleeren feldspatführenden Sandsteinen. Die Grenzen zum Hangenden und Liegenden sind scharf.

Die fossilführenden Horizonte sind gebankt und feingeschichtet. Die oft unregelmäßigen Lagen von einigen Millimetern Mächtigkeit bilden mächtigere Folgen, die durch Silt- oder Tonlagen oder durch Sandlinsen voneinander getrennt sind. Die Oberfläche dieser Folgen ist oft durch **Oszillationsrippeln** gekennzeichnet. Manchmal werden sie durch synsedimentäre Erosionsflächen abgeschnitten. Rippelmarken und seltene Erosionsrinnen sind die einzigen Anzeichen ehemaliger örtlicher Strömungen. Rinnen größeren Ausmaßes sind nur an der Basis und im obersten Teil der fossilführenden Horizonte zu beobachten.

Sedimentologisch ist vom Liegenden zum Hangenden eine Veränderung zu beobachten: die Klassierung wird schärfer, die Mächtigkeit der

Sandsteinlagen nimmt zu, Oszillationsrippeln werden häufiger, und die Silt- und Tonanteile gehen zurück. Dies ist mit einer zunehmenden Strömungsenergie zu erklären.

II. Die Fossilien

Die Deutung der präkambrischen Fossilien stößt auf zahlreiche Schwierigkeiten. Einerseits unterscheiden sich die damaligen Lebewesen deutlich von den heutigen oder sie stehen noch auf einer niedrigen Entwicklungsstufe. Ihr Aussehen führt zu Verwechslungen mit anorganischen Strukturen. Andererseits waren die präkambrischen Ablagerungen einer langen geologischen Entwicklung ausgesetzt, was häufig zu einer Veränderung oder Zerstörung der Faunen- und Florenspuren führte. Die Erforschung der verschiedenen Entwicklungsstadien und die vorhandenen Lokomotionsspuren bleiben die einzigen Kriterien, die den biologischen Ursprung dieser Gebilde beweisen können. Die ersten Lebensspuren auf der Erde haben ein Alter von mehr als 3 Milliarden Jahren (älteres Präkambrium). Es sind dies Bakterien und einzellige Algen. Die ersten Mehrzeller erscheinen erst im oberen Präkambrium.

Bis zum Jahre 1971 sind in Ediacara 1600 Fossilien gesammelt worden. Es waren dies Coelenteraten (67%), Anneliden (25%), Arthropoden (5%) und einige Exemplare, deren Einordnung nicht möglich war (Abb. 99).

1. Die Fauna

a) Benthonische Organismen

– **Coelenteraten**
Rangea und *Pteridinium* sind mit der Gruppe der Pennatuliden (Octocorallia) verwandt. Die Polypen sitzen auf einem blattartigen Gebilde, das mit dem Stiel auf dem Boden befestigt ist. Man findet sie oft in Ansammlungen, was darauf hindeutet, daß sie in der Nähe ihres Standortes eingebettet wurden.

– **Anneliden**
Gegliederte Formen werden als Anneliden betrachtet. *Dickinsonia* hatte einen ovalen und flachen Körper. Manchmal läßt sich der Verlauf des Verdauungstraktes erkennen. Dieses Tier war mikrophag und hat in einem schlammigen Biotop gelebt. *Spriggina* ist schlanker, auch stärker gegliedert und erinnert an Borstenwürmer (Errantia-*Nereis*).

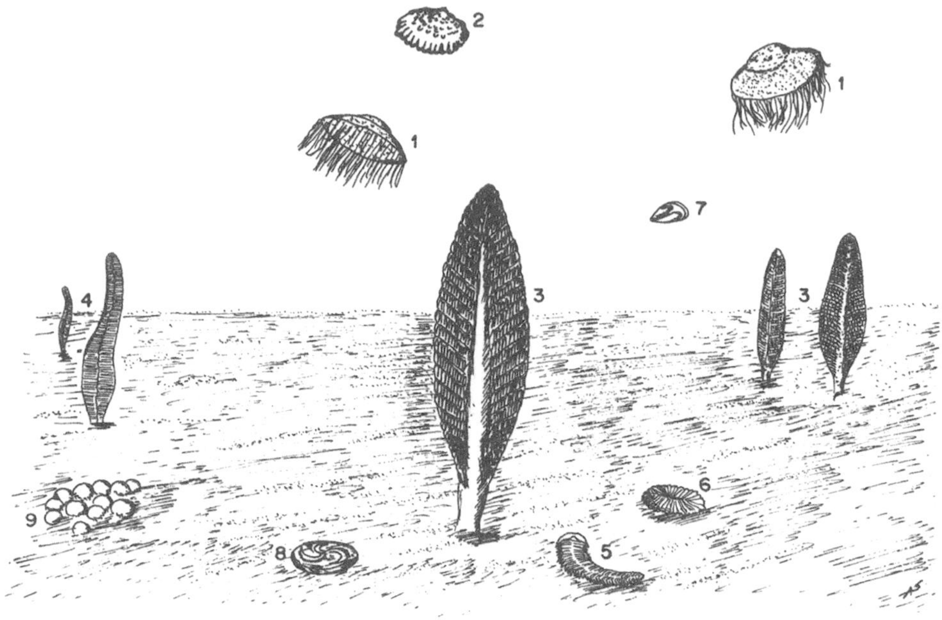

Abb. 99. Rekonstruktion des präkambrischen Lebensraumes von Ediacara. Coelenteraten: *1 Ediacaria; 2 Mawsonites; 3 Rangea; 4 Pteridinium; 5 Spriggina; 6 Dickinsonia;* Arthropoden: *7 Parvancorina; 8 Tribrachidium; 9* Algen? (Verändert nach M. Glaessner 1971)

– **Arthropoden**

Parvancorina ähnelt einer großen Trilobiten-Larve. Es sind Exemplare unterschiedlicher Entwicklungsstadien gefunden worden, woraus zu schließen ist, daß die Tiere an Ort und Stelle gelebt haben.

– **Formen incerto sedis**

Tribrachidium ist ein scheibenförmiges Lebewesen, dessen angenommene Oral-Seite dreistrahlige Arme trägt. Dies erinnert an gewisse Stachelhäuter. Allerdings fehlen Kalkplatten.

b) Lebewesen des Nekton

Bei Ediacara sind auch zehn **Quallen-Arten** gefunden worden. Ihre Schirme, die einige Zentimeter Durchmesser erreichen, sind mit Rillen und Anhängen verziert; die Ränder sind manchmal mit Tentakeln besetzt. Sie sind verwandt mit den Scyphozoen und den Hydrozoen. Einige Arten (*Ediacaria*) scheinen in Herden gelebt zu haben.

Allen Vertretern der *Ediacara*-Fauna gemeinsam ist das Fehlen eines harten Außen-Skeletts.

2. Die Flora

Gewisse Strukturen sind mit **Algen** in Verbindung gebracht worden.

3. Zeugnisse biologischer Aktivität

Einige Lebensspuren der Fossil-Lagerstätte von Ediacara sind beschrieben worden. Es handelt sich um von Schlammfressern, wahrscheinlich Würmern, erzeugte Grabgänge und um auf der Sedimentoberfläche von Detritusfressern hinterlassene Weidespuren.

Diese Lebensspuren deuten auf einen gewissen Gehalt des Sediments an organischer Substanz hin.

III. Fossilisations-Vorgänge

Die Fossilien von Ediacara sind als Steinkerne oder Abdrücke erhalten. Nichts ist von der ursprünglichen organischen Substanz übriggeblieben. Der Erhaltungszustand ist optimal, wenn die Fossilien zwischen zwei Lagen unterschiedlicher Korngröße eingebettet sind und die hangende Lage eine geringere Plastizität aufweist als das Liegende.

Anhand des Erhaltungszustandes der Quallen kann die Einbettungsgeschwindigkeit abgeschätzt werden. In sauerstoffhaltigem Wasser werden die Quallen innerhalb von zehn Tagen zersetzt und es bleibt nur eine dünne gallertartige Scheibe übrig. An zahlreichen Stellen in Ediacara ist jedoch zu erkennen, daß die Zersetzung erst stattgefunden hat, nachdem die Quallen durch mehrere dünne Lagen Sediment bedeckt waren. Auch zeigen einige Exemplare senkrechte Spuren von Kanälchen, die als Gasabzugswege der sich zersetzenden organischen Materie des Quallenkörpers gedeutet werden können. Diese Beobachtungen lassen auf eine **hohe Sedimentationsrate** schließen (Abb. 100).

Die meisten Quallen sind mit der konvexen Seite des Schirmes nach unten eingebettet worden. Schaut man sich an rezenten Stränden um, dann stellt man fest, daß die dort angespülten Quallen mit der konvexen Schirmseite nach oben liegen. Eine Einregelung „konvexe Schirmseite nach unten“ erfolgt nur dann, wenn eine bestimmte Wassertiefe vorhanden ist, die etwa zwei Drittel des Durchmessers des Tieres betragen muß. Für Ediacara bedeutet dies, daß das Sediment, in dem die Lebewesen

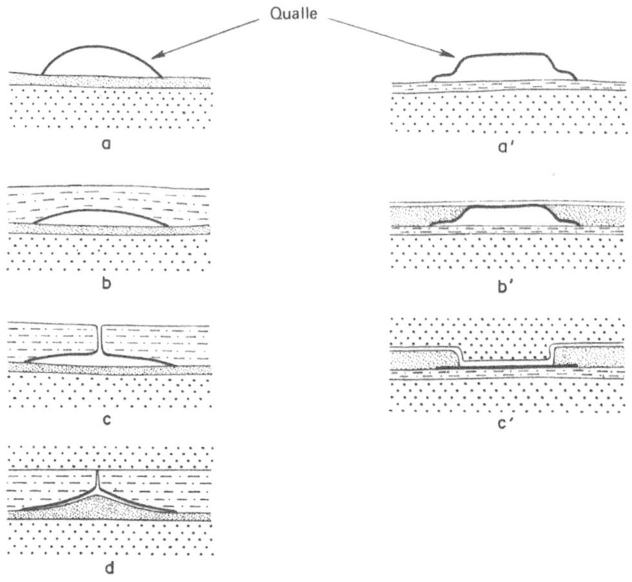

Abb. 100a–d. Zwei Einbettungsarten der Ediacara-Medusen in Abhängigkeit von der Sedimentationsrate. **a–d** nach der Überdeckung des Tieres setzt die Verwesung ein, wobei die sich bildenden Gase durch einen dünnen Kanal nach oben entweichen. **a'–c'** die nach der Überdeckung des Tieres einsetzende Verwesung führt zu einem Einsinken der darüberliegenden Sedimentlamellen (Verändert nach M. Wade 1968)

eingebettet wurden, ständig von Wasser bedeckt war. Dies wird durch das Fehlen von Emersions-Merkmalen bestätigt.

Zusammenfassend kann gesagt werden, daß in der Fossillagerstätte von Ediacara für die Erhaltung der Weichteile von Organismen eine rasche Einbettung in einem feinen Sediment verantwortlich ist.

IV. Der Lebensraum

Die Übergänge zwischen den fossilführenden Lagen zu den sie einschließenden Sandsteinen, die ihrerseits parallel oder linsenförmig geschichtet sind, beweisen, daß die beiden Fazien dem gleichen Sedimentationsbereich angehören. Die Sandsteine sind marin und bei starker Strömung entstanden. Im Bereich der fossilführenden Lagen ist die Zunahme der Häufigkeit der Rippelmarken im Laufe der Zeit und das progressive Verschwinden der Feinfraktion des Sediments an eine Zunahme der hydrodynamischen Energie gebunden, die ihrerseits wieder auf die Wassertiefe schließen läßt. Einige Autoren schätzen diese auf etwa 25 m. Dies entspricht der neritischen Zone. Über die Entfernung zur Küste kann allerdings nichts ausgesagt werden.

Oszillationsrippeln, feinkörnige Sedimente und an den Schichtgrenzen nur geringe Anzeichen einer Erosion deuten auf eine nur geringe Wasserbewegung hin. Die Durchlüftung des Sediments war günstig für die Ansiedlung von Epi- und Endobenthonten. Die Fauna ist allerdings zu primitiv, um zusätzliche Kenntnisse über die Lebensbedingungen zu erhalten.

Es kann so auf einen Lebensraum geschlossen werden, der einer **Meeresbucht** entspricht, die durch eine Art Schwelle vom offenen Meer getrennt und so vor großen Strömungen geschützt war. Hier finden sich – aufgrund der hohen Sedimentationsrate – für die aus dem offenen Meer eingespülten Quallen günstige Fossilisationsbedingungen.

Der Fossilfundpunkt Ediacara repräsentiert einen der ältesten Lebensräume der Erdgeschichte: einen Küstenbereich, der von außenskelettlosen Lebewesen mit einfachem Bauplan besiedelt war.

Literatur

Glaessner MP, Wade M (1966) The late Precambrian fossils from Ediacara, South Australia. Palaeontology 9:599–628

Goldring R, Curnow CN (1967) The stratigraphy and facies of the late Precambrian at Ediacara, South Australia. J Geol Soc Aust 14:195–214

Wade M (1968) Preservation of soft-bodied animals in Precambrian sandstones at Ediacara, South Australia. Lethaia 1:238–267

Kapitel 8 Das Old-Red-Festland

Im **Devon** entstanden aus den Abtragungsmassen des Kaledonischen Gebirges meist bunt gefärbte Konglomerate, Sandsteine und Schiefer mit einer Gesamtmächtigkeit von mehreren tausend Metern. Diese detritischen Sedimente werden „Älterer Roter Sandstein" genannt (= *Old Red Sandstones* der englischen Autoren). Diese Ablagerungen begegnen uns in einem Bereich, der sich vom Felsengebirge Nordamerikas bis zum Ural erstreckt. Besonders schöne Aufschlüsse liegen in Schottland und Wales.

Der Old-Red-Sandstone schließt eine Vielzahl von Lebensräumen ein. Drei Beispiele sollen hier näher beschrieben werden: eine Flußlandschaft, ein Süßwasserseebereich und eine Moorlandschaft.

I. Flußlandschaft

Die Hauptmasse des detritischen Materials des „Old-Red-Sandstone" entspricht Flußablagerungen. Dies gilt für Wales und die englischen Grafschaften Shropshire, Herefordshire, Worcestershire, wo Art und Weise der Sedimentation genau untersucht worden sind. Das Gebiet der **Clee Hills**, im Norden von Ludlow (Shropshire) kann unter diesem Gesichtspunkt als klassisch bezeichnet werden. Die dort anstehenden Ablagerungen entsprechen dem **Dittonian** (Unter-Devon).

1. Die Sedimente

a) Petrographie

In den Clee Hills erreicht das Dittonian eine Mächtigkeit von 400 m. Die Ablagerungen bestehen aus Konglomeraten, Sandsteinen, Siltsteinen und zwei Karbonat-Einschaltungen. Die detritischen Bestandteile sind eckig oder schwach abgerundet. Sie bestehen aus Quarz, aber auch aus Fragmenten von Eruptivgesteinen und älteren Sedimentgesteinen, die ihrerseits auf die Herkunft des Materials schließen lassen. Rote Sedimentfarben sind vorherrschend.

b) Sedimentationszyklen (Cyclotheme)

Die Bankung ist linsenförmig, die gröberen Fraktionen im allgemeinen schräggeschichtet.

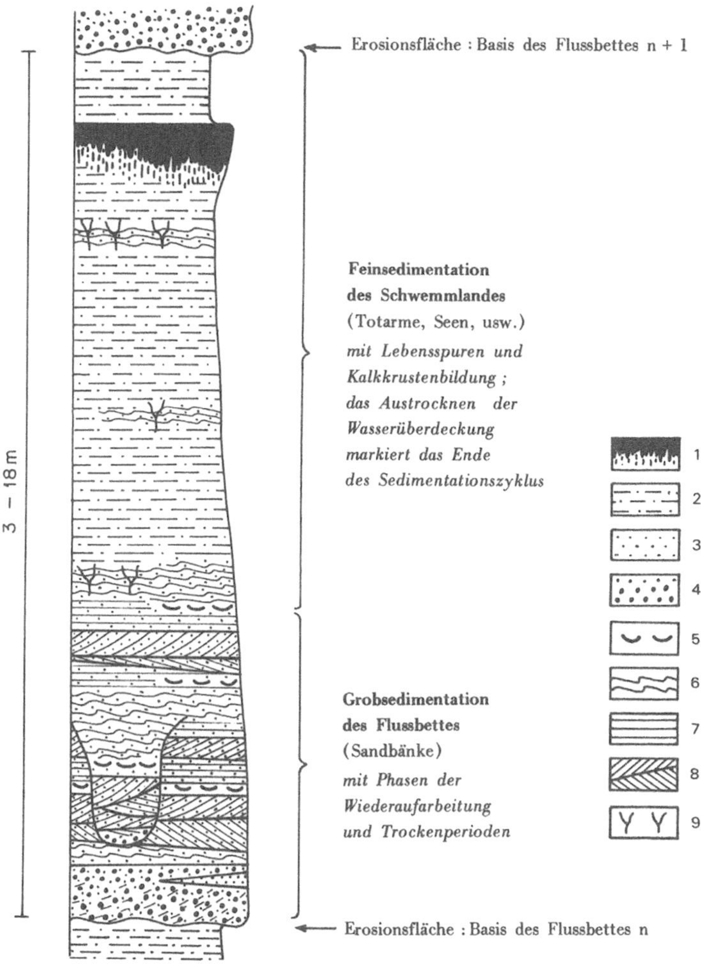

Abb. 101. Cyclotheme der fluviatilen Sedimentation innerhalb des „Old Red Sandstone“ (Dittonian) von Wales (der Höhenmaßstab ist überhöht) (J. Allen and T. Tarlo 1963). *1* Kalkkruste (Bodenbildung); *2* Siltstein; *3* Sandstein; *4* Konglomerat; *5* Trockenrisse; *6* Strömungsrippeln; *7* Parallelschichtung; *8* Schrägschichtung; *9* Bauten grabender Organismen

Der scheinbar heterogene Aufbau der Schichtenfolge entspricht einer sich vielmals wiederholenden Folge von Sedimentationszyklen oder **Cyclothemen**. Eine Cyclotheme, deren Mächtigkeit zwischen 3 und 18 m schwankt, umfaßt von unten nach oben (Abb. 101):

- ein **Konglomerat**, dessen Elemente dem unmittelbaren Untergrund entstammen, von dem es durch eine Erosionsfläche getrennt wird, die ihrerseits Auswaschungsspuren (flut-casts) aufweist; das Konglomerat ist schräggeschichtet;
- schräggeschichtete **Sandsteine** mit Rippelmarken und mit wiederausgefüllten Erosionsrinnen, die manchmal bis zu 10 m Tiefe in das liegende Gestein eingeschnitten sind; eingeschaltet sind feinkörnige Sandsteine mit gut sortierter Körnung, Parallelschichtung und Strömungsstreifung. Stellenweise sind Trockenrisse vorhanden; zum Hangenden hin nimmt die Korngröße ab und die Strömungsrippeln werden zahlreicher;
- **Siltsteine**, ohne erkennbare Schichtung, in die sich Bereiche mit Rippelmarken einschalten; nach oben hin nehmen Karbonatkonkretionen zu;
- eine **Karbonatkruste** bildet i.a. den Abschluß der Cyclotheme.

Diese Aufeinanderfolge ist charakterisiert durch eine Korngrößenabnahme zum Hangenden hin und durch Sedimentstrukturen, die auf an Stärke abnehmende Wasserbewegungen hindeuten. Dies entspricht einem Nachlassen der Strömungswirkung im Laufe der Zeit. Diese Entwicklung ist, zusammen mit einer großen Konstanz der Strömungsrichtung typisch für die Sedimentation im fluviatilen Bereich.

Grüne, aus feineren Sedimenten aufgebaute Sedimente, die manchmal linsenförmig in die Konglomerate und Sandsteine eingeschaltet sind, enthalten Fossilien.

2. Die Lebewesen

Bei den im Dittonian der Clee Hills gefundenen Fossilien handelt es sich hauptsächlich um im Wasser lebende Wirbeltiere: Agnathen und Fische. Einige Horizonte enthalten auch Mollusken, Arthropoden und Pflanzenreste. Diese Fossilien finden sich i.a. im Cyclothem in ganz bestimmten Niveaus.

a) Wirbeltiere

Ostracodermen sind Agnathen, deren abgeplatteter Körper durch einen schweren Knochenpanzer geschützt ist. Fragmente, die verschiedenen Gattungen zugeordnet werden können, findet man in den Konglomeraten an der Basis der Cyclotheme (*Cephalaspis, Psammosteus*). Linsenförmig zwischen die Konglomerate und die Sandsteine eingeschaltete feinkörnigere Sedimente enthalten ganze Exemplare, zusammen mit Knochenfischen (**Acanthodier**).

b) Invertebraten

Reste von **Eurypteriden**, dies sind großwüchsige, fleischfressende Merostome, sind zusammen mit Wirbeltieren gefunden worden. In den Siltsteinen findet man Bauten grabender Organismen.

Im unteren Dittonian, wo sich marine Einflüsse bemerkbar machen, findet man in den feinkörnigen Bereichen der Cyclotheme Muscheln (*Modiolopsis*), Schnecken und Ostracoden (*Leperditia*).

c) Flora

Schwer bestimmbare Pflanzenreste sind hauptsächlich in den feineren Ablagerungen zu finden. Die Kalkkrusten, die den Abschluß der Cyclotheme bilden, werden als **Bodenbildung** betrachtet. Die zylindrischen Konkretionen sollen sich in einem trockenen und heißen Klima um die Wurzelsysteme herum gebildet haben.

3. Fossilisations-Vorgänge

Die meisten Wirbeltierreste sind Fragmente, die vor ihrer Einbettung einem langen Transport ausgesetzt waren. Sie stammen aus einem Gebiet, das in Bezug zu dem Einbettungsort stromaufwärts lag. Dagegen ist anzunehmen, daß die mehr oder weniger ganz erhaltenen Exemplare, die man in den feineren Sedimenten findet, nach ihrem Tod keinem langen Transport ausgesetzt waren. Im gleichen Niveau fand man Agnathen in unterschiedlichen Entwicklungsstadien. Der Magen eines Acanthoden enthielt den Panzer eines Ostracodermen. Diese Lebewesen sind ebenfalls in ihrem Lebensraum eingebettet worden. Die feinkörnigen Sedimente lassen auf relativ ruhiges Wasser schließen. Die grüne Sedimentfarbe ist wahrscheinlich auf die Reduktion von Eisenoxyden bei der Pflanzenzersetzung zurückzuführen.

Abseits des Flußbettes herrschten in Tümpeln mit schlecht durchlüftetem Wasser und hoher Sedimentationsrate günstige Fossilisationsbedingungen.

4. Die Umwelt

Linsenförmige Schichtung, vertikale Evolution innerhalb der Cyclotheme und Konstanz der Strömungsrichtung sind charakteristisch für eine fluviatile Sedimentation. Jede Folge stellt einen Abriß der Geschichte eines Wasserlaufs dar. Bei Überschwemmungen oder beim Bruch natürlicher Deiche überflutet das mit detritischer Fracht beladene Wasser den tiefsten Talbereich. Im Gefolge einer Erosion gräbt sich das Wasser einen Kanal. Im Laufe der Zeit geht die Strömungsgeschwindigkeit des Wassers zurück, und die Fracht setzt sich ab. Zuerst wird grobes Material abgelagert, reich an Geröllen, die aus dem Flußtal stammen. Es ist vermischt mit Pflanzenresten und Bruchstücken von Wirbeltieren, die weiter stromaufwärts gelebt haben. Dann folgen Sandsteine mit Strömungsrippeln. Stellenweise bildeten sich Tümpel, in denen die Agnathen, die Fische und die Euripteriden noch einige Zeit leben konnten, bevor sie – bedingt durch Isolierung und Trockenfallen des Tümpels – verendeten. Infolge des Rückgangs des Abflusses oder durch die seitliche Verlagerung des Flußbettes geht die Transportkraft weiter zurück, und es kommt zur Sedimentation der Siltsteine. Der Schlamm wird dann durch grabende Organismen besiedelt. Im tiefsten Überschwemmungsbereich machen sich marine Einflüsse bemerkbar.

Durch die Verdunstung erfolgt eine periodische Konzentrationserhöhung, was dann zur Ausfällung von Karbonaten führt. Die sich einstellende Sumpf-Vegetation begünstigt die Fixierung der Karbonate im Wurzelbereich. Damit ist die fluviatile Folge beendet.

Wenn dann durch ein erneutes Hochwasser oder einen Dammbruch das Flußbett erneut verlagert wird, beginnt ein neuer Zyklus.

Im Unter-Devon entsprach Süd-England einer in unmittelbarer Nähe des Meeres gelegenen **Schwemm-Ebene**. Während Jahrtausenden kam es als Folge regionaler Subsidenz und seitlicher Verlagerung der Wasserläufe zur Aufschüttung detritischer Sedimente, deren Material aus den Randgebieten stammt. Die Gewässer waren von Agnathen und Fischen bevölkert, deren erste Entwicklungsstadien sich vielleicht im nahen Meer vollzogen haben. Dies würde die große geographische Verbreitung erklären.

II. Der „Orkaden-See“

Am Nordost-Ende von Schottland liegt bei **Achanarras**, in der Grafschaft Caithness, ein Steinbruch, der seit hundert Jahren wegen seines Reichtums an mittel-devonischen Fischen bekannt ist.

1. Das Sediment

a) Petrographische Merkmale

Bei **Achanarras** wird in einer Mächtigkeit von etwa 10 m ein graues, hartes und spaltbares Gestein („*flagstones*“) abgebaut, das als Bodenplatten und Dachschiefer Verwendung findet. Petrographisch handelt es sich um einen Siltstein, der viel Karbonat (Calcit und Dolomit), organische Substanz und kleine Pyrit-Körner enthält. Die gelbe Färbung, die manchmal auf den Flächen vorhanden ist, kann auf die Anwesenheit von Eisenkarbonat zurückgeführt werden.

b) Stratinomische Merkmale

α) Schichtung

Die „*flagstones*“ von Achanarras sind parallelgeschichtet und bilden Bänke von einigen Dezimeter Mächtigkeit. Sie sind in sich feingeschichtet. Die einzelnen, etwa 1/10 mm starken Lagen werden durch Einschaltungen mit einem hohen Gehalt an organischer Substanz voneinander getrennt. Dadurch wird die Spaltbarkeit des Gesteins begünstigt.

Manchmal läßt sich eine rhythmische Abfolge erkennen, die an Warven erinnert; der untere Teil der Lagen ist karbonatreich, während im oberen Teil Quarzkörner und der überwiegende Teil der organischen Substanz angereichert sind. Bei den detritischen Bestandteilen kann sich nach oben hin eine Abnahme der Korngröße bemerkbar machen.

β) Marken

Die einzigen Marken im Bereich der „flagstones“ sind **Trockenrisse**, „*Antiripplets*“, die entstanden sind durch das Anpappen von durch den Wind transportierten trockenen Teilchen an den feuchten Sand und Rieselmarken, deren Entstehung auf fließendes Wasser zurückzuführen ist. Dies sind Anzeichen einer Emersion.

2. Die Fossilien

a) Die Fauna

Das Fossilvorkommen von Achanarras enthält hauptsächlich Fische. Etwa 10 Gattungen sind beschrieben worden, die den Placodermen, den Acanthodiern, den Crossopterygiern und Actinopterygiern zugeordnet sind (Fig. 102). Die Häufigkeit der Fossilien ist bemerkenswert: auf einem Quadratmeter finden sich 5 bis 6 Fische. Besonders häufig sind die **Dipnoer** (*Dipterus*) und die **Placodermen** (*Coccosteus*).

Die Dipnoer besitzen eine Lunge, die es ihnen erlaubt in stagnierendem Wasser zu leben, da sie in der Lage sind den Luftsauerstoff zu atmen. Die Placodermen sind Panzerfische – verwandt mit den rezenten Holo-

Abb. 102. Agnathen (**1**, **2**, **3**) und Panzerfische (**4**) des „Old Red Sandstone" Englands (J. Piveteau 1951). *1 Hemicyclaspis; 2 Poraspis; 3 Pteraspis; 4 Coccosteus*

cephalen (*Chimaera*) – deren vordere Körperpartie durch einen starken, im Kopfbereich gegliederten Knochenpanzer geschützt ist. Dieser Panzer schränkte die Bewegungsfähigkeit dieser Fische, die wahrscheinlich am Boden des Gewässers lebten, ein. *Coccosteus*, der schneidende Zahnplatten besaß, und die Actinopterygier waren Raubfische. Ohne Zweifel ernährten sie sich von jungen Fischen oder von Invertebraten, von denen keine Zeugen mehr erhalten sind. Die Nahrung der Dipnoer bestand wahrscheinlich aus Wasserpflanzen.

b) Die Flora

Mit Ausnahme einzelner Sporen sind die gefundenen Pflanzenreste unbestimmbar. Der relativ hohe Anteil an organischer Substanz ist wahrscheinlich dem Phytoplankton zu verdanken.

c) Ichnofossilien

Wühlspuren auf der Oberfläche der Platten werden grabenden Organismen zugeschrieben.

3. Die Fossilisation

Die Feinheit des Sediments und die Regelmäßigkeit der Ablagerung lassen auf ein ruhiges Wasser schließen. Es fehlte auch eine Strömung, da die Fische gut erhalten sind und Schuppen und Knochen selten auf den Schichtflächen zerstreut liegen.

Aufgrund der Armut an Endobenthonten, des häufigen Vorkommens von organischer Substanz und Pyrit ist anzunehmen, daß im Sediment **reduzierende Bedingungen** herrschten. Aus den Marken (Antiripplets, Rieselmarken, Trockenrisse) läßt sich schließen, daß die Wasserbedeckung gering war und häufige Austrocknungsphasen existierten. Die Fische sind in Tümpeln verendet, in seichtem Wasser, in dem aufgrund des Wasserrückzugs der Sauerstoff fehlte. Die anaeroben Bedingungen begünstigten die Fossilisation.

Schließlich sind die Fossilien von dem sich setzenden Sediment plattgedrückt worden.

4. Die Umwelt

Die horizontale Ausdehnung der fossilführenden Schichten von Achanarras beträgt mehr als 100 km. Bisher ist kein marines Fossil gefunden worden. Die Ablagerung der Sedimente fand in einem **großen See** („Orkaden-See“) statt, dessen Wassertiefe gering war und der an einzelnen Stellen periodisch trocken fiel.

Die Sedimentation war manchmal rhythmisch. Man kann annehmen, daß es in bestimmten Zeiträumen zu einer beachtlichen Ausbreitung der Wasserflora (Algen) gekommen ist. Die damit verbundene Steigerung der Photosynthese führte zu einer Erhöhung des pH-Wertes, was die Ausfällung von Karbonaten zur Folge hatte. Die absterbenden Algen bildeten u.a. die organische Substanz des Bodenschlammes. Dieses Phänomen – das aus den flachen Seen Süd-Australiens gut bekannt ist – könnte sich vielleicht jährlich wiederholt haben und so die Wechsellagerung von karbonatischen Lagen und solchen mit organischer Substanz erklären. Die im Gestein enthaltenen Quarzkörner entsprechen zweifelsohne einer Zufuhr durch Flüsse oder Bäche.

Der Orkaden-See beherbergte eine artenreiche Fisch-Fauna. Die häufigsten Vertreter sind die Dipnoer, deren Lebensbedingungen in dieser Umwelt ideal waren. Die beiden Atmungsfähigkeiten dieser Fische erlaubte ihnen ein Überleben während der Perioden, in denen sich das Wasser zurückzog oder der See austrocknete.

In gewissen Grenzen waren auch die anderen Fischarten in der Lage, zeitweise in einem Wasser mit geringerem Sauerstoffgehalt zu leben. Eine derartige Anpassung deutet auf die beginnende Eroberung des festländischen Lebensraumes durch die Wirbeltiere hin.

III. Das „Rhynie-Moor“

Der im Jahre 1913 entdeckte Fossilfundpunkt Rhynie liegt in Schottland, westlich Aberdeen, in einem Gebiet, in dem der Old-Red-Sandstone des Mittleren Devons ansteht.

1. Das Sediment

Die *„cherts“* von Rhynie bilden das Hangende einer mächtigen Gesteinsfolge, die aus Konglomeraten, Sandsteinen und roten Schiefern aufgebaut ist. Sie entsprechen Gesteinsbänken, aus **verkieselten Pflanzen bestehend**, die durch ebenfalls verkieselte Sandsteinlagen voneinander getrennt sind. Das fossilführende Gestein ist grau-blau gefärbt und teilweise durchscheinend. Angefeuchtet lassen sich morphologische Details von einer bewundernswerten Feinheit erkennen (Tafel I, Abb. 4).

2. Die Fossilien

a) Die Fauna

Die Fauna umfaßt nur Arten, die im Wasser lebten.
– *Lepidocaris* ist ein **Branchiopode**, der im ausgewachsenen Zustand nicht länger als 3 mm war (Abb. 103 A). Er bewegte sich im Wasser mit Hilfe seiner Fühler fort. Es können männliche und weibliche Tiere unterschieden werden. Auch konnten die verschiedenen Entwicklungsstadien beobachtet werden, von der jungen Larve, deren Körper nur 4 Segmente aufweist, bis zum erwachsenen Tier mit 20 Körpersegmenten.
– Die **Spinnentiere** sind vertreten durch mehrere Arten der Trigonotarbiden, Spinnen und Milben.

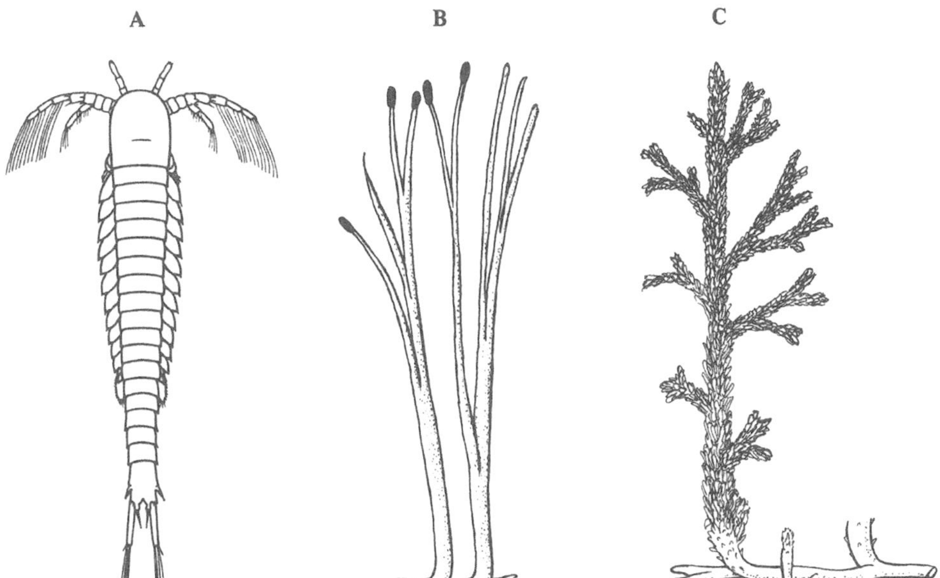

Abb. 103A–C. Faune und Flora des Devons von Rhynie. **A** *Lepidocaris* (Länge: 3 mm). (D. Scourfield 1926). **B** *Rhynia*. **C** *Asteroxylon*

– *Crania rhyniensis* wird zu den **Eurypteriden** (Merostomaten) gezählt.
– Außerdem sind bei Rhynie die bis heute ältesten **Insekten** gefunden worden, z.B. *Rhyniella*, eine im Wasser lebende Collembole.

b) Flora

Die Pflanzenfossilien sind häufig und hervorragend erhalten. Sie gehören zu den **Psilophyten** und gelten als die ältesten Gefäßpflanzen (Abb. 103B, C).
– *Rhynia* besaß gerade, gegabelte und zylindrische Stengel von einigen Dezimeter Länge. Sie waren blattlos und wuchsen aus unterirdischen Rhizomen. Ihre Epidermis war mit Spaltöffnungen (Stomata) ausgestattet. Die Sporangien waren endständig. Querschnitte durch verschiedene Organe erlaubten genaueste pflanzenanatomische Untersuchungen (Zellformen, Struktur der Leitgefäße usw.). An einigen Stämmchen konnten sogar **Nekrose-Erscheinungen** identifiziert werden.
– *Horneophyton*, die in ihrem Aussehen Rhynia ähnlich ist, besaß einen sehr dichten Wuchs. Es gibt Gesteinspartien, die ausschließlich aus dieser Pflanze aufgebaut sind. Die röhrenförmigen Rhizome enthalten oft *Palaeomyces*, einen interzellularen *Pilz*.
– *Asteroxylon* ist eine gegenüber den beiden genannten höher organisierte Psilophyte. Aus dem Rhizom wachsen verzweigte, kleine Blätter tragende Stämmchen. Die Fortpflanzungsorgane sind blatt- und sporangientragende Sprosse.
Rhynia und *Horneophyton* sind wahrscheinlich arachaische Formen mit einfacher Organisation. Sie kamen gemeinsam mit höher organisierten Pflanzen des Typs *Asteroxylon* vor.
In einigen Lagen sind **Wasser-Algen** zusammen mit anderen Pflanzen gefunden worden.

3. Fossilisation

Die **Verkieselung**, die für die gute Erhaltung der Fossilien verantwortlich ist, mußte unmittelbar nach der Ablagerung der Pflanzenreste stattgefunden haben. Sie hat die Gewebe vor der Zerstörung durch Bakterien und saprophytische Pilze bewahrt.

Die kieselsäurehaltigen Wässer, die mehrmals in das Moor eingedrungen sind, entstammen Thermalquellen, die an eine intensive vulkanische Tätigkeit gebunden sind, wie dies die in die Old-Red-Sandstones-Formation eingeschalteten Andesite bezeugen.

4. Die Umwelt

Die Gefäßpflanzen, die im Wasser lebende Fauna und die Algen müssen benachbarten Biotopen angehört haben. Die Gefäßpflanzen entsprechen einer **Moorvegetation**. Aus Fumarolen ausströmende giftige Stoffe sind wahrscheinlich die Verursacher der auf den Stämmchen zu beobachtenden Nekrose. Klimatisch muß es sich um eine längere Trockenzeit gehandelt haben, was die Knollenbildung der Rhizome bei *Horneophyton* erklären würde.

Krebse, Algen, Spinnentiere und Insekten lebten in nahegelegenen **Teichen**.

An einen sauren Vulkanismus gebundene warme Quellen ergoßen von Zeit zu Zeit ihr an Kieselsäure reiches Wasser in diese Teiche und verursachten so eine Überschwemmung der in der Nähe gelegenen Moore. Fauna und Flora sind dadurch schnell verkieselt worden.

Der Sand, der zu der Bildung der Sandsteineinschaltungen geführt hat, ist zweifellos durch den **Wind** in das Moor transportiert worden. Die Verbreitung der *Lepidocaris*-Eier muß – wie bei den heutigen Branchiopoden – auf die gleiche Art und Weise erfolgt sein. Dieser Vorgang hat die Besiedelung der Wasserlachen gewährleistet und würde auch die Artenarmut der Fauna in den devonischen Teichen und Seen erklären.

IV. Abschließende Bemerkung über die Landschaften des Old-Red-Sandstone-Kontinents

Während des Devons sind die Abtragungsprodukte der Kaledoniden auf weiten Flächen der nördlichen Erdhalbkugel abgelagert worden. Ein im Laufe der Zeit sich änderndes Flußsystem sorgte für die Verteilung der gewaltigen roten Sedimentmassen. Abseits der aktiven Sedimentationsbereiche entstanden temporär Seen, Teiche und Moore. Diese waren bevölkert von Krebsen, Spinnentieren, Merostomaten, Insekten, Agnathen und Fischen. In der Nähe wuchsen Gefäßpflanzen. Die Rotfärbung der Ablagerungen ist auf ein heißes Klima zurückzuführen, in dem lange Trockenperioden auftraten.

Unter solchen Lebensbedingungen muß sich sowohl für die Flora als auch für die Fauna der Übergang vom Leben im Wasser zum Leben auf dem Festland vollzogen haben.

Literatur

Allen JRL (1973) Compressional structures (Patterned ground) in Devonian pedogenic limestones. Nature (London) Phys Sci 243: Nr. 127: 84–86

Allen JRL, Tarlo LB (1963) The Downtonian and Dittonian facies of the Welsh Borderland. Geol Mag 100 (2): 129–155

Burollet PF, Byramjee R, Couppey C (1966) Contribution a l'étude sédimentologique des terrains dévonien du nord-est de l'Ecosse. Not Mem Comp Fr Pet 9:83

Piveteau J (1951) Images des mondes disparus. Masson & Cie, Paris, 157 S

Rayner DH (1963) The Achanarras Limestone of the Middle Old Red Sandstone, Caithness, Scotland. Proc Yorkshire Geol Soc 34(2): 117–138

Tasch P (1957) Flora and fauna of the Rhynie-Chert: a palaeoecological reevaluation of published evidence. Bull Univ Wichita 32(1): 24

Kapitel 9 Das Kohlenbecken von Décazeville

Umgeben von den kristallinen Gesteinen des Südwestteils des Zentral-Massivs liegt das Kohlenbecken von Décazeville. Es erstreckt sich über eine Länge von 20 km und eine Breite von 8 km. Den Westrand bildet die südliche Fortsetzung einer Störungszone, die als „Grand sillon houiller" bezeichnet wird. Während des **Mittleren und Oberen Stephan** kam es hier zur Ablagerung klastischer Sedimente, in die Kohlenflöze eingeschaltet sind. Die Schichtenfolge erreicht eine Mächtigkeit von 1800 m und wird in sechs Abteilungen gegliedert (Abb. 104).

I. Die Sedimente

Die im Senkungsbereich von Décazeville abgelagerten Schichten bestehen aus klastischen Sedimenten und Kohlen.

1. Petrographische Ausbildung

a) Die klastischen Sedimente

Die klastischen Sedimente umfassen Konglomerate, Sandsteine und Schiefertone.

Die Gerölle der Konglomerate entstammen den am Rand des Beckens anstehenden Metamorphiten und Magmatiten. Manchmal sind es Brekzien, die ehemaligem Hangschutt entsprechen, der aus nur einer einzigen Gesteinsart besteht. Die Gerölle der Konglomerate, die gut abgerundet sind und einige Dezimeter Durchmesser erreichen können, deuten auf eine fluviatile Bildung hin. Eine ganze Reihe von Sedimenten – vom Sandstein bis zum Tonstein – ist vorhanden. In den Tonsteinen ist kohlige, manchmal auch bituminöse Substanz angereichert.

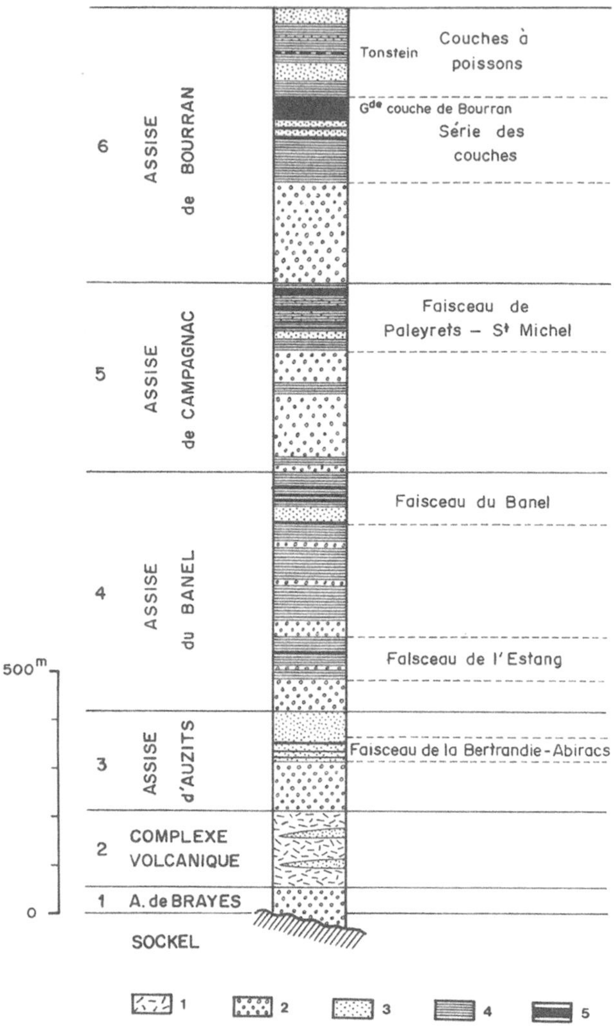

Abb. 104. Rhythmische Sedimentation während der Stephan-Zeit im Bekken von Décazeville (Verändert nach P. Vetter 1968). *1* Vulkanite; *2* Konglomerate und Brekzien; *3* Sandsteine; *4* Schiefertone; *5* Kohle

Die Tonsteine umfassen auch:

– **Kohlentonsteine**, die aus Kaolin bestehen und von denen man annimmt, daß sie vulkanischen Aschen entsprechen;
– rote **bauxitführende Tone**, die aus einer Laterit-Verwitterung in den Randbereichen des Sedimentationsbeckens hervorgegangen sind.

b) Kohlen

Unter dem Mikroskop ist das pflanzliche Ausgangsmaterial der Kohlen gut zu erkennen. Als figurierte Bestandteile lassen sich Kutikulen, Sporen,

Sklerotien und Zellgewebe unterscheiden. Auch sind **Pyritkörner** enhalten.

Das Aussehen der Kohlen wird bestimmt durch die Eigenschaften und die Proportionen der Einzelgemengteile. Es kann zwischen Glanzkohle, Halbglanzkohle und Mattkohle unterschieden werden.

Die Kohle von Décazeville ist eine Fettkohle mit einem Anteil an flüchtigen Bestandteilen zwischen 29 und 39%.

Zu erwähnen sind Siderit-Konkretionen und -Linsen, die in der gesamten Folge auftreten können. Kalk- oder Dolomitbildungen sind sehr selten.

2. Stratinomische Merkmale

a) Schichtung

Sowohl die klastischen Ablagerungen als auch die Kohlen sind linsenförmig gelagert (Abb. 105). Von Osten nach Westen sind bedeutende Mächtigkeitsschwankungen festzustellen.

Brekzien und Konglomerate sind oft mehr als hundert Meter mächtig. Sie füllen Rinnen aus, die in den älteren Untergrund eingeschnitten sind. Die Sandsteine bilden im allgemeinen Bänke von einigen Zentimetern bis zu einigen Metern Mächtigkeit. Schrägschichtung ist häufig. Die Tonsteine zeigen Parallelschichtung. Auf den Schichtflächen sind oft Pflanzenabdrücke zu erkennen. Oft beobachtet man **Wurzelstöcke in Lebensstellung**, woraus geschlossen werden kann, daß es sich um ehemalige Vegetations-Böden handelt.

Die Mächtigkeit der Kohlenflöze schwankt zwischen einigen Zentimetern und mehreren Dekametern. Das Flöz „Grande couche de Bourran" ist an einer Stelle 40 m mächtig. Die Hangendgrenze der Flöze ist i.a. scharf, während die Liegendgrenze nicht so deutlich in Erscheinung tritt. Eine linsenförmige Wechsellagerung zwischen Kohle und Berge bildet hier den Übergang zum liegenden Nebengestein. Die Kohle selbst ist feingeschichtet. Oft bilden Kohle und Nebengestein Wechsellagerungen (**Flözzonen**), die dann in ihrer Gesamtheit abgebaut werden.

Die umfangreiche bergmännische Tätigkeit im Becken von Décazeville erlaubt einen Einblick in den oft häufigen horizontalen Fazieswechsel. Die Flöze, deren Maximalmächtigkeit im Beckenzentrum liegt, keilen sowohl nach Osten als auch nach Westen hin aus (Abb. 105). Es kann daher angenommen werden, daß z.Z. der Ablagerung der Campagnac-Schichten (Assise de Campagnac) der Moor-Bereich kaum breiter als 1500 m war.

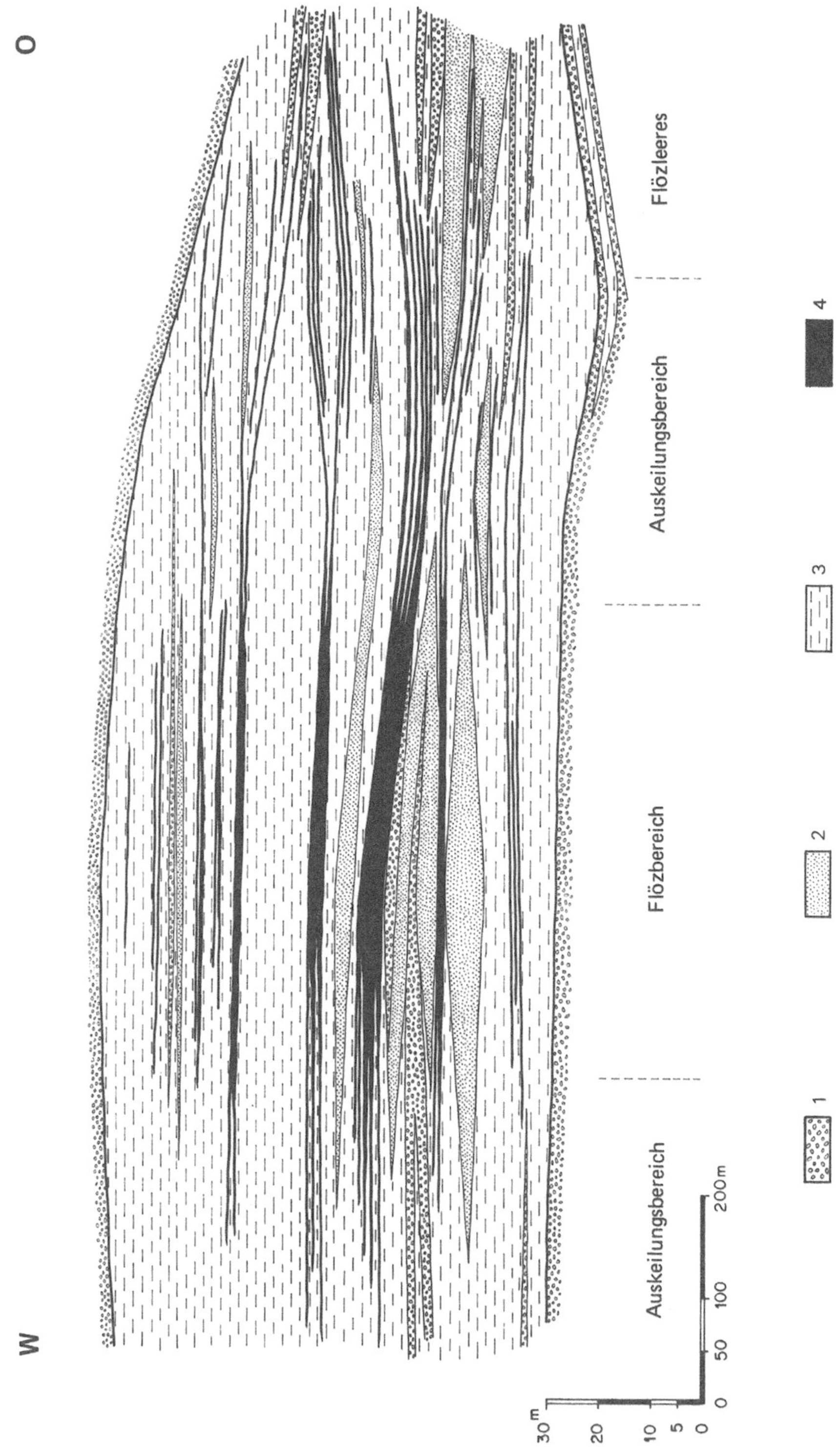

Abb. 105. Anordnung der Kohlenflöze im Becken von Décazeville (Assise de Campagnac, faisceau de Paleyrets – St. Michel) (P. Vetter 1968). *1* Konglomerat; *2* Sandstein; *3* Schieferton; *4* Kohle

b) Der Ablagerungs-Rhythmus

Die Schichten-Abfolge im Becken von Décazeville umfaßt sechs Schicht-Komplexe, die ebensovielen Sedimentations-Folgen entsprechen (Abb. 104). Nach einem Basiskonglomerat, das direkt auf dem kristallinen Sockel liegt, folgen saure Ergußgesteine. Kohlenflöze sind nur in den vier obersten Abteilungen (Assise d'Auzits, A. du Banel, A. de Campagnac, A. de Bourran) enthalten. Ihr Anteil nimmt nach oben hin zu.

Die vier genannten Schichtkomplexe zeigen in sich (von unten nach oben) folgende Gesteinsabfolge:
– eine **grobklastische**, oft konglomeratische Folge, fluviatiler Entstehung;
– **Sandsteine** und **Tonsteine**;
– **flözführende Tonsteine.**

Diese Abfolge entspricht einer abnehmenden Transportkraft des Mediums, was schließlich zu für ein massenhaftes Pflanzenwachstum günstigen Bedingungen führt. Die Häufigkeit der Wurzelböden beweist, daß dies sich unter einer nur geringen Wasserbedeckung vollzogen hat.

II. Die Fossilien

1. Die Flora

Großer Reichtum an Pflanzenfossilien ist typisch für kohlenführende Schichten. Im Becken von Décazeville sind 154 Arten beschrieben worden. Sie finden sich im wesentlichen im Hangenden der Flöze und sind oft sehr stark zerstückelt.

a) Thallophyten

Von den Thallophyten sind die **Pilze** vertreten, die sich als Parasiten auf den Farnblättchen und Cordaiten-Blättern entwickelt haben.

b) Bryophyten

Einige Abdrücke können den Lebermoosen zugeordnet werden.

c) Gefäßkryptogamen

Die Bärlappgewächse (**Lycopodiales**) sind im Becken von Décazeville selten. Die in Form von Stammstücken, aber auch als Fruchtstände und Wurzeln vorliegenden Abdrücke gehören zu den Baumformen (*Lepidodendron, Sigillaria*).

Die Schachtelhalmgewächse (**Equisetales**) sind häufig. Großwüchsige (*Calamites*) kommen zusammen mit kleinwüchsigen Arten (*Sphenophyllum*) vor.

Die oft baumartigen Farne (**Filices**) sind durch zahlreiche Arten der Gattung *Pecopteris* vertreten.

d) Präphanerogamen (Fastsamenträger)

Die **Pteridospermen** sind Samenträger, besitzen aber eine farnartige Beblätterung. Diese sog. „Samenfarne" umfassen zahlreiche Gattungen (*Alethopteris, Neuropteris, Odontopteris, Dicksonites . . .*).

Cordaiten

Sie besaßen schlanke Stämme, lange einfache Blätter und große Blütenähren (Fig. 98).

e) Phanerogamen

Die Phanerogamen sind vertreten durch Coniferen der Gattung Lebachia.

Zahlreich sind die **Samen** sowie die „Würzelchen", die mehr oder weniger senkrecht zur Schichtung die Schiefertone und Sandsteine durchziehen. Die Würzelchen werden den Gefäßkryptogamen zugeordnet. Eine Vielfalt von **Sporen** konnte aus den Kohlen und Schiefertonen isoliert werden.

2. Die Fauna

Im Vergleich zu den Pflanzen sind tierische Fossilien im Becken von Décazeville selten. Eine Ausnahme bilden Abdrücke von Insekten-Flügeln, die im oberen Teil der „Assise de Bourran" zu finden sind.

a) Auf dem Land lebende Tiere

Zu nennen sind: ein **Spinnentier** (*Trigonotarbus*) und verschiedene **Insekten**, die den Paläodictyopteren und Schabenähnlichen zugeordnet werden.

b) Im Wasser lebende Tiere

Von den **Muscheln** ist die Gattung *Anthracomya* zu nennen, eine grabende Form, die man oft in ihrem Wohnbau findet. Auch sind einige Ostracoden (Süßwasserformen) beschrieben worden. Beachtenswert sind jedoch die **Fische** (Acanthodier, Elasmobranchier, Palaeonisciden), die alle im Süßwasser lebten.

III. Die Umwelt

1. Der limnische Charakter des Sedimentations-Beckens

Die bergmännischen Aufschlüsse im Becken von Décazeville waren eine wertvolle Hilfe bei der Erforschung des Sedimentationsraumes während des Stephans. Die Sedimentation erfolgte in einem Becken, dessen Längsachse Nord-Süd gerichtet war. Die grobkörnigen, detritischen Ablagerungen sind von den aus kristallinen Gesteinen bestehenden Randbereichen in den Sedimentationsraum transportiert worden[1].

Die Sedimentation der feinen Bestandteile der Tonsteine und die Moorbildung fand dagegen unter einer ruhigen Wasserbedeckung statt. Nach der Flora und Wasserfauna handelt es sich um ein **limnisches Milieu**. Die Wassertiefe blieb i.a. gering und überschritt kaum einige Dezimeter, wie es die große Zahl der Wurzelböden beweist.

Während der Kohlebildung herrschten **anaerobe Bedingungen**. Pyriteinschlüsse und die Erhaltung der kohligen Substanz bestätigen dies. Auch sind Benthonten selten. Diese für die Fauna feindlichen Lebensbedingungen, für die Erhaltung der pflanzlichen Substanz jedoch günstigen Voraussetzungen mußten über lange Zeiträume hinweg bestanden haben, was aus der Mächtigkeit der Flöze zu schließen ist.

---

[1] Für das am Nordrand des Zentral-Massivs liegende Becken von Commentry konnte Fayol die exakte Ausdehnung eines limnischen Sedimentationsraumes bestimmen, in den drei Wasserläufe das Ablagerungsmaterial transportierten.

Die verschiedenen Pflanzen, aus denen die Kohle hervorgegangen ist, wuchsen in unmittelbarer Nähe des Sedimentationsraumes. Die Zerstückelung der Pflanzen ist eher die Folge ihrer Mazeration im Moor, als das Ergebnis einer mechanischen Zerstörung während des Transports. Die Existenz einer Sumpf-Flora wird durch die, in den feinen Ablagerungen enthaltenen „Würzelchen" bestätigt. Die Sedimentation der Pflanzenreste kann daher als **subautochthon** angesehen werden.

Diese Beobachtungen lassen den Schluß zu, daß es sich bei dem Bekken von Décazeville um einen ehemaligen Sedimentationsraum handelte, in den die Wasserläufe ihre aus dem Einzugsgebiet stammende Last akkumulierten. Im Erosionsbereich herrschte eine üppige Vegetation. Während längerer Ruheperioden entstanden in den tieferen Regionen Moore, wo sich unter einer schwachen Wasserbedeckung große Massen an Pflanzenresten ansammelten. Die in diesem Milieu herrschenden anaeroben Bedingungen verhinderten die Zersetzung der organischen Substanz, begünstigten aber deren Anreicherung an Kohlenstoff.

2. Der Sedimentationsmechanismus

Die zwischen den Kohlenflözen eingeschalteten **Vegetationsböden** beweisen, daß immer eine schwache Wasserbedeckung vorhanden war. Das bedeutet aber auch, daß sich diese mächtigen Ablagerungen nur bilden konnten, indem sich das Ablagerungsgebiet absenkte. Dabei sorgten Randverwerfungen und vulkanische Tätigkeit immer wieder für die Erhaltung der Reliefunterschiede, so daß während des gesamten Stephans eine Sedimentation im Beckenbereich stattfinden konnte. Die in verschiedenen Niveaus auftretende rhythmische Sedimentation zeigt aber auch, daß die **Absenkung** kein gleichmäßiger Vorgang war, sondern **mit sich ändernder Geschwindigkeit** ablief.

Zu Zeiten starker Absenkung transportierten die Wasserläufe eine große Fracht in den Senkungsbereich. Zuerst große Gerölle, die zur Bildung der Konglomerate führten, dann – mit zunehmender Transportenergie – feinere Bestandteile, die sich zu Sandsteinen und Tonsteinen verfestigten. Schließlich entstanden in den morphologisch tiefsten Bereichen Moore. Diese Absenkung wird durch lange Zeiträume unterbrochen, in denen Pflanzenmaterial eingeschwemmt wurde, aus dem dann die Kohle entstanden ist. Je weiter man sich von dem Beckenzentrum entfernt und sich dem das Becken umgebende Erosionsgebiet nähert, werden die Bergeeinschaltungen immer häufiger.

Eine erneute Absenkung unterbricht diesen Gleichgewichtszustand. Mit dem Einsetzen der Erosion beginnt dann eine neue rhythmische Abfolge (Abb. 78).

3. Das Klima

Eine zur gleichen Zeit mit der Kohlenbildung stattfindende Lateritbildung deutet auf ein **tropisches Klima** hin. Hohe Temperaturen und hohe Luftfeuchtigkeit begünstigen sowohl eine massenhafte Pflanzenentwicklung als auch eine intensive chemische Verwitterung. Das dadurch freigewordene Eisen führt teilweise zur Bildung von Ortsteinen im Bereich der das Becken umgebenden Wälder. Ein anderer Teil des Eisens wird in Lösung in das Becken transportiert, wo es dann an der Sideritbildung beteiligt ist.

4. Zusammenfassung

Das Kohlenbecken von Decazeville entspricht einem intramontanen Bekken, das von kristallinem Grundgebirge umgeben ist. Während des Stephans wurde in diesem Bereich eine mächtige Serie detritischer Sedimente und Pflanzenreste abgelagert, deren Materials aus der Umrandung des Beckens stammt. Das Absinken, das zeitweise durch die aufliegenden Sedimente beschleunigt wurde, geschah rhythmisch. Während der Perioden langsamer Absenkung gelangten Reste von Pflanzen, deren Wachstum durch ein tropisches Klima begünstigt wurde, in sumpfige und schlecht durchlüftete Bereiche, wo sie sich in Torf umwandelten. Die Tätigkeit anaerober Bakterien, die Diagenese und Metamorphose führten zur Bildung der Kohle.

Literatur

Alpern B et al. (1970) Petrologie des charbons. Ann Soc Geol Nord 90 (4): 203–222

Barrabe L, Feys R (1965) Géologie du charbon et des bassins houillers. Masson & Cie, Paris, 229 S

Fayol H (1888) Résumé de la théorie des deltas et histoire de la formation du bassin de Commentry. Bull Soc Geol Fr 16:968–979

Vetter P (1968) Géologie et paléontologie des bassins houlliers de Décazeville, de Figeac et du detroit de Rodez, 2 Bde, 442 S, 194 S. Houilleres du Bassin d'Aquitaine, Albi

Kapitel 10 Das Voltzien-Sandstein-Delta

Der Voltzien-Sandstein bildet in Ost-Frankreich den obersten Teil des **Buntsandsteins.** Er kann als Übergang von der kontinentalen Bildung des Buntsandsteins zu den marinen Ablagerungen des Muschelkalks betrachtet werden. Seine Mächtigkeit beträgt im Durchschnitt 20 Meter und umfaßt zwei petrographisch unterschiedliche Niveaus: an der Basis die Werksteinzone und darüber tonige Sandsteine der Lettenregion. Die paläontologischen und petrographischen Merkmale des tonigen Sandsteins zeigen den Beginn der Transgression des Muschelkalk-Meeres an, während der Werkstein der letzten Etappe der fluviatilen Sedimentation des Buntsandsteins entspricht. Hier soll nur der Werkstein besprochen werden.

In den Nord-Vogesen wird zwischen Saverne und Sarre-Union der Werkstein noch in zahlreichen Steinbrüchen zur Bau- und Schleifsteinherstellung gewonnen (Adamsviller, Bust, Hangviller, Petersbach, . . .). Die Werkstein-Zone ist dort ungefähr 12 m mächtig.

I. Das Sediment

1. Petrographische Merkmale

a) Die Sandsteine

Der Voltzien-Sandstein ist feinkörnig (die mittlere Korngröße schwankt zwischen 0,1 und 0,2 mm), gut sortiert. Rosa, rote und graue Farbtöne herrschen vor. Der Gehalt an Kalifeldspat liegt zwischen 20 und 30%. Die Körner sind schwach gerundet. In dem geringen Bindemittel sind die Eisenoxyde angereichert, die dem Gestein die Farbe geben.

Diese Merkmale sind typisch für ein **gering reifes Sediment** („submature" oder „mature", nach der von Folk (1951) vorgeschlagenen Klassifizierung (Abb. 52)). Durch eine schonende Verwitterung des Ausgangsmaterials sind die Alkalifeldspäte erhalten geblieben. Dies schließt ein tropisches Klima im Abtragungsgebiet aus. Die Bedingungen beim Transport waren nicht geeignet, die Tonfraktion abzutrennen oder die Körner abzurunden.

b) Die Tone

Die Ton-Fraktion des Voltzien-Sandsteins wird hauptsächlich von Illit gebildet. Die Tone sind grün oder rot gefärbt. In einzelnen Tonlagen ist organische Substanz oder Pyrit angereichert. Es gibt praktisch alle Übergänge von schwach sandigen Tonen zu schwach tonigen Sandsteinen.

c) Die Karbonate

Brekziöse Karbonateinschaltungen bestehen entweder aus sandhaltigen Dolomiten oder aus Sandstein, der zu etwa gleichen Teilen mit Calcit und Dolomit durchsetzt ist.

2. Stratinomie

a) Schichtung

Innerhalb der Werkstein-Zone herrscht linsenförmige Schichtung. Die horizontale Ausdehnung der Sandsteinbänke, der Tonlagen und auch der Karbonateinschaltungen schwankt zwischen einigen Metern und mehr als hundert Metern.

Die Sandsteinlinsen können eine Mächtigkeit von mehreren Metern erreichen. Es sind Ausfüllungen von Erosionsrinnen. Man kann zwei Sandstein-Typen unterscheiden:

– einen **Sandstein mit Pflanzenabdrücken**, der grobkörnig ist und Tongerölle und Wirbeltierreste enthält, ohne deutliche Feinschichtung;

– den eigentlichen **Werkstein**, der wegen seiner feinen Körnung abgebaut wird. Der Werkstein enthält weder Gerölle noch Fossilien. Charakteristisch ist eine feine Parallel- oder Schrägschichtung.

Die tonigen Einschaltungen schwanken in ihrer Mächtigkeit zwischen einigen Zentimetern und einigen Dezimetern. Oft bestehen sie aus dünnen, millimeterstarken Zwischenlagen, die durch eine Art gradierte Schichtung gekennzeichnet sind: an der Basis sind Quarz- und Feldspatkörner angereichert, während im oberen Teil Ton und organische Substanz dominieren.

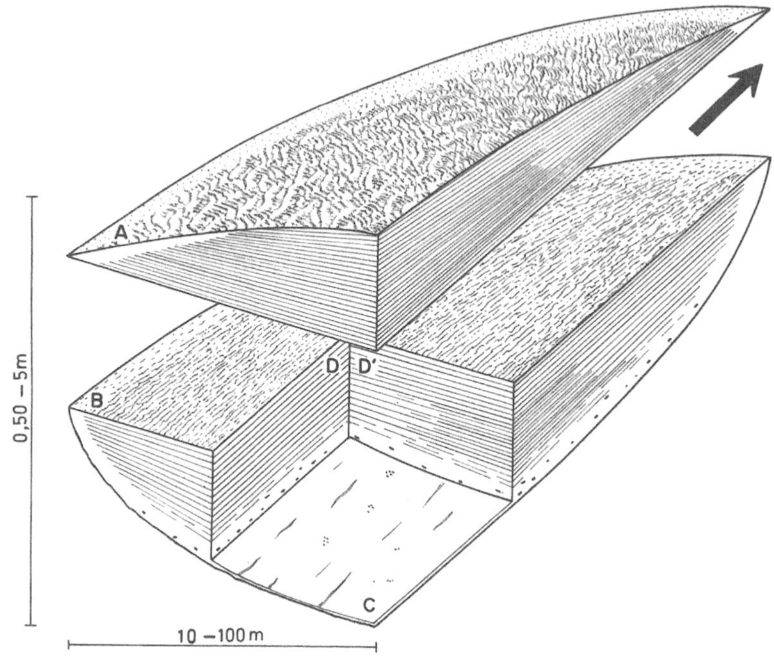

Abb. 106. Räumliche Darstellung eines Sandsteinkörpers fluviatiler Entstehung im Voltziensandstein der Vogesen (die Strömungsintensität nimmt **von unten nach oben** ab). **A** Oberseite mit Rippelmarken; **B** Fläche mit Schicht-Lineation; **C** Unterseite mit Strömungsmarken; **D** und **D'** feine Parallel-Schichtung. Der *Pfeil* gibt die Strömungsrichtung an

b) Die Marken

Die Schichtunterseiten der Sandsteinbänke sind mit Marken bedeckt (Abb. 106). Es sind dies Strömungswülste (flute-casts) und Schleifmarken (groove-casts). Auf den Schichtoberflächen sind Rippelmarken häufig (Tafel II, Abb. 2). Auf den Lamellen können Strömungsstreifung und Hufeisenwülste beobachtet werden. Die Aufeinanderfolge dieser Marken und der Sedimentstrukturen innerhalb einer Bank zeigen die Abnahme der Strömungsstärke im Laufe der Zeit. Während dieser Zeit war die Schüttungsrichtung von W nach E gerichtet, von einem im Bereich des heutigen Pariser Becken gelegenen Gallischen Festland in Richtung „Germanisches Meer".

Bei höheren Tongehalten bildet sich „Flaser-Schichtung". Einzelne Lamellenbündel sind manchmal durch subaquatische Rutschungen verformt. Auf den Schichtoberseiten der tonigen Lagen findet man Trockenrisse oder – wenn auch nur selten – Steinsalz-Pseudomorphosen.

3. Geochemische Eigenschaften

Analysen auf Spurenelemente lassen erkennen, daß diese in den tonhaltigen Bereichen und in den Karbonateinschaltungen stärker angereichert sind als in den Sandsteinen. Der **Bor**-Gehalt ist besonders in den Peliten sehr hoch (300 bis 400 g/Tonne).

II. Die Fossilien

Der Voltzien-Sandstein gehört zu einem der fossilreichsten Bereiche der Germanischen Trias. Der Fossilinhalt ist artenreich und sehr gut erhalten. Umfangreiche Untersuchungen sind von Louis Grauvogel durchgeführt worden.

1. Die Fauna

a) Die Foraminiferen

Die seltenen Gattungen sind vertreten durch die Ammodisciden und Lageniden (Formen mit kalkigen oder agglutinierenden Gehäusen). Es handelt sich um marine Formen.

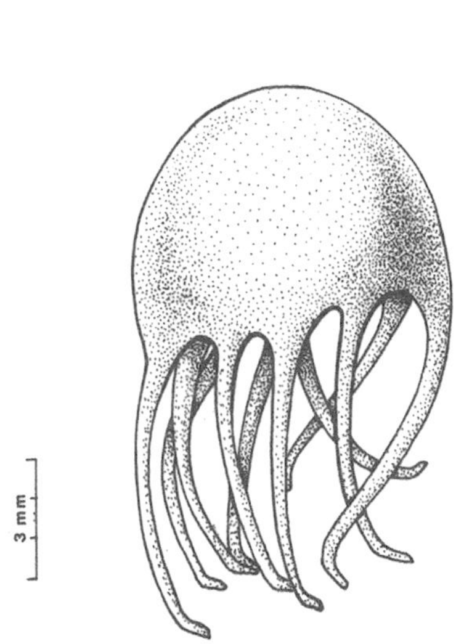

Abb. 107. Junge Qualle (*Progonionemus*) aus dem Voltzien-Sandstein der Vogesen

b) Die Coelenteraten

Es sind Süßwasser-Quallen (*Progonionemus*) gefunden worden (Abb. 107). Bei einzelnen Abdrücken kann man im Bereich der Tentakel noch die Nesselzellen erkennen. Große Exemplare besitzen spiralig um die Radial-Kanäle gewickelte Gonaden.

c) Die Brachiopoden

Lingula ist die einzige Gattung, die vorkommt. Die Exemplare sind oft in ihrer Lebensstellung fossilisiert. Die Gattung Lingula ist charakteristisch für Küstengewässer mit wechselndem Salzgehalt.

d) Die Anneliden

Reste von Anneliden können den freilebenden Polychaeten (*Eunicites*, Aphroditiden) zugeordnet werden. Die seßhaften Formen (*Spirorbis*) fixierten ihre Wohnröhren an Pflanzen oder Muschelschalen.

e) Die Mollusken

Die Muscheln haben dünne Schalen und sind kleiner als die, welche in rein marinen Ablagerungen gefunden wurden (*Myophoria*). Teilweise handelt es sich um grabende Formen (*Homomya*). Schnecken sind selten (*Naticopsis*).

f) Die Arthropoden

Die Gliederfüßler sind der im Voltziensandstein am häufigsten vertretene Tierstamm. Die aus Chitin bestehenden Teile waren für eine Fossilisation hervorragend geeignet. Oft sind selbst die **Häutungen** erhalten.

α) Die Cheliceraten

Vor allem sind die im Wasser lebenden Schwertschwänze (*Limulus*) häufig, von denen auch Fortbewegungsspuren vorhanden sind. Bei den auf dem Land lebenden Cheliceraten dominieren **Skorpione** (Tafel II, Abb. 3). Spinnen sind seltener.

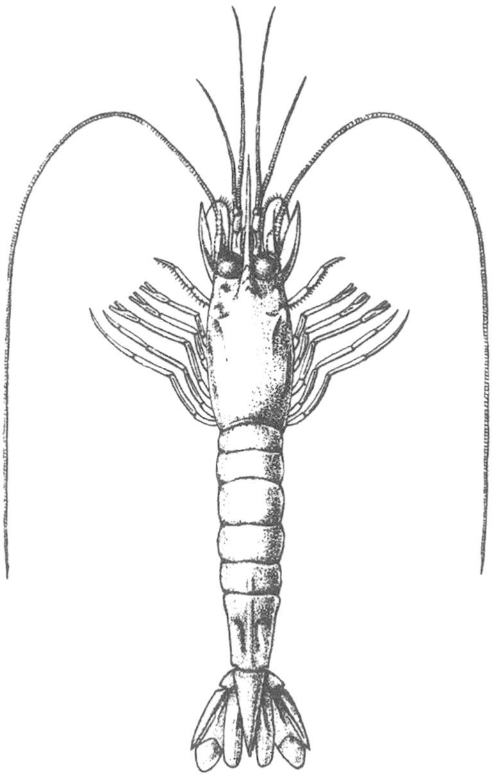

Abb. 108. Krebs (*Antrimpos*) aus dem Votziensandstein der Vogesen (× 2,5) (J.C. Gall 1971)

β) Die Krebstiere

Triops cancriformis ist eine Krebsart, die mit der heute in temporären Tümpeln lebenden Art vollkommen identisch ist. Es ist dies der Typ eines „lebenden" Fossils, dessen Körperbau seit Beginn des Mesozoikums sich nicht verändert hat.

Die im Voltzien-Sandstein häufigsten Fossilien sind zweiklappige Schalen von *Estheria* (Abb. 28). Es sind dies Muschelkrebse von einigen Millimeter Länge.

Ostracoden sind nur in ganz bestimmten Niveaus häufig. Von den höheren Krebsen sind gefunden worden: Mysidaceen, Isopoden (Asseln) und Decapoden (der schwimmende *Antrimpos* und der sich am Boden fortbewegende *Clytiopsis*) (Abb. 108). Die systematische Stellung anderer, auf den Voltziensandstein beschränkter Krebstiere (*Eythycarcinus*) ist nicht sicher.

γ) Die Myriapoden

Einige Diplopoden sind gefunden worden. Es sind pflanzenfressende Formen.

δ) Die Insekten

Insekten sind sehr zahlreich. Gefunden wurden Flügelabdrücke, Larven und Eigelege. Vertreten sind Ephemeriden, Libellen, Schaben, Käfer, Fliegen (Diptera), Wanzen und Läuse (Hemiptera) usw.

ε) Die Fische

Es sind gefunden worden: Chondrostei (Dipteronotus), Holostei und Coelacanthi. Vor allem sind Jugendstadien häufig.

ζ) Vierfüßige Wirbeltiere

Hier handelt es sich hauptsächlich um Amphibienreste (Stegocephalen) und seltene Reptilienreste.

2. Die Flora

Die Flora des Voltzien-Sandsteins ist individuenreich, aber artenarm. Baumartige Pflanzen sind selten, heckenartige Gewächse herrschten vor. Einzelne Pflanzen zeigen **xeromorphe Besonderheiten**.

a) Die Gefäßkryptogamen

Gefunden wurden Equisetale (*Schizoneura, Equisetites*) und Farne (*Anomopteris*). Ihre Rhizome sind manchmal in situ fossilisiert.

b) Die Prä-Phanerogamen

Verschiedene Arten von Cycadales und Ginkgo sind beschrieben worden.

c) Die Phanerogamen

Die Koniferen, einschließlich *Voltzia heterophylla*, bilden die charakteristischen Pflanzenfossilien des Voltzien-Sandsteins (Abb. 109). Aber auch andere Gymnospermen (*Aethophyllum*) sind gefunden worden. Männliche

Abb. 109. Zweig von *Voltzia heterophylla* mit einem weiblichen Reproduktionsorgan (Verändert nach W. Schimper und A. Mougeot 1844)

und weibliche Fortpflanzungsorgane und **Samen** kommen häufig zusammen vor. **Pollen** konnten noch aus den Zapfen herausgelöst werden.

Die in Lebensstellung fossilisierten **Wurzeln** beweisen zum Teil die Autochthonie der eingebetteten Pflanzen.

3. Zeugnisse biologischer Aktivität

a) Die Gelege und die Eier

Zu den bemerkenswertesten paläontologischen Resten im Voltzien-Sandstein gehören Eigelege, die **Insekten** zugeschrieben werden (Abb. 29, 110). Die Eier haben einen Durchmesser von ungefähr 0,25 mm. Sie besitzen eine chitinöse Schale, die sich beim Schlüpfen längs einer umlaufenden Naht öffnet. Zusammengehalten werden die Eier durch eine Schleimhülle, was dem Gelege ein perlschnurartiges oder keulenförmiges Aussehen gibt, ähnlich wie man es von Gelegen einiger rezenter Chironomiden kennt. Die Eier, deren Zahl pro Gelege zwischen 500 und 3000 schwankt, sind

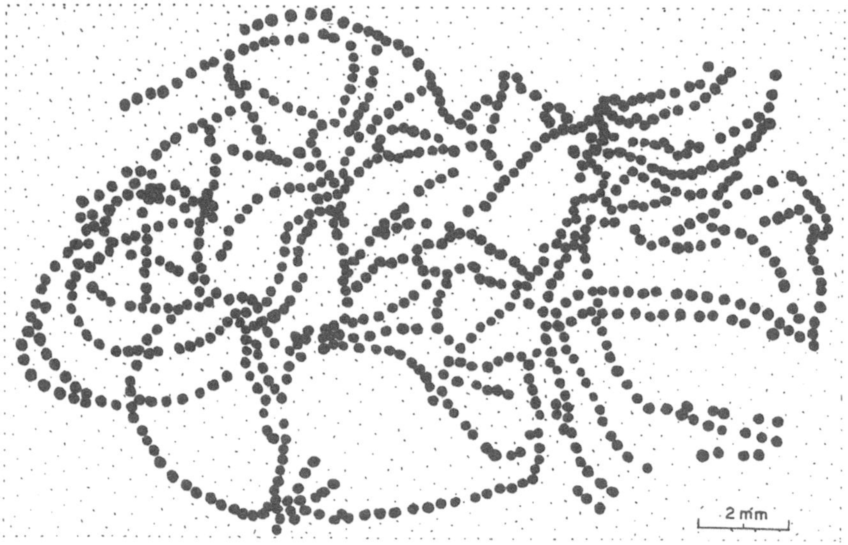

Abb. 110. Ei-Ablage von Insekten (*Monilipartus*) des Voltziensandsteins der Vogesen (jedes Ei hat einen Durchmesser von 0,25 mm)

i.a. nicht geöffnet. Es sind Strukturen beschrieben worden, die auf Embryos hindeuten.

Eier findet man auch in den Schalen der **Estherien** (Abb. 28). Aus dem Vorhandensein großer Mengen relativ kleiner Eier kann geschlossen werden, daß diese die Vermehrung der Art im Biotop garantierten, während die in kleinerer Anzahl auftretenden größeren Eier dauerhafter sind und beim Austrocknen des Lebensraumes vom Wind verweht werden. Auf diese Art und Weise bleibt die Lebewelt der von Zeit zu Zeit trocken fallenden Tümpel erhalten.

Andere Eiformen werden den **Fischen** zugeordnet. So auch jene mit einer spindelförmigen Hülle, die spiralig aufgerollt (*Palaeoxyris*) und mehrere Zentimeter lang sind. Es sind wahrscheinlich Haifisch-Eier (Abb. 30).

b) Die Koprolithen

Lokale Anreicherungen von Krustaceenresten können als Koprolithe von Fischen oder Amphibien gedeutet werden.

c) Die Spuren der Aktivität von Tieren

Als Spuren der Tätigkeit lebender Organismen sind zu nennen: Wohnbauten von Krustaceen (*Rhizocorallium*), Kriechspuren von Arthropoden (Limulus), Schreitfährten von Reptilien (*Chirotherium*) und einzelne Wohnbauten (*Planolites*).

Zusammenfassend kann man feststellen, daß im Voltzien-Sandstein Fossilien von **auf dem Land lebenden Organismen** (Pflanzen, Skorpione, Spinnen, Myriapoden, Insekten, Amphibien, Reptilien) und Fossilien von **im Wasser lebenden Organismen** (Foraminiferen, Coelenteraten, Brachiopoden, Anneliden, Mollusken, Limuliden, Krustaceen, Fische) zusammen vorkommen. Unter den letzteren ist *Lingula* an ein Wasser mit wechselndem Salzgehalt angepaßt, während Foraminiferen und einige Mollusken marine Einflüsse andeuten. Fauna und Flora sind reich an Individuen, aber arm an Arten. Die meisten Familien und selbst die Ordnungen sind meist nur durch eine einzige Art vertreten. Von den im Wasser lebenden Lebewesen sind viele kleinwüchsig. Es handelt sich dabei sowohl um Zwergformen als auch um Individuen, die den Tod gefunden haben, bevor sie ihre Endgröße erreicht hatten. Diese Beobachtungen zeigen, daß in dem Lebensraum des Voltzien-Sandsteins die **Lebensbedingungen ungünstig** waren.

III. Die Merkmale des Lebensraumes

Sowohl der Wechsel in der Gesteinsausbildung als auch die Verteilung der Fossilien zeigen, daß der Lebensraum zur Zeit des Voltzien-Sandsteins sehr differenziert war. Es können Ablagerungen von drei Fazies-Bereichen unterschieden werden: Sedimente in Flußrinnen, Sedimente in zeitweise trocken fallenden Tümpeln und Sedimente der schlammigen Küstenzonen.

1. Flußrinnen

Die Sandsteinlinsen entsprechen „Ausgüssen" der Flußrinnen. Innerhalb der Gesteinsbank deuten sowohl die Abfolge von Sedimentationsstrukturen und Marken als auch die gradierte Schichtung auf die Abnahme der Strömungsintensität hin (Fig. 106). Die Strömung war von West nach Ost gerichtet. Der Wechsel der Schüttungsrichtung und die Feinheit des transportierten Materials zeigen, daß die Flüsse ihre Richtung änderten und meandrierten.

Die schlechte Sortierung des pflanzenführenden Sandsteins deutet auf eine **Hochwasserablagerung** hin. Auf seinem Weg (Lauf) hat das Hochwasser aus den Ufern Tonbrocken herausgerissen und sie zu Geröllen geformt. Auch Pflanzen und auf dem Land lebende Amphibien sind mitgerissen worden. Die Sedimentfracht ist weiter flußabwärts dann schnell abgelagert worden und zwar ohne nennenswerte Sortierung, wie es die schräg zur Sedimentschichtung eingebetteten Pflanzen zeigen.

Der Baustein ist dagegen besser sortiert. Er enthält weder Tongallen noch Fossilien und bildet große Gesteinslinsen. Das Sediment ist über längere Zeiträume hinweg geschichtet, abgerollt und sortiert worden. Dies geschah in einem Milieu mit hoher Strömungsenergie, wahrscheinlich im **Mündungs-Bereich**.

Das Vorkommen von Amphibienresten und geringe Bor-Gehalte (100–200 g/Tonne) des Illits sind Beweise, daß die Wasser vom Festland kommen.

2. Die temporären Tümpel

Die tonigen Gesteinslinsen sind in Gewässern geringer horizontaler Ausdehnung abgelagert worden, in Tümpeln oder Altwässern. Aus solchen Lebensräumen stammt die Mehrzahl der im Voltzien-Sandstein enthaltenen Fossilien (Fauna und Flora, Abb. 97).

a) Der Salzgehalt des Wassers

Der relativ hohe **Bor-Gehalt** (300–400 g/Tonne) der Tonmineralien und das Auftreten von **Steinsalz-Pseudomorphosen** lassen darauf schließen, daß das Wasser stärker mineralisiert war als in den Flüssen. Spurenelement-Analysen des Zentrums einer tonigen Gesteinslinse lassen sogar einen schwankenden Salzgehalt erkennen.

Das Fehlen stenohaliner Organismen (Brachiopoden, Cephalopoden, Echinodermaten) beweist, daß die Lebensbedingungen nicht denen eines marinen Milieus entsprechen. Die Häufigkeit euryhaliner Formen, wie z.B. Linguliden, der Zwergwuchs zahlreicher Arten und die Artenarmut, die im Gegensatz steht zum Individuenreichtum sind Merkmale eines **Brackwasser-Biotops**.

b) Die temporäre Wasserbedeckung

Die geringe Wassertiefe wird durch eine Reihe von Beobachtungen bestätigt: Häufigkeit der Oszillationsrippeln und Trockenrisse, Pflanzen, landlebende Tiere, Linguliden, Reptilien-Fährten, Eigelege von Insekten usw. Auch findet man im oberen Teil der tonigen Gesteinslinsen **Wurzeln in Lebensstellung** oder Trockenrisse. Auch wird in diesen Lagen die sehr verschiedenartige aquatische Fauna der Basis nach oben hin durch eine Moor-Vegetation ersetzt, während die Gehalte an Spurenelementen, besonders an Bor, zunehmen. Dies bedeutet, daß es in den Tümpeln durch die Verdunstung zu einer Konzentrationserhöhung und schließlich zu einem vollkommenen Eintrocknen kommt, wobei sich dann gegen Ende dieses Vorgangs eine Vegetation entwickelt. Vereinzelt kommt es auch zur Ausfällung von Karbonaten oder Steinsalz.

Unter diesem Gesichtspunkt ist auch das häufige Auftreten von **Estherien** in den tonigen Lagen zu sehen. Diese Krebstiere haben einen Entwicklungszyklus, der nur einige Wochen dauert. Ihre Eier werden zusammen mit den Schalen, an die sie geklebt sind, durch den Wind verweht, sobald der Tümpel ausgetrocknet ist.

c) Die hydrodynamischen Verhältnisse

Die Tone haben sich in ruhigem Wasser abgesetzt. Die Einschaltung von Lamellen mit gradierter Schichtung ist auf periodische Schüttung detritischen Materials zurückzuführen. Wenn man einzelne Perioden turbulenter Strömung außer acht läßt, kann man feststellen, daß während der Sedimentation der tonigen Lagen die Wasserbewegung schwach war, was sowohl den guten Erhaltungszustand der Organismenreste als auch das Fehlen jeder Einregelung erklärt.

d) Der Sauerstoffgehalt

Auf dem Boden der Tümpel herrschten in dem Schlamm oft **reduzierende Bedingungen**, die eine Besiedelung durch eine Endofauna verhinderten. Dies geht auch aus der Feinstschichtung der tonigen Lagen und dem sporadischen Auftreten von Pyrit hervor.

Dagegen war das Wasser ausreichend belüftet, so daß eine reiche Fauna an vagilen Invertebraten und Fischen sich entwickeln konnte. Der Sauerstoffgehalt wurde gewährleistet durch die Zirkulation, die durch die periodische Zufuhr von Wasser hervorgerufen wurde, wahrscheinlich aber auch durch Wasser-Pflanzen.

In den Tümpeln mit geringer Wassertiefe, in denen sich die tonigen Sedimente bildeten, bestand selten ein Gleichgewicht zwischen Wasserzufuhr und Verdunstung. Im Laufe der Jahre entstanden große Unterschiede in Bezug auf die Temperatur, den Sauerstoff- und den Salzgehalt. Solche Schwankungen der physikalisch-chemischen Faktoren führten zu **periodischem Massensterben** der in diesen Wassern lebenden Organismen. Solche Phänomene sind typisch für die in der Grenzzone zwischen Festland und Meer liegenden Lebensbereiche (Brackwasser, hypersaline Wasser).

3. Der Marsch-Bereich

In einigen Bänken des Voltzien-Sandsteins läßt sich ein starker mariner Einfluß beobachten. Es sind dies sandige Dolomite oder dolomitische Sandsteine mit Foraminiferen und Mollusken oder auch tonhaltige Einlagerungen, die eine Vielzahl an Linguliden und grabenden Muscheln enthalten.

Solche Ablagerungen haben sich im Schlammbereich der Küsten gebildet, wo der Sauerstoffgehalt des Wassers für die Endofauna günstiger war als in den periodisch austrocknenden Tümpeln.

IV. Die Fossilisationsbedingungen

1. Die pflanzenführenden Sandsteine

Der paläontologische Inhalt der pflanzenführenden Sandsteine umfaßt außer Pflanzenresten (Equisiten, Farne usw.) auch Knochenreste von Amphibien (Stegocephalen). Die Fossilien sind auseinandergefallen und zerbrochen. Pflanzen und Tiere sind durch die Flüsse von den Ufern weggerissen worden. Sie wurden über weite Strecken transportiert, bevor sie durch ein Hochwasser abgelagert wurden und sind echte **Thanatozönosen.**

2. Die Toneinlagerungen

In den Toneinschaltungen sind die Fossilien durch die Kompaktion zu einem dünnen Abdruck zusammengedrückt worden.

a) Die Paläobiozönosen

Die Wasserfauna der Tonlagen läßt auch **Autochthonie** schließen. Die Erhaltung solch zerbrechlicher Gebilde, wie die Schirme der Quallen oder die Appendices der Krebstiere, schließen einen nennenswerten Transport aus. Noch zusammenhängende Muschelschalen, die mit der konkaven Seite nach oben eingebettet wurden, unterstreichen diese Annahme.

Das immer wieder gemeinsame Vorkommen an den gleichen Stellen von Eigelegen, verschiedener Larvenstadien, ausgewachsener Tiere und von Arthropoden-Häutungen (Limuliden, Krebse, Insekten) beweist, daß diese Tiere in ihrem Lebensraum eingebettet wurden. Auch das Auftreten von Linguliden in Lebensstellung und von Kriechspuren von Limuliden und Krebsen unterstreicht dies.

Der bemerkenswert gute Erhaltungszustand der Landfauna (Skorpione, Spinnentiere, Myriapoden, Insekten) und der Pflanzen mit ihren Reproduktionsorganen läßt die Annahme zu, daß ihr Lebensraum das Steilufer oder Inseln waren, d.h. Bereiche in unmittelbarer Wassernähe, wo sie dann von Zeit zu Zeit weggeschwemmt wurden.

Die in den Tonen enthaltene Wasserfauna und – wenn auch weniger – die Pflanzen und Landtiere entsprechen echten **Paläobiozönosen**. Aufgrund des genauen Studiums der Fossilvorkommen können zwei Kategorien von Paläobiozönosen unterschieden werden: Paläobiozönosen mit Krebstieren, wo diese Arthropoden-Gruppe dominiert, und Paläobiozönosen mit Linguliden und Muscheln, die für die mehr brackischen Bereiche des Marschbereiches charakteristisch sind.

b) Die „Massengräber" der Wasserfauna

Normalerweise findet man die Wasserorganismen im oberen Teil der Laminen mit gradierter Schichtung. Es sind dort Exemplare unterschiedlicher Entwicklungsstadien eingebettet, die stellenweise direkt beieinander vorkommen. Die Mehrzahl der Eier im Zentrum eines Geleges ist nicht geöffnet. Dies sind Anzeichen dafür, daß die Fauna plötzlich ausgelöscht wurde.

Der innere Aufbau der Laminen bestätigt dies. Jede Sedimentlage, deren Stärke zwischen einigen Millimetern und einigen Zentimetern schwankt, zeigt eine Korngrößenabnahme zum Hangenden hin und entspricht daher immer einer Materialzufuhr. Mit dem Wasser gelangten gleichzeitig Sauerstoff und Nährstoffe in den Sedimentationsbereich. Die im Wasser lebenden Organismen konnten sich so entwickeln. Dann ging die Zufuhr zurück, die tonigen Partikel setzten sich ab, das Wasser stagnierte. Durch die Verdunstung verminderte sich der Sauerstoffgehalt.

Manchmal bildete sich auch Schwefelwasserstoff oder es kam zu einer teilweisen Austrocknung. Dies war der Zeitpunkt, zu dem es zu einem Massensterben der Wassertiere kam. Die toten Organismen wurden durch eine neue Materialzufuhr eingebettet, und ein neuer Zyklus begann.

Für die **Unterbrechung der Zufuhr detritischen Materials**, die diese Wechsellagerung hervorgerufen hat, sind wahrscheinlich Überschwemmungen, die Gezeiten oder hohe Niederschläge verantwortlich. Man kann daher auch verstehen, warum die ungeschichteten Tonlinsen arm an Wassertieren sind. Das Wasser dieses Sedimentationsbereiches war von der periodischen Zufuhr von Sauerstoff und Nährstoffen ausgeschlossen.

c) Erhaltung der organischen Materie

Der Fossilisation der im wesentlichen aus Gallertmasse bestehenden Quallen und Eigelege der Insekten ging eine Austrocknung voraus. Dies führte zu einer echten Mumifizierung der organischen Materie, die dabei das Aussehen von Pergament annahm.

In dem feinkörnigen Sediment, in dem reduzierende Bedingungen herrschten, bestanden auch für das Chitin der Arthropoden und für die pflanzliche Substanz günstige Konservierungsbedingungen. Das reduzierende Milieu wird auch durch das seltene Auftreten von Endobionten und das Vorkommen von Pyrit bestätigt. Ein derartiges Milieu war für die Fossilisation von Kalkschalen wenig geeignet. Von den Schalen der Muscheln existiert nur noch die Konchyolin-Haut.

Die Einbettung der Lebewesen ging schnell vonstatten. Anhand des paläontologischen Inhalts einer 60 cm starken Tonlinse war es möglich, den biologischen Zyklus der in der Nähe lebenden Gymnospermen zu rekonstruieren. Im unteren Teil der Linse findet man Sporen in großer Zahl, was der Blütezeit entspricht (Abb. 97). Dann folgen darüber Schuppen männlicher Zapfen und schließlich die Samen. Eine derartige Abfolge kann sich vom Frühjahr bis zum Sommer, d.h. innerhalb eines Jahres bilden. Die Sedimentationsrate war sehr hoch, so daß eine Sedimentlage innerhalb einiger Wochen entstehen konnte.

Zusammenfassend kann man feststellen, daß die Fossilisation der Fauna und Flora des Voltzien-Sandsteins unter besonders günstigen Umständen abgelaufen ist, d.h. **schnelle Einbettung in einem feinkörnigen Sediment unter reduzierenden Bedingungen.** Dies erklärt auch die bemerkenswerte Stabilität von Kohlenwasserstoffen, die aus einigen Equiseten extrahiert wurden.

V. Zusammenfassung

Die im Werkstein erkannten verschiedenen Lebens-Milieus erlauben eine Gliederung der Landschaft. Meandrierende Flüsse durchzogen eine flache Ebene. Zwischen den Wasserläufen, sei es in Altwässern oder in Senken des Überschwemmungsbereiches, entstanden Tümpel, die kleiner wurden und mehr oder weniger schnell austrockneten. In diesen Tümpeln lebten euryhaline Organismen, die wahrscheinlich aus dem nahen Meer stammten. Im Randbereich dieser Tümpel wuchs eine Sumpf-Flora. Weiter flußabwärts bildete sich ein Watt.

Die Ineinanderschaltung dieser Fazien ist charakteristisch für den über dem Wasserspiegel liegenden Teil eines **Deltas** (Fig. 111). Der „Baustein" entspricht der Sedimentbildung im Bereich des Delta-Abhangs, während die tonigen Ablagerungen des Röt im Schwarzwald und im Odenwald als die ehemaligen Schlammsedimente des Prodeltas anzusehen sind. In dieser amphibischen Landschaft kam es oft zu Meeresvorstößen.

Die aufgrund von Messungen des Paläomagnetismus rekonstruierte Pol-Lage, die rote Sedimentfarbe und der xeromorphe Charakter der Pflanzenwelt lassen den Schluß zu, daß zur Bildungszeit des Voltzien-Sandsteins ein warmes **Klima** herrschte, in dem regenreiche und trockene

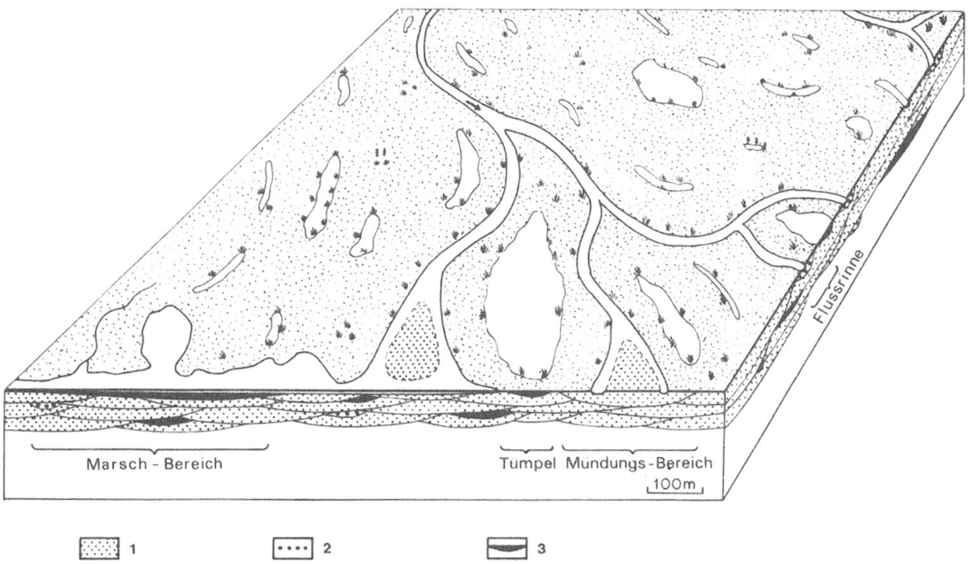

Abb. 111. Räumliche Darstellung der Sedimentation im Bereich eines Deltas, das zur Zeit des unteren Voltziensandsteins in den Nord-Vogesen lag (J.C. Gall 1971). *1* Baustein; *2* pflanzenführender Sandstein; *3* Ton- oder Karbonethorizonte

Zeiten einander abwechselten. Dadurch folgten aufeinander: Transport des detritischen Materials, Versorgung der Flußläufe und Tümpel, Entwicklung der Lebewelt, dann das Abschnüren der Gewässer, ihr Austrocknen und der Tod der Wasserfauna.

Im oberen Teil der Werkstein-Zone liegt ein Wurzel-Horizont mit Wurzeln in Lebensstellung. Dies bedeutet, daß sich die Materialzufuhr vom Festland her verlangsamt. Es entstehen weit ausgedehnte Sümpfe, das Delta ertrinkt. Die Absenkung wird durch die Aufschüttung nicht mehr kompensiert, d.h. das Meer dringt mehr und mehr vor. Dies ist der Beginn der Transgression des Muschelkalk-Meeres.

Literatur

Gall JC (1971a) Le Grès à Voltzia des Vosges: le passage d'un paysage deltaique à un environnement litoral. CR Acad Sci Ser D 273:2449–2452

Gall JC (1971b) Faunes et paysages du Grès à Voltzia du Nord des Vosges. Essai paléoécologique sur le Buntsandstein supérieur. Mém Serv Carte Geol Als Lorr 34:318

Gall JC (1972a) Le rôle de la paléoécologie dans la réconstitution des anciens biotopes. Application aux gisements fossilifères du Trias inférieur des Vosges. Bull Soc Ecol 3:354–367

Gall JC (1972b) Fossil-Lagerstätten aus dem Buntsandstein der Vogesen (Frankreich) und ihre ökologische Deutung. Neues Jahrb Geol Paläontol Monatsh 5:285–293

Grauvogel L (1947) Contribution à l'étude du Grès à Voltzia. CR Somm Soc Géol Fr 35–37

Grauvogel-Stamm L (1969) Nouveaux types d'organes reproducteurs mâles de conifères du Grès à Voltzia (Trias inférieur) des Vosges. Bull Serv Carte Géol Als Lorr 22:93–120

Kapitel 11 Die Riffe des Hohen Göll

Das Massiv des Hohen Göll, etwa 20 km südlich von Salzburg gelegen, gehört zu den Berchtesgadener Alpen, die ihrerseits einen Teil der nördlichen Kalkalpen darstellen.

Während der **Trias** gehörte es zu einer breiten epikontinentalen Plattform, einem Anhängsel der Tethys und war Ort einer bedeutenden Karbonatsedimentation (Kalk und Dolomit). In der Obertrias (dem Karn und vor allem dem Nor und Rät) bewirkte eine Riffbildung eine große Faziesvielfalt, deren Zustandekommen heute weitgehend geklärt ist (Abb. 112).

I. Die Hallstätter Kalke

1. Das Sediment

Die Hallstätter Kalke bestehen aus **Mikrit**. Die unlöslichen Bestandteile des Sedimentes, bestehend aus Tonmineralien, Quarz und Eisenoxiden, stellen nur einen unbedeutenden Anteil dar.

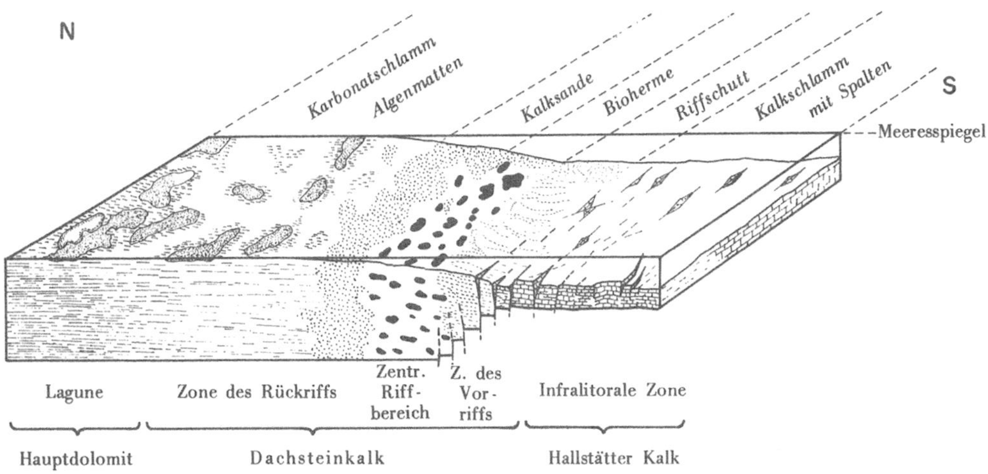

Abb. 112. Paläographie der Umgebung des Hohen Göll im oberen Nor. (H. Zankl 1971)

Die Schichtung ist eben und parallel und besteht aus massigen Bänken. Die örtliche Lösung des Kalziumkarbonats während der Diagenese bewirkte eine Knollenkalkbildung. Hartgrundflächen und intraformationale Breckzien erscheinen mehrfach innerhalb der Serie.

2. Die Fossilien

Die mikritische Grundmasse des Gesteins ist reich an **Mikroorganismen**: planktonische Formen (Foraminiferen, Radiolarien), Ostrakoden und Bruchstücke von Mollusken und Echinodermaten. Conodonten sind in der unlöslichen Fraktion angereichert.

Die **Makrofauna** wurde in **Spalten** des Sediments angehäuft, welche – von gleichem Alter wie das Sediment – die Rolle regelrechter Fallen für die Schalen von Cephalopoden und Muscheln spielten. Letztere bauen auch Bänke auf (*Halobia, Monotis*), in denen die Klappen häufig mit der konkaven Seite nach oben liegen. Zweifellos führten sie ein pseudoplanktonisches Dasein. Außerdem trifft man die Ammonitenschalen (*Arcestes*) manchmal in vertikaler Stellung im Sediment. Dies sind Kennzeichen einer Ablagerung, die unter ruhiger Wasserbedeckung zustandekam.

Das Auftreten agglutinierender Foraminiferen und perforierter Oberflächen von Hartgründen, die von Thallophyten verursacht wurden, beweisen, daß das Wasser in der Tiefe ausreichend mit Sauerstoff versorgt war.

3. Die Umwelt

Die mikritische Natur des Sediments, die Regelmäßigkeit der Schichtung, der pelagische Charakter der Fauna und die Anordnung der Molluskenschalen zeigen an, daß sich die Kalke in **marinem Stillwasser** abgelagert haben. Die Verzahnung der Hallstätter Kalke mit der Riffazies des Dachstein zeigen, daß der Bereich dem küstenferneren Teil des Kontinentsokkels entsprach, der unterhalb des Wellentiefganges lag, wo die Wassertiefe bereits bedeutend wird (50–200 m), aber noch belüftet ist. Die intraformationalen Breckzien, die einer bescheidenen tektonischen Aktivität zu verdanken sind, beweisen, daß sich die Verhärtung des Sediments rasch vollzog.

Die Hallstätter Kalke werden von den mergeligen Kalken der **Zlambach-Formation** überlagert. Eine neritische Fauna und die zunehmende Bedeutung terrigener Anlieferungen im Sediment weisen auf eine fortschreitende Verringerung der Wassertiefe.

II. Der Riffkomplex des Dachsteins

Die Dachsteinkalke entsprechen einem Riffkomplex von mehr als 1200 m Mächtigkeit, der sich in West-Ost-Richtung erstreckt. Während der ganzen Oberen Trias hat somit das Wachstum der Riffbildner genau die regionale Subsidenz kompensiert und so die Riffe nahe der Wasseroberfläche gehalten.

Von Süden nach Norden, d.h. von der hohen See her in Richtung Küste, gliedern sich die Dachsteinkalke in mehreren Fazien, die parallel der ehemaligen Küstenlinie angeordnet sind. Man kann dort erkennen: die Zone des Vorriffs, den zentralen Riffbereich und die Zone des Rückriffs (Abb. 113).

1. Die Zone des Vorriffs

Die Zone des Vorriffs wird charakterisiert durch die **Breckzien**, die aus der Abtragung des Riffkörpers hervorgingen. Das Material weist eine chaotische Lagerung auf; seine Sortierung ist schlecht, und eine deutliche Schichtung fehlt. Die Grobbestandteile der Riffbreckzien sind durch roten Mikrit zementiert. Sie gelangten wahrscheinlich durch Abgleiten auf den schwach geneigten Hängen zwischen dem Riff und den tieferen Bereichen des Kontinentalsockels zum Ort ihrer Ablagerung.

2. Der zentrale Riffbereich

a) Das Sediment

Das eigentliche Riff erstreckt sich auf eine Breite von rund 1000 m. Es besteht in Wirklichkeit aus einer großen Anzahl von einzelnen **Biohermen** oder **Riffknospen** (*patch reefs* der englischsprachigen Literatur).

Jedes dieser Bioherme hat die Form einer asymmetrischen Kuppel, deren Durchmesser an der Basis 5 m nicht überschreitet bei einer Höhe zwischen 0,10 m und 2 m. Diese zoogenen Linsen sind in ihren eigenen Abtragungsschutt eingebettet. Dieser kam auf mechanischem Wege (Wellen, Strömungen) zustande oder unter Mitwirkung von lithophagen Organismen. Das Bindemittel zwischen den Biohermen setzt sich aus wenig gerundeten und oft gradierten Partikeln zusammen. Es handelt sich um Organismenbruchstücke (**Bioklaste**) oder um Gesteinsfragmente, die an Ort und Stelle aufgearbeitet wurden (**Intraklaste**). Die Hohlräume im

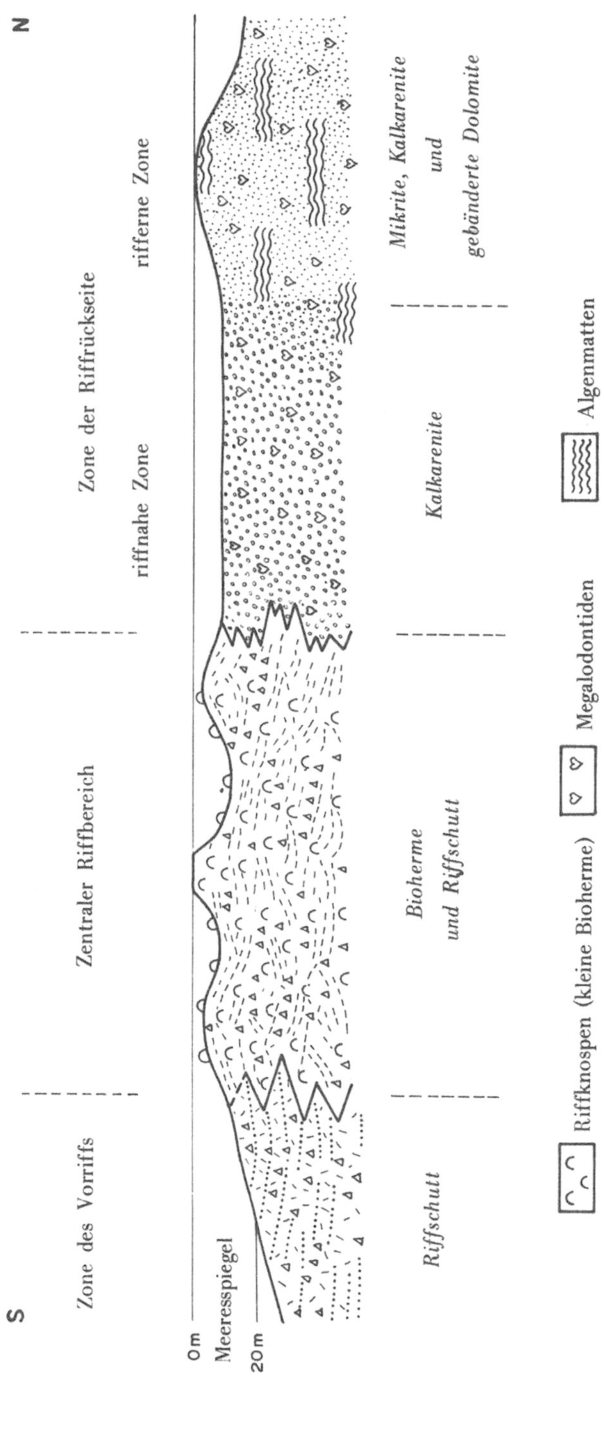

Abb. 113. Der Riffkomplex der Dachsteinkalke. (H. Zankl 1969)

Sediment wurden frühzeitig von **Sparit** erfüllt, der so zu seiner Verfestigung beigetragen hat. Die Schichtung ist oft schräg. Dies sind Anzeichen eines bewegten Milieus. Die Grundmasse stellt etwa 90% der Kalkablagerungen des Riffkomplexes dar.

b) Die Organismen

Die Riffauna, die am **Aufbau** der Bioherme beteiligt ist, besteht zu gleichen Teilen aus **Madroporen** (*Astraeomorpha, Thecosmilia, Montlivaltia* ...) und **Kalkschwämmen** (*Pharetronida* und *Sphinctozoa* (Abb. 114). Die Organismen befinden sich in Lebensstellung. Die massigen Formen gruppieren sich an den Rändern der Bioherme, während die verzweigten Arten sich bevorzugt im geschützten zentralen Teil befinden.

Madreporen und Kalkschwämme stellen 75% der Riffbildner. Die restlichen 25% verteilen sich auf kalkfällende Rotalgen (Solenoporen) sessile Foraminiferen, Hydrozoa, Bryozoa ...
Das detaillierte Studium der Bioherme hat gezeigt, daß sie sich gemäß einem festen Schema in fünf Etappen aufgebaut haben:

- der Beginn des Bioherms ist das Werk einer ersten Generation von Madroporen, Schwämmen und Kalkalgen,
- nach ihrem Absterben werden ihre Skelette von Foraminiferen und verschiedenen Algen inkrustiert,
- danach stellt sich eine dritte Generation von Organismen ein, die sich aus Kalkschwämmen und Bryozoen zusammensetzt,
- die vierte Besiedlung ist mit der zweiten identisch,
- der fünfte Wachstumsschritt des Bioherms ist charakterisiert durch eine wahrscheinliche Algeninkrustierung (*Spongiostromata*).

Die fünf Generationen von Organismen, die im Bioherm aufeinanderfolgen, scheinen einem biologischen Zyklus zu entsprechen. Die verschiedenen Arten sind in für jedes Bioherm typischen Biozönosen gruppiert.

Neben den festsitzenden Organismen, den Riffbildnern, lebt eine bewegliche **Riffauna**. Sie trägt aktiv zur Zerstörung der Bioherme bei. Zahlreiche Arten durchbohren die Gerüste (Schwämme, Anneliden, Bryozoen, Lamellibranchiaten, Gastropoden ...). Das Gleiche trifft für Grünalgen zu. Andere Formen beweiden die Kalkschalen (Crustaceen, Holothurien, Fische). Zudem bereichert die Fauna das Sediment an Schalen und Kalkskeletten. Dies gilt vor allem für benthonische Foraminiferen, Mollusken (Muscheln und Schnecken), Brachiopoden und Echinodermaten (Seeigel, Seelilien). Dazu kommt eine Flora aus Grünalgen mit verkalktem Thallus (Dasycladaceen).

Diese Rifforganismen sind kennzeichnend für **tropische Meere** mit normaler Salinität.

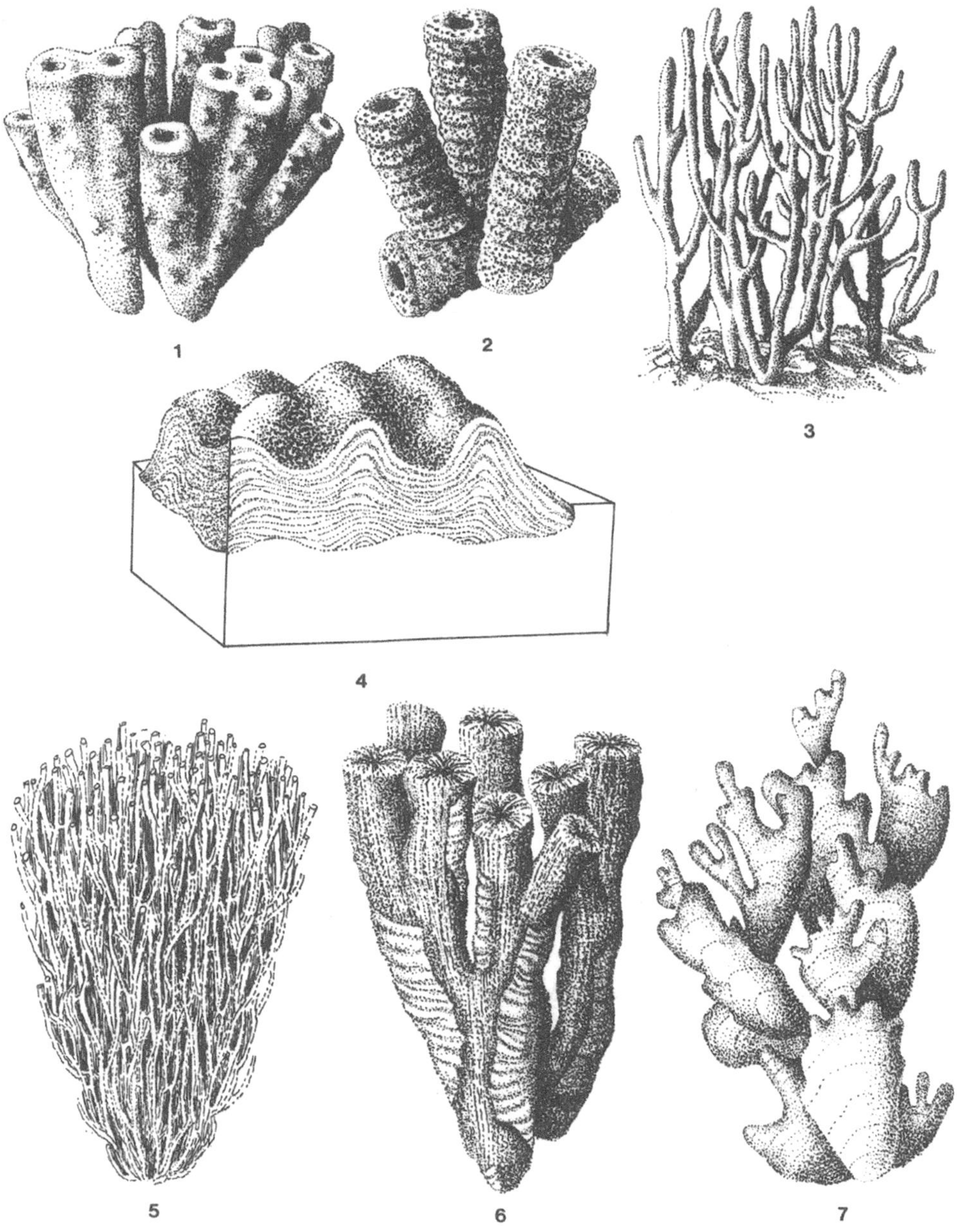

Abb. 114. Fauna und Flora des Riffs vom Hohen Göll (H. Zankl 1969). Kalkschwämme: *1 Peronidella* (× 0,5); *2 Polytholosia* (× 0,5); Coelenteraten: *3 Astraeomorpha* (verzweigte Form) (× 0,2); *4 Astraeomorpha* (massive Form) (× 0,3); *5 Theocosmilia* (× 0,06), *6 Montlivaltia* (× 0,15); Kalkalgen: *7 Solenopora* (× 0,75)

3. Die Zone des Rückriffs

Mit einer Breite von mehreren Kilometern läßt sich die Zone des Rückriffs in eine Region der Riffnähe und in eine Region der Rifferne unterteilen.

a) Riffnahe Region

Die riffnahe Region unerliegt dem direkten Einfluß des Riffs. Das Sediment ist hauptsächlich aus einem aus gut gerundeten Bestandteilen bestehenden **Kalkarenit** aufgebaut. Die Bestandteile gehen aus Fragmenten der verkalkten Thalli von Dasycladaceen (Diploporen) hervor, die regelrechte Rasen bilden. Die Orientierung der Partikel im Gestein ermöglichte es, die Strömungsrichtung (von Süden nach Norden bzw. von Westen nach Osten) und damit auch die vorherrschende Windrichtung, die von Süden oder Südwesten herkam, zu bestimmen.

Außer Grün- oder Rotalgen (Solenoporen) bestehen die Organismen aus Onkolithen, Foraminiferenschalen, Korallenfragmenten und Schill dickschaliger Muscheln (Megalodonten).

Alle diese Merkmale zeigen ein Milieu mit hoher hydrodynamischer Energie an.

b) Rifferne Region

In der riffernen Region des Rückgriffs, die eine bedeutend größere Ausdehnung als die riffnahe Region hat, lagerten sich, in ruhigerem Milieu, über 1000 m mächtige feine Kalke in regelmäßigen Bänken ab. Dies ist die **Loferfazies** (Abb. 115).

Jede Bank von einigen Metern Mächtigkeit entspricht einem **Zyklothem** mit drei Gliedern, das von der überlagernden und unterlagernden Bank durch Erosionsflächen getrennt wird. Das untere Glied (A) besteht aus einer Kalkbreckzie mit toniger Matrix, die aus der Aufarbeitung der vorhergehenden Ablagerung hervorgeht. Sie wird von gebänderten Dolomiten stromatolithischen Ursprungs überlagert, die zelliges Gefüge und Trockenrisse aufweisen und die das zweite Glied der Folge (B) darstellen. Das dritte Glied (C), das mächtiger ist als die beiden vorhergehenden, besteht aus Kalkareniten und Mikriten mit zahlreichen Megalodonten in Lebensstellung. Die Öffnungen der Schalen zeigen oft eine bevorzugte Orientierung, die wahrscheinlich auf den Einfluß von Strömungen zurückzuführen ist. Foraminiferen, Korallen, Gastropoden, Echinodermaten und verschiedene grabende Organismen vervollständigen das Bild der Fauna. Die Flora umfaßte verschiedene Kalkalgen.

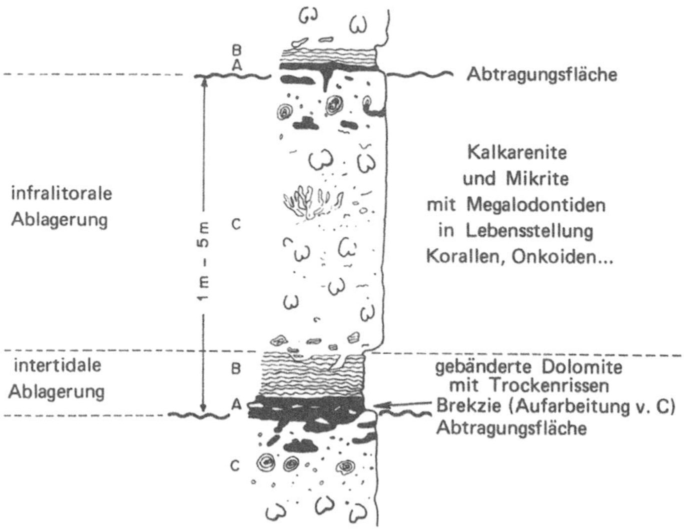

Abb. 115. Schichtfolge in der Zone des Rückgriffs (Loferfazies) der Dachsteinkalke. (Verändert nach A. Fischer in H. Zankl 1971)

Die laterale Erstreckung der beiden ersten Glieder der Zyklotheme ist gering. Sie entsprechen den Ablagerungen der **supratidalen** und der **intertidalen** Zone, die längeren Emersionsperioden ausgesetzt waren. In diesem Gebiet entwickeln sich Algenrasen; diese liefern die millimeterdicken Kalklaminen, die frühzeitig epigenetisch dolomitisiert werden. Das dritte Glied der Folge, von bedeutenderer horizontaler Ausdehnung, lagerte sich in dem ständig untergetauchten Bereich der **infralitoralen** Zone ab, wo sich ein reiches Benthos entwickelte.

Die distale Zone des Rückgriffs entspricht so einem ausgedehnten **Litoralgebiet**, das von teilweise aufgetauchten Schlammablagerungen mit Algenrasenbewuchs überdeckt war. Die Megalodonten lebten in unmittelbarer Nähe unter ständiger und gut belüfteter Wasserbedeckung. Die Aufeinanderfolge der Zyklotheme (etwa 300 im gesamten Dachsteinkalk) ist das Ergebnis Jahrtausende dauernder Schwankungen des Meeresspiegels.

III. Der Hauptdolomit

Nach Norden geht der Riffkomplex des Dachsteins allmählich in diekarbonatischen Ablagerungen des Hauptdolomits über (Abb. 112). Dieser erreicht stellenweise eine Mächtigkeit von 2000 m. Es lassen sich darin mehrere Fazien nachweisen:

- Bänke von regelmäßig **geschichtetem grauem Dolomit**; sie enthalten benthonische Organismen (Lamellibranchiaten, Gastropoden) und Spuren von Bioturbationen. Das Sediment ist reich an Kotpillen. Es liegt eine Ablagerung vor, die in einem gut belüfteten Milieu unter permanenter Wasserbedeckung entstand. Diese Bedingungen sind im **infralitoralen** Bereich verwirklicht.
- **gebänderte Dolomite** von stromatolitischem Ursprung. Das Gestein, das hauptsächlich aus Dolomikrit besteht, zeigt häufig ein zelliges Gefüge. Der Porenraum, der oft von Sparitkristallen erfüllt ist, entspricht wahrscheinlich ehemaligen, im Sediment während Emersionsperioden eingeschlossenen Luftblasen („birdseyes" der englischsprachigen Literatur). Es treten Trockenrisse und Kohleschmitzen auf. Manchmal sind Pflanzenwurzeln in Lebensstellung im Sediment anzutreffen. Die aquatische Fauna ist stark verarmt (Foraminiferen, Ostrakoden). Zahlreiche Anzeichen von Emersion in diesem marinen Bereich sind typisch für die **Intertidalzone.**
- **bituminöse Mergelkalke**, die reich sind an bemerkenswert gut erhaltenen Fischen. Die Bänke sind gradiert und zeigen subaquatische Rutschungserscheinungen. Diese Fazies entspricht der Ausfüllung von **Depressionen im stehenden Wasser**, wo reduzierende Bedingungen die Fossilisation von organischer Substanz begünstigt haben.

Der Hauptdolomit erscheint so als das Produkt der Sedimentation in einer großen **Lagune**, die zwischen der Riffbarriere und dem festen Lande sich erstreckte. Diese Lagune war dem Rhythmus der Gezeiten ausgesetzt. Ihre Fläche war von Algenrasen und von Tümpeln stehenden Wassers bedeckt. An anderer Stelle waren die Bedingungen eines infralitoralen Milieus verwirklicht.

Die Dolomitisierung des ursprünglichen Sediments erfolgte rasch nach der Ablagerung, da man Dolomitfragmente beobachten kann, die in die darüberliegenden Kalke aufgenommen worden waren. Es handelt sich um syngenetische Dolomite.

IV. Schlußfolgerung

Die Riffe des Hohen Göll unterscheiden sich in bemerkenswerter Weise vom klassischen Schema aufgewölbter zoogener Riffbauten, die eine Lagune vom offenen Meer abtrennen. Sie passen sich ein in einen größeren paläogeographischen Rahmen, der den Vorzug hat, die horizontale Verzahnung verschiedener Karbonatfazien zu zeigen und ein genaues Bild der Kontinentalplattform der Tethys gegen Ende der Trias wiederzugeben. In Richtung zum offenen Meer bestehen die Sedimente aus den feinkörnigen Kalken von Hallstatt mit pelagischer Fauna. Im flacheren Wasser entwickelt sich der Riffbereich, der in Vorriff, zentralen Riffbereich und Rückriff unterteilt ist. Er zeigt die Besonderheit, aus einer Vielzahl kleiner Bioherme zusammengesetzt zu sein, die voneinander durch eine Masse zoogenen Schutts getrennt sind. Aus ihm entwickelte sich der Dachsteinkalk. Näher der Küste erstreckte sich eine weite Lagune, die dem Einfluß der Gezeiten ausgesetzt war. Dies ist der Bereich des Hauptdolomits.

Literatur

Krystyn L, Schäffer G, Schlager W (1971) Über die Fossil-Lagerstätten in den triadischen Hallstätter Kalken der Ostalpen. Neues Jahrb Geol Paläontol Abh 137: 284–304

Zankl H (1967) Die Karbonatsedimente der Obertrias in den nördlichen Kalkalpen. Geol Rundsch 56:128–139

Zankl H (1969) Der Hohe Göll. Aufbau und Lebensbild eines Dachstein-Riffes in der Obertrias der nördlichen Kalkalpen. Abh Senckenb Naturforsch Ges 519:123

Zankl H (1971) Upper Triassic carbonate facies in the Northern Limestone Alps. Sedimentology of parts of Central Europe, guide book. VII Int Sedimentol Congr Heidelberg, S 147–185

Kapitel 12 Das Meer der bituminösen Schiefer von Holzmaden

Das Dorf Holzmaden liegt am Fuße der Schwäbischen Alb etwa 30 km südöstlich von Stuttgart. In zahlreichen Aufschlüssen dieser Gegend werden bituminöse Schiefer des **Unteren Toarcien** oder die Posidonienschiefer (Lias ϵ) abgebaut. In Anbetracht ihrer paläontologischen Bedeutung wurde die Umgebung von Holzmaden zum Naturschutzgebiet erklärt.

I. Das Sediment

1. Petrographische Merkmale

Die Posidonienschiefer, die mehrere Meter mächtig werden, bestehen eigentlich aus grauen Mergeln, die durch einige Kalkbänke voneinander getrennt werden.

Die Mergel sind reich an **organischer Substanz**, die bis zu acht Gewichtsprozent des Gesteins erreichen kann. Die Gewinnung des Bitumens wurde übrigens bereits mehrfach in Notzeiten in Angriff genommen. **Pyrit**, der normalerweise in mikroskopisch feinster Verteilung vorliegt, tritt hier auch in zentimetergroßen Konkretionen auf. Pyrit und organische Substanz sind verantwortlich für die dunkle Färbung des Gesteins.

Der Abbau in den Aufschlüssen der Umgebung von Holzmaden konzentriert sich auf eine Schieferbank von 18 cm Dicke, den „**Fleins**“. Aufgrund seiner größeren Widerstandsfähigkeit und seiner schönen dekorativen Wirkung wird er gerne als Wandverkleidung in Wohnungen verwendet.

2. Stratinomische Merkmale

Die Schichtung der Mergel und der Kalke ist eben und parallel. Die einzelnen Bänke haben eine große horizontale Ausdehnung, aber ihre Mächtigkeit kann von einem Aufschluß zum anderen wechseln.

Die Schichtung der mergeligen Horizonte besteht in einer Aufeinanderfolge feiner Laminen, die parallel zur Schichtung verlaufen. Dies erleichtert die Aufspaltung des Gesteins. Bis auf einige Ausnahmen sind die Schichten nicht bioturbat.

II. Die Fauna

Fossilien treten in allen Niveaus der Posidonienschiefer auf. Wirbeltiere und Echinodermaten finden sich vor allem im unteren Teil der Serie, während Cephalopoden in den oberen schiefrigen Partien zahlreicher sind. Die übrigen Organismenreste sind regellos verteilt.

1. Grabende Organismen

Abgesehen von einigen ganz bestimmten Horizonten mit Bauten der Gattung *Chondrites* sind die Posidonienschiefer frei von jeglicher Endofauna.

2. Benthonische Organismen

Benthonische Formen sind äußerst selten. Einige Crustaceen (schreitende Decapoden der Gattung *Proeryon*) wurden in Holzmaden gefunden. Sporadisch finden sich Seeigel (*Cidaris*) und Brachiopoden. Was die Muscheln betrifft (*Posidonia, Inoceramus, Pecten*), die lokal häufig vorkommen, so stammen sie wahrscheinlich aus anderen Biotopen und wurden in den Ablagerungsraum durch Strömungen oder durch treibende Gegenstände, an denen sie angeheftet waren, hinein verschleppt.

3. Nektonische Organismen

Den Hauptanteil an der Fauna der Posidonienschiefer stellen Organismen, die ihren Lebensraum in den oberflächennahen Wasserschichten hatten.

a) Cephalopoden

Die Ammoniten gehören 4 Hauptgattungen an. *Dactylioceras, Lytoceras, Harpoceras* und *Phylloceras*. Sie können recht groß werden (mehrere Dezimeter Durchmesser). Das Operculum oder der **Aptychus** findet sich bei vielen Schalen noch an seiner ursprünglichen Stelle in der Wohnkammer.

In bestimmten Niveaus finden sich Tausende von Exemplaren in verschiedenen Entwicklungsstadien konzentriert.

Die dibranchiaten Cephalopoden sind durch Belemniten und den Kalmaren nahestehende Formen (*Geoteuthis*) vertreten, bei denen Weichteile, insbesondere der Tintenbeutel, manchmal fossilisiert wurden.

b) Fische

Zahlreiche Fische, die erstaunlich gut erhalten und von den Mitarbeitern des Museums Hauff in Holzmaden mit großer Kunstfertigkeit freipräpariert wurden, ergeben ein umfassendes Bild der Ichtyofauna der Jurazeit. Es handelt sich um verschiedene Knochenfische, Coelacanthier und Knorpelfische. Unter den Knochenfischen gibt es gedrungene Formen, deren Körper von einem schweren Panzer aus großen rautenförmigen Schuppen bedeckt ist (*Dapedius*), und schlanke Formen mit kleinen Schuppen, einem carnivoren Gebiß und kräftiger Muskulatur (*Pachycormus*). Erstere suchten ihre Nahrung am Boden ähnlich wie die heutigen Karpfen, während letztere aktiv ihre Beute verfolgten. *Leptolepis*, der einzige Knochenfisch, erreichte nur einige Zentimeter Körperlänge. Er lebte in Schwärmen. Haifische sind durch die Gattung *Hybodus* vertreten. Der Magen eines Exemplars, das sich im Museum Holzmaden befindet, enthält noch Reste von ungefähr zweihundert Belemniten, die seine letzte Mahlzeit darstellen.

Bestimmte Formen (Selachii, Chondrostei und Coelacanthii) erreichen Körperlängen von 1 bis 3 m. Wahrscheinlich gelangten sie **erwachsen** in den Ablagerungsraum. Ganz allgemein sind Jugendstadien äußerst selten. Dies läßt vermuten, daß ihre Entwicklung andernorts in günstigeren Gewässern ablief und daß nur ausgewachsene Exemplare Streifzüge in das Gebiet von Holzmaden unternahmen.

c) Reptilien

Die Reptilien stellen die eindrucksvollsten Fossilien von Holzmaden. Mehr als 300 vollständige Skelette von **Ichthyosauriern** wurden bis heute freigelegt. Sie bereichern die Museen der ganzen Welt.

Sie erreichten mehrere Meter Länge und waren ausgezeichnet an das Schwimmen angepaßte Reptilien (Abb. 116A).

Der Umriß ihres spindelförmigen Körpers ohne Hals und der ihrer Flossen sind bekanntgeworden dank der Erhaltung von weicheren Körperpartien einiger Exemplare. Die senkrechtstehende heterozerke Schwanzflosse lieferte den Impuls für die Fortbewegung, während die paarigen in

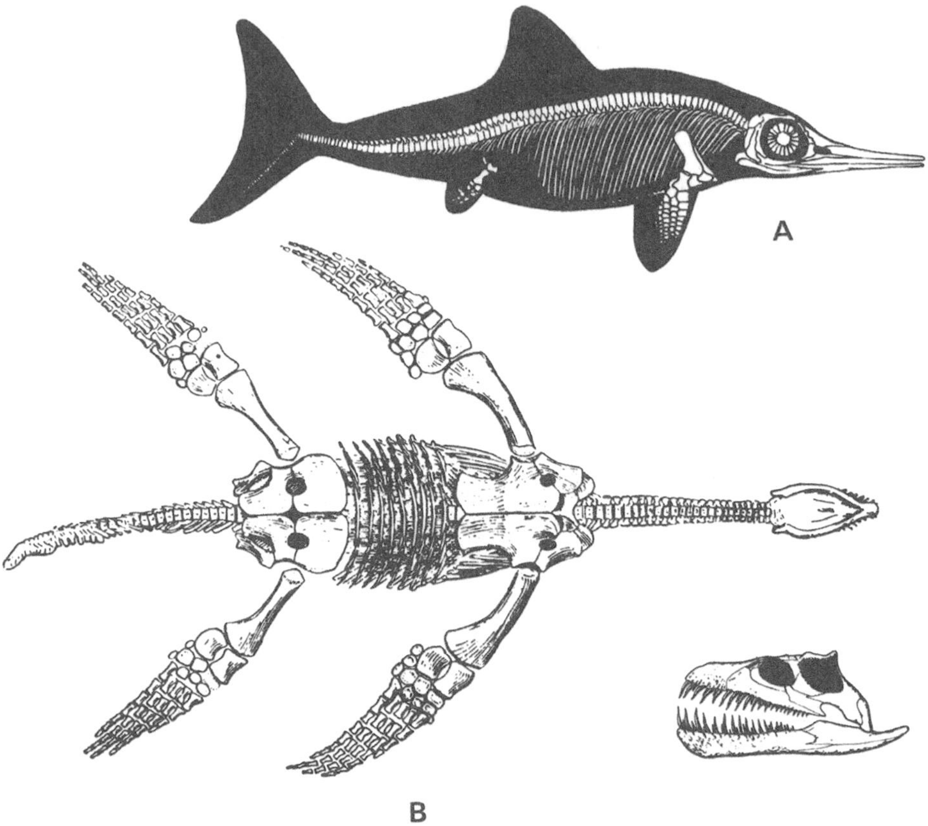

Abb. 116A, B. Reptilien des Toarcien von Holzmaden. **A** Ichtyosaurier (*Stenopterygius*) (P.P. Grasse 1970). **B** Plesiosaurier (Skelett von *Rhomaleosaurus* und Schädel von *Plesiosaurus*) (O. Kuhn 1968)

Paletten umgewandelten Gliedmaßen vor allem die Aufrechthaltung gewährleisteten. Die Ichthyosaurier hielten sich nahe der Wasseroberfläche auf, wo sie ihre Beute verfolgten. Sie bestand hauptsächlich aus dibranchiaten Cephalopoden: die Haken, mit denen ihre Arme besetzt waren, finden sich häufig im Magen vieler Reptilien. Das Lebendgebären bei den Ichthyosauriern ist belegt durch Funde von **Embryonen** im Körper des Muttertieres. Diese Besonderheit der Fortpflanzung enthob diese Meerestiere der Notwendigkeit, das feste Land zur Eiablage aufzusuchen.

Die **Plesiosaurier** sind in der Fossillagerstätte von Holzmaden viel seltener (Abb. 116B). Ihr Lebensraum lag übrigens wahrscheinlich weiter auf dem offenen Meer. Bei diesen großen Reptilien kam die Funktion der Fortbewegung den paarigen Gliedmaßen zu, die als Ruderflossen an kräftigen Schulter- und Beckengürteln verankert waren. Der gering entwickelte Schwanz übernahm die Rolle des Steuers. Der sehr kleine Schädel, versehen mit von spitzen Zähnen besetzten Kiefern, saß auf einem langen und flexiblen Hals. Im Gegensatz zu den Ichthyosauriern mußten die Plesiosaurier wohl ihrer Beute aufgelauert haben und sie – wenn sie in der Nähe vorbeikam – dank der Beweglichkeit der vorderen Körperregion ergriffen haben, ähnlich, wie es heute die Schwäne machen.

Eine dritte Gruppe von Reptilien ist durch die den Krokodilen verwandten **Steneosaurier** vertreten. Die Form ihres Körpers, der von einem Schild aus Knochenplatten bedeckt und in eine spitze Schnauze ausgezogen war, erinnert an die Gaviale. Bestimmte Exemplare enthalten **Gastrolithen**, das sind Gerölle, die das Tier am Strand verschluckt hatte, um die mechanische Wirkung des Magens auf die Nahrung zu unterstützen. Die Steneosaurier von Holzmaden erreichen beträchtliche Größe. Jugendformen sind Ausnahmen, da sich die ersten Entwicklungsschritte nahe dem festen Land vollzogen.

4. Pseudoplanktonische Organismen

Crinoiden (*Seirocrinus*) und Lamellibranchiaten (*Inoceramus, Posidonia, Monotis* ...) leben normalerweise am Meeresboden. In den bituminösen Schiefern jedoch ist ihr häufiges Auftreten mit einem pseudoplanktonischen Leben verbunden. Diese Organismen entwickelten sich nämlich auf nahe der Wasseroberfläche treibenden Gegenständen wie Baumstämmen oder leeren Schalen. Wenn diese schwerer wurden und allmählich in sauerstoffarme Tiefen absanken, zogen sie die Organismen mit in den Tod. Seilacher, Drozdzewski und Haude (1968) rekonstruierten auf einer Platte, die im Geologischen Institut der Universität Tübingen aufbewahrt wird, die verschiedenen Schritte der Einbettung einer Crinoidenkolonie, die auf einer solchen treibenden Unterlage befestigt waren (Abb. 117).

Ein noch eindrucksvolleres paläontologisches Dokument ist im Museum Hauff in Holzmaden ausgestellt: eine Schieferplatte von 18 x 6 m enthält einen Baumstamm von 12 m Länge, der vollständig besiedelt ist von einer Vielzahl von Inoceramenschalen und von Hunderten von Crinoiden, die ihre biegsamen Stiele untereinander verflechten und ihre Kelche anmutig ausbreiten.

5. Fliegende Organismen

Einige Skelette von fliegenden Reptilien (**Pterosaurier**) wurden in Holzmaden freigelegt. Sie beweisen die Nähe des festen Landes.

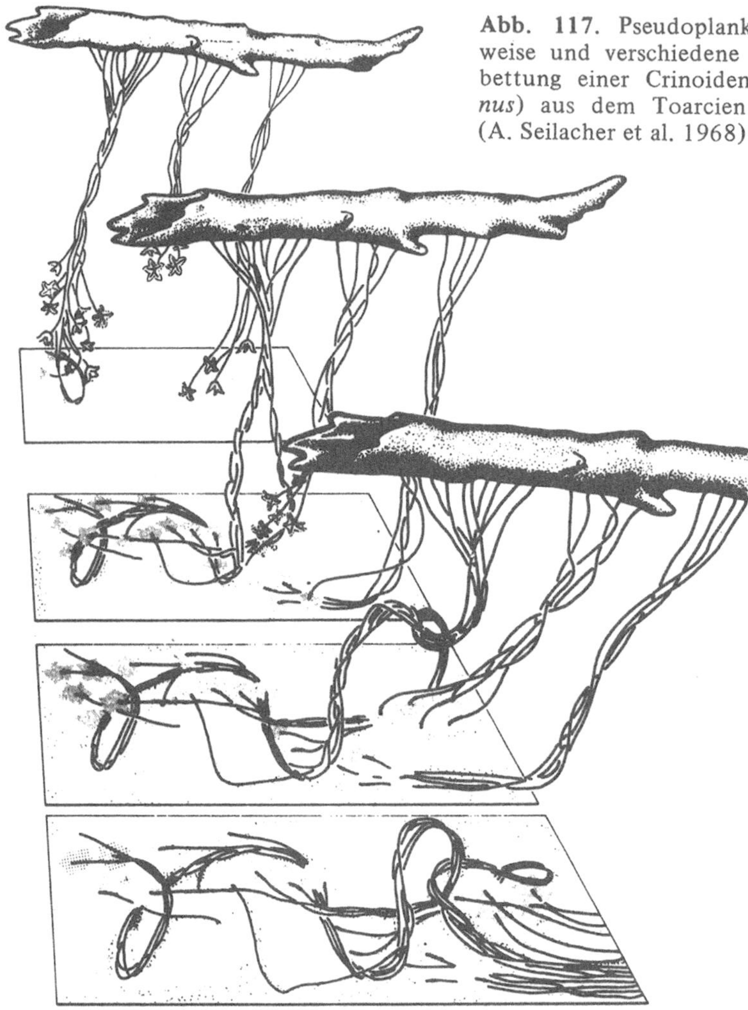

Abb. 117. Pseudoplanktonische Lebensweise und verschiedene Etappen der Einbettung einer Crinoidenkolonie (*Seirocrinus*) aus dem Toarcien von Holzmaden. (A. Seilacher et al. 1968)

III. Die Flora

Die Pflanzenreste der Posidonienschiefer erreichen manchmal beträchtliche Größe. Es handelt sich dabei hauptsächlich um Treibhölzer, die einen längeren Transport vor ihrer Einbettung durchgemacht haben. Abgesehen von einigen Zweigen von Cycadalen und Coniferen (*Plagiophyllum*) sind die Pflanzenreste unbestimmbar.

Die Mikroflora besteht aus Pollen und Grünalgen.

IV. Arten der Fossilisation

1. Anaerobe Bedingungen

Die große Seltenheit der grabenden und benthonischen Organismen im Vergleich zu Vielfalt und Reichtum der pelagischen und pseudoplanktonischen Formen weist darauf hin, daß der Bodenschlamm und das direkt darüberstehende Wasser für die Entwicklung von Lebewesen ungünstig waren. Die Häufigkeit von Pyrit und von organischer Substanz, die im Sediment noch nicht abgebaut war, beweist, daß ein reduzierendes Milieu vorlag. Nur die dünne Schicht des Oberflächenwassers war ausreichend mit Sauerstoff versorgt, wodurch die Ausbreitung von Leben ermöglicht wurde.

Derartige anaerobe Bedingungen, die Aasfressern unzuträglich sind, begünstigen die Fossilisation der Weichteile. Außerdem schränken sie die bakterielle Gärung ein, die normalerweise eine starke Gasansammlung im Körper und folglich das Auftreiben der toten Organismen wie auch den Zerfall der Skelette bewirkt. In besonders günstigen Fällen stiegen so Organismen, die zu Boden gesunken waren, nicht mehr zur Wasseroberfläche auf. Ihre Skelette blieben daher vollständig erhalten. Dieser Fossilisationstyp ist, wenn auch spektakulär, so doch eigentlich eine Ausnahmeerscheinung.

Der Milieucharakter war nicht einheitlich während der gesamten Ablagerungszeit der Posidonienschiefer. Bestimmte Horizonte enthalten Wühlbauten von *Chondrites*, andere starke Anhäufungen von Schalen, Erscheinungen, die auf eine zeitweilige Sauerstoffversorgung des Bodenwassers und auf die Einwirkung von örtlich wirksamen Strömungen hinweisen.

Neuere Untersuchungen haben nunmehr eine deutliche Änderung obiger Interpretation gebracht. Durch Orientierungsmessungen an verschiedenen Fossilien der Posidonienschiefer (Lamellibranchiaten, Ammoniten, Belemniten, Ichthyosaurier und Pflanzenreste) wurde nachgewiesen, daß während der ganzen Ablagerungszeit **Bodenströmungen** in N-S- oder S-N-Richtung vorhanden waren. Diese Strömungen benutzten eine breite marine Depression in gleicher Richtung und umflossen die Schwellen. Ihre Geschwindigkeit war relativ hoch (20 cm/sec). Andererseits wurde gezeigt, daß das untere Toarcien einer Sedimentabfolge entspricht, die eine **Transgression** und eine **Regression** umfaßt. Das Maximum der Transgression war erreicht, als die coccolithenreichen Kalke des jüngsten mittleren Lias („Schlacken“) abgelagert wurden. Dies ist die Episode, in der der Mangel an freiem Sauerstoff am stärksten war. Ober- und unterhalb dieses Niveaus liegen für eine benthonische Fauna günstige Fazien. Diese Faunen setzten sich aus schlammfressenden Organismen zusammen, deren Bauten im Liegend- und im Hangendbereich der Ablagerung vorwiegend auftreten (*Chondrites, Spongeliomorpha*), aber auch Serpeln, Brachiopoden und Muscheln (*Posidonia, Ostrea . . .*) treten hier auf. Letztere lebten festgewachsen auf Unterlagen, die auf den Meeresboden abgesunken waren, wie z.B. auf großen Ammonitengehäusen, die eine Art besiedelter Insel bildeten, die über die reduzierte Zone herausragte. Die Grenze zwischen **oxidierter** und **reduzierter Zone** schwankte in der Tat ständig zwischen Bodensediment und der Wasserschicht, die unmittelbar mit ihr in Kontakt stand (Abb. 118).

Ein Algenrasen beschützte wahrscheinlich diese Grenzzone vor den Einwirkungen von Bodenströmungen.

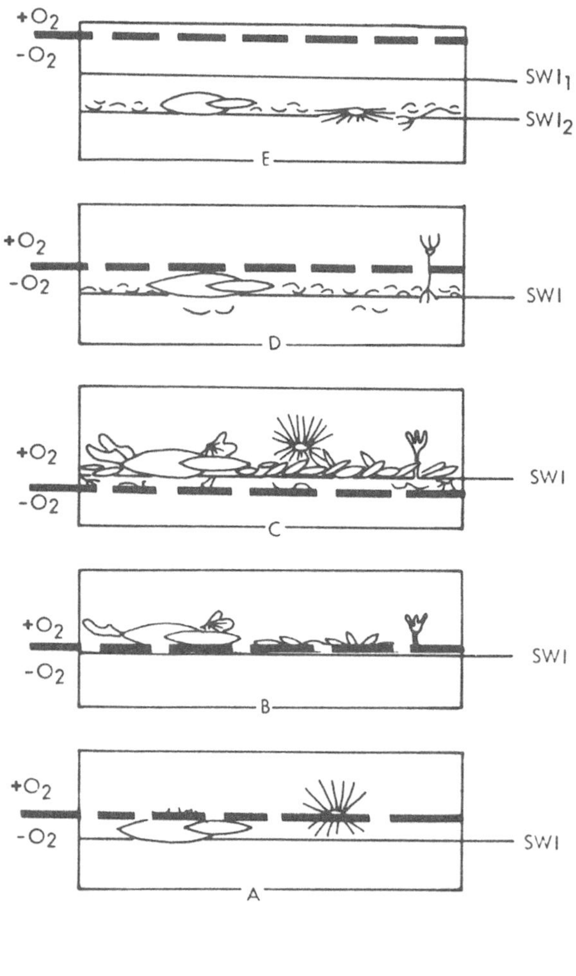

Abb. 118. Schwankungen der Grenze zwischen oxidierter (+ O_2) und reduzierter (– O_2) Zone in Kontakt mit dem Meeresboden (SW) und ihre Auswirkungen auf die benthonischen Organismen während der Ablagerung der bituminösen Schiefer von Holzmaden. (E.G. Kauffman 1973)

2. Einbettung

Entsprechend ihrer Dichte sanken die toten Organismen mehr oder weniger tief in den weichen Schlamm ein. Anschließend wurden sie allmählich von den Tonpartikelchen zugedeckt, die das Ausgangsmaterial der bituminösen Schiefer darstellen. Aber die **Sedimentationsgeschwindigkeit** war so gering, daß sich die Teile des Skeletts, die über den Schlamm herausragten, zersetzten. Daher werden die Fossilien stets auch von ihrer Unterseite her freipräpariert, weil diese allein gut erhalten blieb.

Andererseits mußten sich die Kalkbänke, die ärmer an organischer Substanz sind, rascher als die Mergel abgelagert haben.

3. Diagenese

Man schätzt, daß die **Kompaktion** des Sediments, die während der Diagenese eintrat, die ursprüngliche Dicke im Verhältnis 1 : 20 reduzierte, d.h. aus 20 cm ursprünglicher Schlammdicke entstand 1 cm Schiefer. Dies erklärt die bedeutende Abflachung der Fossilien, insbesondere der Ammoniten, die zu dünnen Scheiben reduziert wurden. Zudem traten verschiedene physikalisch-chemische Umwandlungen ein, so z.B. die **Auflösung** des Aragonits in den Ammonitenschalen, von denen lediglich die Hülle des Periostrakums erhalten blieb. Der Kalzit der Belemnitenrostren und der Muschelschalen dagegen blieb als solcher erhalten.

V. Umwelt

Der stenohaline Charakter der Organismen zeigt ein rein marines Milieu an. Die Regelmäßigkeit der Schichtung spricht für eine weite Ausdehnung des Wasserkörpers.

Die Treibhölzer kamen von weit entfernten Küsten. Dort erfolgten auch die ersten Entwicklungsschritte der Steneosaurier und der Flugsaurier. Häufig war Leben nur in der oberflächennahen Wasserschicht möglich, wo eine ausreichende Durchlüftung vorlag. Jedoch bleibt die Fauna artenarm, da die Existenzbedingungen schwierig waren. Von den Wirbeltieren scheinen nur die Ichthyosaurier dort gelebt und sich fortgepflanzt zu haben, wo sie eingebettet wurden. Cephalopoden und Crinoiden konnten einen bemerkenswert langen Transport überstanden haben, bevor sie zu Boden sanken. Es handelt sich damit vorwiegend um eine **Thanatozö-**

nose. Die schönen in den Sammlungen aufbewahrten Fossilien dürfen keine falschen Vorstellungen erwecken: die Mehrheit der Sammlungsstücke ist unvollständig oder zerbrochen; vollständig erhaltene Exemplare stellen die Ausnahme dar.

Im unteren Toarcien scheint die Gegend von Holzmaden einer Meeresbucht zu entsprechen, wo **stehendes Wasser** die Ablagerung von feinstem Detritus ermöglichte und wo nahe dem Meeresboden reduzierende Bedingungen, die der Ausbreitung des Lebens entgegenstanden, die Fossilisation organischer Substanz begünstigten. Derartige Bedingungen herrschen derzeit am Boden des Schwarzen Meeres.

Der euxinische Charakter des Sedimentationsmilieus wurde häufig unterbrochen von Strömungen, welche den zum Boden abgesunkenen Organismen eine gewisse Orientierung verliehen, das Wasser durchlüfteten und die zeitweilige Ausbreitung einer benthonischen Fauna ermöglichten.

Oberflächennahe Strömungen, die Jahrtausende lang anhielten, sorgten für die Anhäufung von nektonischen und pseudoplanktonischen Lebewesen, welche die benachbarten Gewässer besiedelten. Die Fossillagerstätte von Holzmaden erscheint so als riesiger **mariner Friedhof**.

Literatur

Aldinger H (1965) Zur Ökologie und Stratinomie der Fische des Posidonienschiefers (Lias epsilon). Senckenb Lethaea 46A:1–12

Brenner K (1976) Biostratinomische Untersuchungen im Posidonienschiefer (Lias epsilon, Unteres Toarcium) von Holzmaden (Württemberg, Süd-Deutschland). Zentralbl Geol Paläontol Teil II: 223–226

Brenner K, Seilacher A (1978) New aspects about the origin of the Toarcian Posidonia Shales. Neues Jahrb Geol Paläontol Abh 157:11–18

Einsele G, Mosebach R (1955) Zur Petrographie, Fossilerhaltung und Entstehung der Gesteine des Posidonienschiefers im Schwäbischen Jura. Neues Jahrb Geol Paläontol Abh 101:319–430

Hauff B (1960) Das Holzmadenbuch. 80 T. F Rau, Öhringen, 54 S

Kauffman EG (1978) Benthic environments and paleoecoloy of the Posidonienschiefer (Toarcien). Neues Jahrb Geol Paläontol Abh 157:18–36

Urlichs M, Wild R, Ziegler B (1979) Fossilien aus Holzmaden. Stuttgarter Beitr Naturkde Ser C H 11:34

Kapitel 13 Die Lagune von Solnhofen

Seit mehreren Jahrhunderten werden die lithographischen Kalke Nordwestbayerns zwischen München und Nürnberg zur Gewinnung von Platten abgebaut. In dieser Formation, die ins **untere Portlandium** gehört, finden sich berühmte Fossilvorkommen, deren bekannteste die von Solnhofen und von Eichstätt sind.

I. Das Sediment

1. Petrographische Merkmale

Die Kalke aus der Umgebung von Solnhofen bestehen zu 96 bis 98% aus **Mikrit**, d.h. aus mikrokristallinem Kalzit. Dieser stammt z.T. aus Coccolithen. Das besonders feine und einheitliche Korn des Gesteins machte es zum begehrten Material für die Lithographie.

Im Aufschluß zeigt der Kalk eine schöne gelbe Farbe mit einem Mangandendriten-Dekor längs feinster Risse und Klüfte. In Wirklichkeit hat das frische Gestein eine graublaue Farbe, die auf **Schwefeleisenverbindungen** zurückgeführt wird. Die Oxidation dieser Sulfide an der Luft gibt ihm erst die typische gelbe Farbe.

2. Schichtmerkmale

a) Bankung und Feinschichtung

Die Kalke des unteren Portlandien entsprechen in der Umgebung von Solnhofen der Ausfüllung eines Systems **kleiner Becken**, die voneinander durch Schwammriffe getrennt waren. Eine **Riffbarriere**, die etwa in Richtung der heutigen Donau verlief, trennte die Gesamtheit dieser Becken vom offenen Meer, das sich weiter im Süden anschloß. Die Mächtigkeit der Serie reicht zwischen Beckenrändern und Beckenzentrum von einigen

Metern bis zu mehr als 60 m. Zudem werden die Bänke mächtiger, und die Kalke übertreffen zunehmend die Mergel.

Die Ablagerungen stellen sich somit als eine ruhige und regelmäßige Aufeinanderfolge von Kalkbänken („*Flinzen*") und mehr mergeligen Lagen („*Fäulen*") dar. Die Dicke jeder Lage wechselt zwischen einigen Millimetern und 30 cm. Ihre horizontale Ausdehnung ist groß: manche Schichten lassen sich über 8 km Entfernung verfolgen. Die Kalk- und Mergelbänke bestehen aus einer Anhäufung von feinen millimeterdicken Laminen mit annähernd horizontaler Lagerung und allgemein glatter Oberfläche.

b) Sedimentgefüge

Die regelmäßige Anordnung der Schichtung und Laminierung ist lokal durch subaquatische Rutschungen und Belastungsmarken gestört. Die

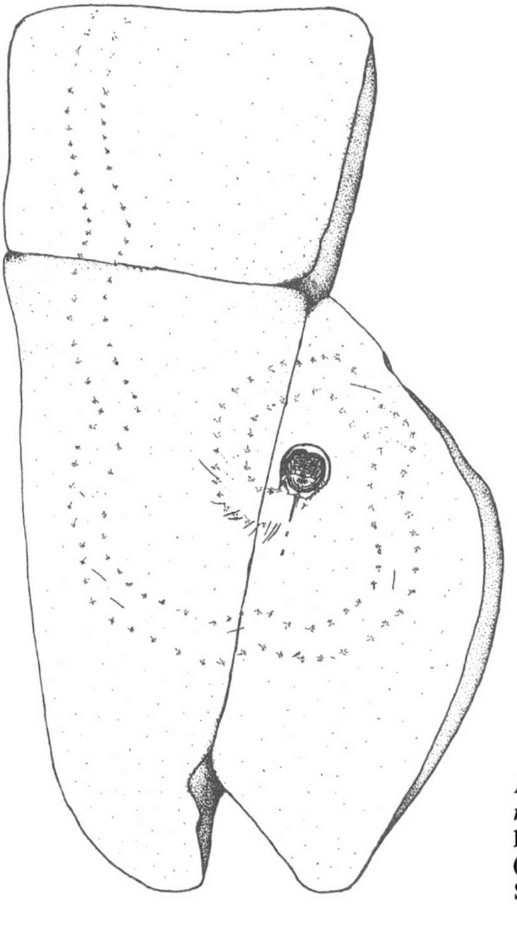

Abb. 119. „Agoniefährte" eines *Limulus* an der Oberseite einer Bank des lithographischen Kalkes von Solnhofen (nach einer Platte im Museum von Solnhofen)

Existenz von Strömungen konnte nur in den östlichen Bereich des Vorkommens nachgewiesen werden, wo gradierte Schichtung, Strömungs- und Gegenstandsmarken zu beobachten sind. Anderswo deuten nur Einregelungen bestimmter Fossilien (Fische) und Rollspuren von Ammoniten auf bescheidene Strömungen (Abb. 119). Die seltenen Rippelmarken sind Oszillationsrippel.

Die Hypothese einer zeitweiligen Emersion des Sedimentationsbereiches konnte nicht bestätigt werden; die von einigen Autoren beschriebenen Trockenrisse sind eher als subaquatische Schrumpfrisse zu erklären.

II. Die Fauna

Mehr als 600 Tierarten wurden in den lithographischen Kalken nachgewiesen. Die meisten finden sich in ganz bestimmten Lagen. Jedoch dürfen die Vielfalt und der erstaunlich gute Erhaltungszustand der Organismen nicht über deren geringe Anzahl hinwegtäuschen. Nur die geduldige Suche seit über 100 Jahren durch eine große Anzahl von Sammlern hat es ermöglicht, eine solch große Zahl paläontologischer Funde zusammenzutragen.

1. Wühlende Organismen

Die Feinschichtung des Sediments ist nie bioturbat gestört. Dies gilt als Hinweis auf das Fehlen wühlender Organismen.

2. Benthonische Organismen

Im Verhältnis zur gesamten Fauna sind Organismen, die am Boden lebten, selten.

Die **Makrofauna** umfaßt polychäte Anneliden (*Eunicites*), von denen Kauapparat und Borsten (Aciculum) der Parapodien manchmal erhalten blieben, Crustaceen (*Aeger, Eryma, Eryon . . .*) mit erstaunlich gut erhaltenen Anhängseln, Pfeilschwanzkrebse (*Mesolimulus*) (Abb. 118) und Echinodermaten (Ophiuren, Seeigel, Holothurien). In der Regel sind Pfeilschwanzkrebse und Crustaceen durch **Jugendstadien** vertreten; Vertreter im Reifestadium sind selten.

Die **Mikrofauna** setzt sich aus Foraminiferen (Nodosarien, Miliolen) und Ostrakoden zusammen.

3. Nektonische Organismen

a) Coelenteraten

Die außergewöhnliche Qualität der Fossilerhaltung in den lithographischen Kalken wird besonders deutlich durch die Erhaltung von **Medusenabdrükken**. Obwohl recht selten und meistens unbestimmbar, zeigten einige Exemplare Besonderheiten der Schirmmuskulatur und Einzelheiten der Morphologie (*Rhizostomites*).

b) Cephalopoden

Etwa dreißig **Ammonitenarten** wurden in den Kalken von Solnhofen nachgewiesen (*Perisphinctes, Oppelia, Aspidoceras* . . .). Zahlreiche Exemplare enthalten noch **Aptychen** in der Wohnkammer. Einige zeigen Reste der Weichteile.

Die dibranchiaten Mollusken umfassen **Belemniten** und den heutigen Kalmaren nahestehende Formen, die bis zu 1,50 m Länge erreichen konnten. Bei einigen Funden waren sogar Tintenbeutel und die hakenbewehrten Fangarme fossilisiert (*Acanthoteuthis*).

c) Fische

Eine eindrucksvolle Liste von 150 Fischarten wurde aus den lithographischen Kalken erstellt: Knorpelfische, Coelacanthinen und Knochenfische.

Die Knorpelfische sind durch Haie und Chimären vertreten. Der Reichtum der Fischfauna von Solnhofen ist jedoch besonders interessant bei den Knochenfischen, wo sich in Form und Größe sehr unterschiedliche Arten nebeneinander finden (*Lepidotus* kann über 2 m Länge erreichen). *Leptolepis*, ein Teleostier von einigen cm Länge, ist bei weitem der häufigste Fisch. Ein umfangreiches Fundmaterial junger und ausgewachsener Exemplare von *Aspidorhynchus* ermöglichte es, schrittweise die morphologischen Veränderungen während der Ontogenese zu verfolgen. Darüber hinaus konnte bei mehreren Arten dank ihres ausgezeichneten Erhaltungszustandes der Mageninhalt untersucht werden.

d) Reptilien

Die marinen Reptilien sind in Solnhofen durch seltene Reste von **Ichthyosauriern**, durch **Schildkröten** und **Krokodile** vertreten. Bestimmte Schildkröten (*Eurysternum*) haben einen eingedrückten Panzer, der unvollständig verknöchert war. Diese Gewichtsreduzierung des Körpers ist eine Anpassungserscheinung an das Leben auf der hohen See. Auch bei den Krokodilen gibt es pelagische Formen, die eine Rücken- und eine Schwanzflosse trugen (*Geosaurus*).

4. Planktonische Organismen

Die Kalkplättchen der **Coccolithophoriden** bilden einen hohen Anteil an den Kalken. Diese Flagellaten sind Bestandteil des Nannoplanktons.

Saccocoma, ein kleiner Crinoide ohne Stiel, ist das einzige Fossil, das in Solnhofen wirklich häufig auftritt. Millionen von Exemplaren wurden in den Sedimentationsbereich eingeschwemmt.

Unter den planktonischen Formen, die durch die Wellen weit verstreut wurden, finden sich auch abgeflachte **Larven** höherer Krebse (Palinuren).

5. Pseudoplanktonische Organismen

Die selten in den Solnhofener Kalken gefundenen Muscheln wurden in das Sedimentationsgebiet durch treibende Objekte wie Algen oder Schalen, auf denen sie befestigt waren, eingeschwemmt. So bewachsen manchmal junge Austern (*Ostrea*) die Schalen von Ammoniten.

6. Terrestrische Organismen

Organismen, die auf dem festen Lande lebten, sind äußerst selten vertreten. Ein Rhynchocephale, *Homoeosaurus*, ist durch rund zwanzig Skelette bekannt. Genau wie die heutigen Eidechsen scheint dieses Wirbeltier auch die Fähigkeit besessen zu haben, seinen Schwanz zu regenerieren. Letzterer wurde mehrere Male im Mageninhalt von Fischen gefunden.

Compsognathus, ein anderes terrestrisches Reptil, war ein Fleischfresser, denn im Magen des einzigen gefundenen Exemplars fanden sich Reste eines anderen Reptils, die eindeutig zur Gattung *Homoeosaurus* gehören.

7. Flugfähige Organismen

a) Insekten

Eine Menge Insekten (83 Gattungen, 141 Arten) wurden in den Solnhofener Kalken entdeckt: Ephemeriden, Libellen, Blattiden, Orthopteren,

Coleopteren, Neuropteroiden, Lepidopteren, Dipteren, Hymenopteren und Hemipteren. Die Zahl der Individuen bleibt jedoch meistens gering. Einige Orthopteren (*Chresmoda, Elcana*) mit speziell entwickelten Beinen konnten sich an der Wasseroberfläche fortbewegen. Die Muskulatur ihrer Extremitäten wurde manchmal fossilisiert.

b) Pterosaurier

Die fliegenden Reptilien von Solnhofen (*Pterodactylus, Rhamphorhynchus*) haben in großem Maße zur Kenntnis dieser Gruppe beigetragen. Ihr Erhaltungszustand ist beachtlich gut: Flughäute, Körperbehaarung, Schwimmhäute der Hinterextremitäten und Mageninhalt konnten untersucht werden. Ihre Größe schwankte zwischen der eines Sperlings und der eines Adlers. Diese Tiere waren ausgezeichnete Segler und wahrscheinlich auch gute Taucher. Sie ernährten sich von Insekten und von Fischen.

c) Vögel

Das berühmteste Fossil von Solnhofen ist der *Archaeopteryx*, ein Vogel mit noch zahlreichen Reptilmerkmalen, besonders Zähnen und Schwanz. Bisher wurden fünf Exemplare gefunden. Bei dreien davon ist das Federkleid erhalten.

III. Die Flora

Pflanzen sind in Solnhofen sehr selten: einige Farne, einige Ginkgogewächse (*Baiera*), einige Koniferen (*Brachyphyllum*) und verschiedene Pflanzenreste, die Algen zugeordnet werden. Sie deuten auf ein **tropisches Klima**.

IV. Zeugnisse biologischer Tätigkeit

1. Agoniefährten

Die am stärksten beeindruckenden paläoökologischen Funde, die in Solnhofen zutage gefördert wurden, bestehen aus Fährten, die in direkter Verbindung mit dem Körper ihres Verursachers stehen (Abb. 119). Diese

Spuren stellen den Verlauf der letzten Fortbewegung des Tieres dar, kurz bevor es starb. Es handelt sich um echte Agoniefährten. In dieser Form wurden **Pfeilschwanzkrebse** freigelegt, die am Ende einer langen von den Fußabdrücken und dem Telson stammenden Spur lagen. Rund um den Körper selbst deuten zahlreiche Abdrücke des Telsons darauf hin, daß das Tier nach einem Todeskampf starb. Auch **Crustaceen** (*Mecochirus*) wurden in vergleichbarer Situation gefunden.

2. Bewegungsspuren

Verschiedene Bewegungsspuren wurden von Invertebraten hinterlassen: Ammoniten, dibranchiate Cephalopoden, Crustaceen, Echinodermaten. Einige Spuren wurden von gestorbenen Organismen hervorgerufen, deren Körper oder Schalen die Sedimentoberfläche streifte (Medusen, Ammoniten).

3. Koprolithe und Speiballen

Koprolithe von verschiedener Fom und Größe stammen von Fischen und Cephalopoden (*Lumbricaria*). Speiballen, die aus Fragmenten von Fischen, Cephalopoden und Crinoiden bestehen, werden Fischen und Krokodilen zugeordnet.

V. Fossilisationsvorgänge

Der Erhaltungszustand der Fossilien von Solnhofen ist erstaunlich: Abdrücke von Medusen und Federn, vollständig erhaltene Anneliden, Crustaceen und Insekten mit vollständigen Körperanhängseln . . . Ein ausnahmsweise günstiges Zusammentreffen von Faktoren führte zu diesem Ergebnis.

1. Wasserbewegung

Mit Ausnahme des östlichen Beckenteiles machten sich bei der Ablagerung der lithographischen Kalke nur schwache Strömungen episodisch bemerkbar. Ihre Existenz ist nachweisbar durch die Einregelung, die sich manch-

Abb. 120. Einregelung von 266 Fischen (*Leptolepis*) an der Oberfläche einer Kalkplatte von Solnhofen (die **Pfeilspitze** zeigt die Lage des Kopfes an) (V. Janicke 1960)

mal an den Resten von Fischen oder Schlangensternen und den Rollspuren von Ammonitengehäusen zeigt (Abb. 120). Die Beobachtung, daß einzelne Skelettelemente untereinander verbunden blieben oder Aptychen mit der konvexen Seite nach unten orientiert eingebettet wurden, sind Zeichen eines ruhigen Milieus. Allgemeiner noch sind die Feinheit des Sedimentes und die schöne Regelmäßigkeit der Schichtung und Feinschichtung Ausdruck **schwacher hydrodynamischer Verhältnisse.**

2. Sedimentationsraten

Eine gewisse Zahl von Fossilien liegt schräg zur Schichtung im Sediment. Belemnitenrostren und Pflanzenreste durchschneiden mehrere Feinlagen einer Gesteinsbank (Abb. 121). Ammonitengehäuse wurden in vertikaler Stellung gefunden. Diese Beobachtungen sprechen für eine rasche Sedimentation. Das Auftreten von Belastungsmarken läßt ebenfalls auf hohe

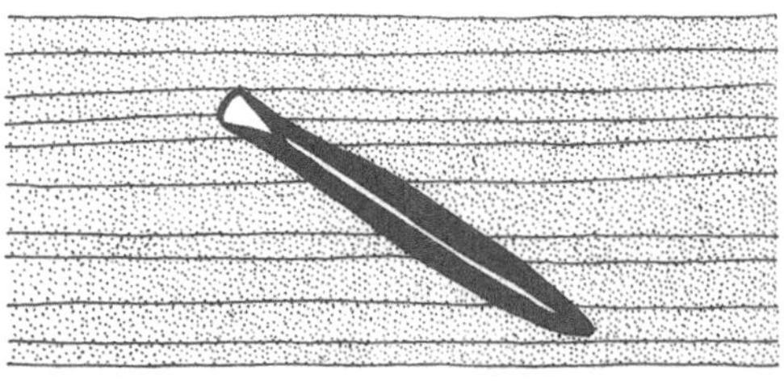

Abb. 121. Belemnitenrostrum, das in eine Bank des lithographischen Kalkes schräg eingebettet wurde (Anzeichen einer hohen Sedimentationsrate)

Sedimentationsraten schließen, wobei die Ablagerung auf noch stark wassergetränktem Schlammuntergrund erfolgte.

Mehrere Kalkschichten konnten sich innerhalb einiger Tage abgelagert haben. Derartige Bedingungen sind außerordentlich günstig für die Fossilisation.

3. Anaerobe Bedingungen

Die Zersetzung der organischen Substanz wurde durch den reduzierenden Charakter des Schlammes gehemmt. Dies läßt sich aus dem Vorhandensein von Eisensulfiden in den nicht verwitterten Gesteinen ableiten. Die Feinkörnigkeit des Sediments, die Regelmäßigkeit der Schichtung und Bänderung, das Fehlen grabender und wühlender Organismen und die Seltenheit des Benthos bestätigen eine gewisse Stagnation des Wassers.

Die Agoniefährten lassen sich somit leicht erklären: die Tiere fanden beim Eindringen in ein abgeschlossenes Milieu, in dem Sauerstoffmangel herrschte, einen raschen Tod am Boden.

4. Feinkörnigkeit des Sediments

Die Feinkörnigkeit der lithographischen Kalke war entscheidend für die Überlieferung der kleinsten morphologischen Details.

5. Periodische Hypersalinität des Wassers

Neuerdings wurde die Hypothese aufgestellt, daß der Sedimentationsraum **periodisch hypersalin** wurde. Derartige Bedingungen rufen ein **Massensterben** der benthischen Fauna hervor und begünstigen zugleich die Fossilisation der Organismen. Ein Rasen von **Blaugrünalgen** überzog dann die Organismenreste mit einer Schutzdecke, während die rasche Ausfällung eines **feinen Kalkschlammes** die Erhaltung der geringsten Einzelheiten der Lebewesen ermöglichte.

6. Diagenese

Bei der **Kompaktion** verlor das Sediment das vier- bis achtfache seines ursprünglichen Volumens, wodurch die meisten Fossilien eine **Abplattung** erfuhren.

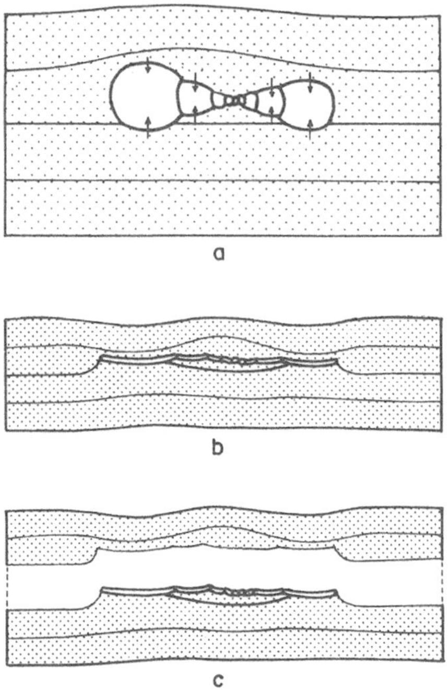

Abb. 122. Bildung eines „Sockels" unter einem Ammoniten in den lithographischen Kalken durch Verdrückung der Schale und Verdichtung des Sedimentes (die *Pfeile* geben die Richtungen des Drucks an, der auf das Fossil nach seiner Einbettung ausgeübt wird. (L. van Straaten 1971)

Bestimmte Makrofossilien (Ammoniten, Crustaceen, Fische) liegen erhöht auf einer Art **Sockel** auf der Bankoberfläche. Derartige Organismen waren samt ihren Weichteilen oder wassergefüllten Hohlräumen rasch eingebettet worden. Während die Dichte des umgebenden Sediments infolge der Kompaktion zunahm, begann das leichter bleibende Fossil „aufzusteigen". Eine sich im Sediment einstellende Kompensation bewirkte schließlich die sockelförmige Verformung der Sedimentlagen (Abb. 122).

VI. Umwelt

Die lithographischen Kalke von Solnhofen nehmen ein weites, etwa 100 km langes und 30 km breites Becken ein, das durch Schwammriffe in eine Reihe von Wannen unterteilt war. Ein großes Barriereriff schirmte es gegen das offene Meer ab (Abb. 123).

In dieser **Lagune** war das Stillwasser mit mittleren Tiefen um 50 m einer intensiven Verdunstung unter tropischem Klima ausgesetzt. Das wenig belüftete Wasser stagnierte und verarmte an Sauerstoff. In der Tiefe entwickelten sich deutlich reduzierende Bedingungen mit Schwefelwas-

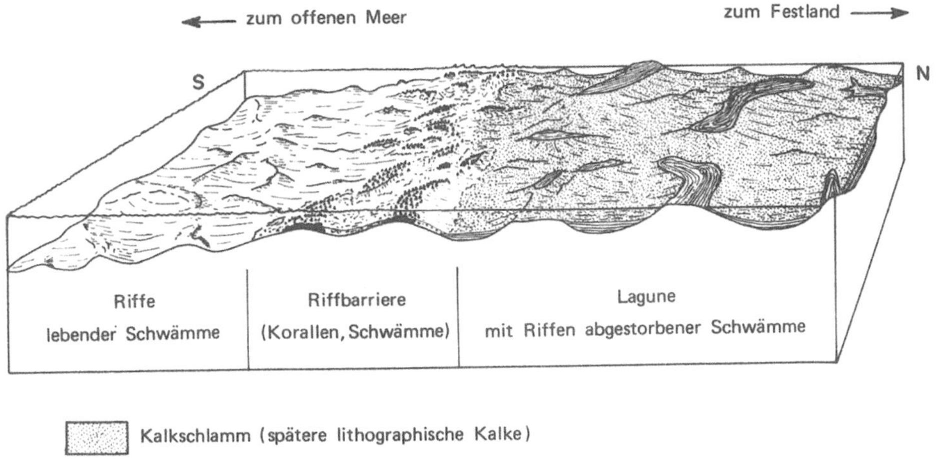

Abb. 123. Paläogeographie des Gebietes von Solnhofen während der Ablagerung der lithographischen Kalke. (Verändert nach K. Barthel 1970)

serstoffbildung, aus dem schließlich das Eisensulfid des Sediments entstand. Ein solches Milieu erwies sich als tödlich für die Wasserfauna.

Periodisch erfolgte in der Lagune eine kräftige Karbonatsedimentation, welche die Organismen rasch einbettete. Vom Meer oder von nahegelegenen Riffen her wurde der Kalkschlamm längs der Hänge in Bewegung gesetzt und in Form von dichten langsamen **Trübestömen** (*turbidity currents*) in Richtung der Wannenzentren transportiert, wo er sich als horizontal weit ausgedehnte regelmäßige Bedeckung niederließ. Aus ihm gingen die Kalkbänke (**„Flinzen“**) hervor. Zwischen zwei aufeinanderfolgenden Kalksedimentschüben setzten sich Mergellagen (**„Fäulen“**) ab. Dieser Mechanismus, der sich viele Male im Laufe der Zeit wiederholte, ist verantwortlich für die schöne, regelmäßige Schichtung. Auf ihrem Weg rissen die Ströme Organismen, die nahe den Küsten in der Nachbarschaft der Riffe oder auf dem trockengefallenen Land lebten, mit sich. In dem lebensfeindlichen Tiefenwasser starben die Lebewesen einen raschen Tod aus Mangel an Sauerstoff oder durch Erstickung im Schlamm. Ihre Sterbespuren weisen diese Geschichte nach. Die geringe Geschwindigkeit der Strömung in den dichteren Tiefenwässern der Lagune zeigt sich in der Seltenheit von Erosionsfiguren und in der Selektion der mitgerissenen Arthropoden. Diese bestehen nämlich hauptsächlich aus jugendlichen Formen, die einer Mitnahme im Strom nur einen geringeren Widerstand leisten konnten als die erwachsenen Formen.

Für bestimmte Autoren soll das Massensterben der aquatischen Fauna auf das periodische Auftreten von sog. **Rotwassern** zurückzuführen sein, d.h. auf die plötzliche starke Vermehrung des Phytoplanktons, dessen

Anhäufung vermehrt Toxine und eine bedeutende Abnahme des gelösten Sauerstoffs hervorruft. Speziell sollen die Coccolithophoriden, deren Gehäuseelemente in großer Zahl in den Kalkbänken auftreten, die Verursacher dieses Vorganges gewesen sein.

Für andere soll das Wasser einem vielfach wiederholten **Wechsel von hypersalinen und normalen marinen Bedingungen** unterworfen gewesen sein. Als das Wasser übersalzen war, vermehrten sich die blaugrünen Algen besonders stark. Ihre Lebenstätigkeit rief besonders starke Kalkfällung hervor. Während der Episoden normaler Salinität starben die Algenmatten ab, und auf den so freigelegten Flächen häuften sich planktonische und nektonische Organismen an oder fanden sich für eine Zeitlang benthonische Formen ein. Eine neue Episode der Stagnation und Übersalzung des Wassers brachte das Benthos zum Absterben, und die Blaugrünalgen kehrten zurück. Indem sie die Skelette und Leichen der Organismen überdeckten, verhinderten die Algenmatten deren Zersetzung und sicherten so ihre Fossilisation in einer mikritischen Grundmasse.

In einer Kalkbank vertritt eine Elementareinheit eine einzige Eiengungs- bzw. Eindampfungsepisode und entspricht im Mittel einer Dicke von 0,5 mm. Die Dauer eines solchen Ereignisses dürfte in der Größenordnung einer geringen Zahl von Jahren liegen.

Der **rhythmische** Ablauf der Sedimentation wird der Einwirkung des Windes zugeschrieben, der periodisch die Dichte des Lagunenwassers durchmischte.

Wie dem auch sei, die Organismen, die sterbend oder als Leichen in die Lagune gelangten, trafen dort auf optimale Fossilisationsbedingungen durch die rasche Einbettung in einem feinkörnigen und reduzierenden Sediment. Diese **Thanatozönose** war der Ausgangspunkt für eine der schönsten Fossillagerstätten der Welt. So hat während 250 000 Jahren die Lagune von Solnhofen die Rolle einer heimtückischen Falle für die Fauna der benachbarten Küstenregion dargestellt.

Literatur

Barthel KW (1970) On the deposition of the Solnhofen lithographic limestone (Lower Tithonian, Bavaria, Germany). Neues Jahrb Geol Paläontol Abh 135:1–18

Barthel KW (1978) Solnhofen. Ein Blick in die Erdgeschichte. Ott, Thun, 393 S

Buisonje PH de (1972) Recurrent red tides, a possible origin of the Solnhofen limestone. Proc K Ned Akad Wet B 75:152–177

Goldring R, Seilacher A (1971) Limulid undertracks and their sedimentological implications. Neues Jahrb Geol Paläontol Abh 137:422–442

Janicke V (1969) Untersuchungen über den Biotop der Solnhofener Plattenkalke. Mitt Bayer Staatssamml Paläontol Hist Geol 9:117–181
Keupp H (1977) Ultrafazies und Genese der Solnhofener Plattenkalke (Oberer Malm, Südliche Frankenalb). Abh Naturhist Ges Nürnberg 37:128
Kuhn O (1961) Die Tier- und Pflanzenwelt des Solnhofener Schiefers. Geol Bavarica 48:68
Straaten van LMJU (1971) Origin of Solnhofen limestone. Geol Mijnbouw 50:3–8

Kapitel 14 Die Küsten des Auversien-Meeres

Zu Beginn des Obereozäns, im **unteren Barton** oder **Auvers**, greift von Westen her eine marine Transgression auf das Pariser Becken über. Sie bildet einen Golf, der im Osten fast die Champagne erreicht und vom belgischen Becken durch die Artois-Schwelle getrennt wird. Randlich wird dieses Meer von einem Gürtel aus Seen und Lagunen begleitet (Abb. 124).

Die marinen Bildungen des Auversien treten in zahlreichen Sandgruben im Norden der Pariser Region zutage, insbesondere in den Departements Oise (Ermenonville) und Val d'Oise (Attainville, Auvers sur Oise, Le Guépelle, Ronquerolles . . .).

I. Das Sediment

1. Petrographische Merkmale

Die marinen Fazien des Auversien bestehen hauptsächlich aus kalkigen **Sanden** von gelber, grauer oder weißer Farbe, die manchmal zu Sandsteinen verhärtet sind. Lokal werden sie begleitet von tonigen oder kalkigen Einschaltungen. Die Sande können glaukonitisch sein. Die Häufigkeit von Schalentrümmern kann zu einem Biokalkarenit führen. Die mittlere Mächtigkeit der Formation beträgt 25 m.

a) Korngrößenverteilung

Allgemein sind die Sande des Auversien feinkörnig und gut sortiert. Statistisch nimmt der Medianwert (Q_2) von Westen (0,15 mm bei Paris) nach Osten (0,25–0,30 mm im Brie) zu. Außerdem wird die Sortierung in der gleichen Richtung schlechter und die Häufigkeitskurven nehmen eine zunehmend bimodale Form an. Diese räumliche Entwicklung wird als Hinweis angesehen, daß die klastische Anlieferung wahrscheinlich aus Osten kam.

Im höheren Teil der Formation, im Valois und Tardenois, enthalten sehr helle Sande einen hohen Anteil ovaler und mattierter Körner, die eine **äolische** Einwirkung anzeigen.

Lokal sind Gerölle anzutreffen, die aus der Aufarbeitung paläozoischer Gesteine der Ardennen, der Kreide und des Lutetien hervorgingen. Zahlreiche Fossilien aus dem unteren Eozän und sogar aus der Kreide wurden aufgearbeitet.

b) Schwermineralien

Das Schwermineralspektrum der Sande des Auversien umfaßt eine Gruppe von Durchläufermineralien, wie sie im gesamten Eozän des Pariser Beckens verbreitet sind (Turmalin, Zirkon, Rutil, Granat, Andalusit, Staurolith . . .), und wobei sich ein Überschuß von Turmalin überlagert. Die Gehalte dieses Minerals steigen regelmäßig von West nach Ost. Pomerol (1965)

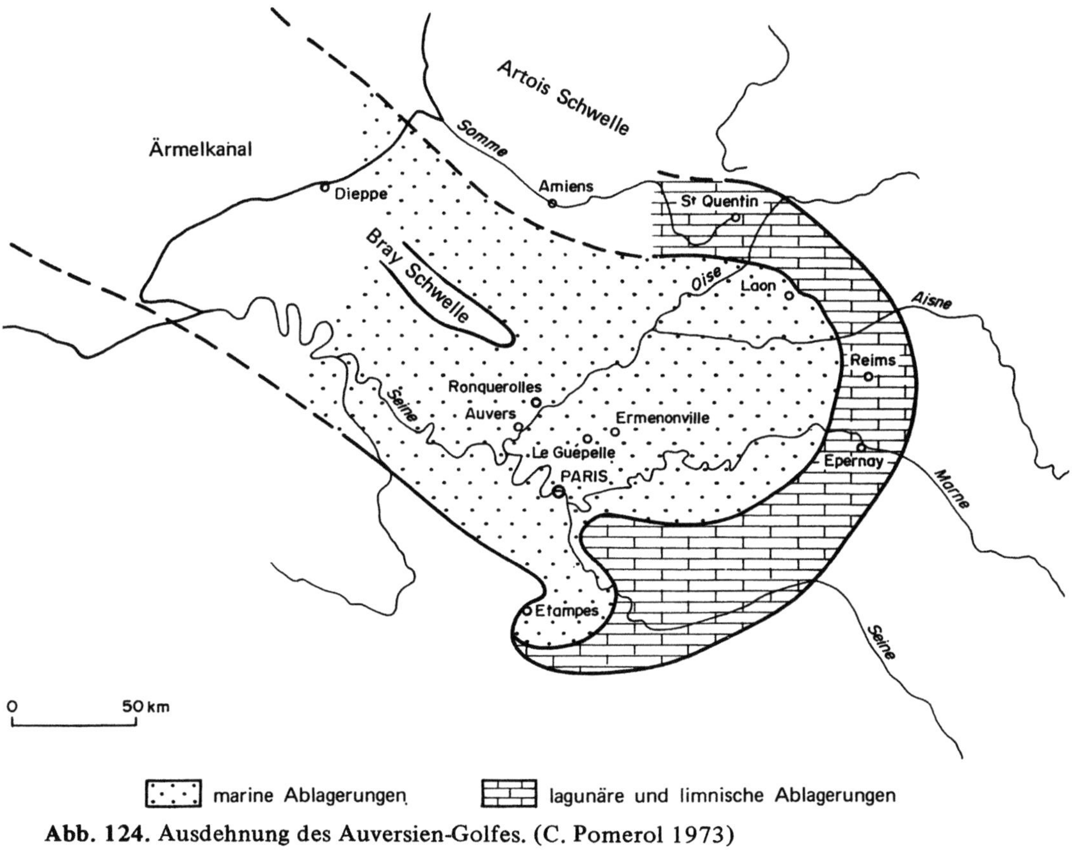

Abb. 124. Ausdehnung des Auversien-Golfes. (C. Pomerol 1973)

hat nachgewiesen, daß die Masse der Durchläufermineralien aus der Aufarbeitung von kretazischen und eozänen Sanden des Pariser Beckens hervorging, während der Turmalin aus den paläozoischen und triadischen Gesteinen der Ardennen und Vogesen stammt.

c) Organische Substanz

Einige Niveaus von Feinsand enthalten 2 bis 10% organischen Kohlenstoff. Dieser stammt zweifellos aus Pflanzenresten, deren genauere Natur noch unbekannt ist (Algen?).

2. Schichtmerkmale

Ein charakteristischer Zug der Ablagerungen des Auversien ist deren große laterale Faziesänderung. Die Profile ändern sich von einem Aufschluß zum anderen, und selbst in einem Aufschluß kann man nicht selten den Übergang eines Sandes in einen Schill oder einen Ton beobachten.

a) Schichtung

Die Schichtung der Sande des Auversien ist oft linsenförmig, die Bankdikken variieren von 0,20 m bis 2 m.

In den Feinsanden ist die Schichtung oft horizontal. Sie wird in den groberen Lagen oft schräg. Das Auftreten von Geröllen und von Schalentrümmern bestätigt dann ihren Transport durch kräftigere Strömungen.

Stark einfallende Schrägschichtungseinheiten werden als Ablagerungen in **Mäanderbarren** interpretiert, die sich an den Rändern von Prielen gebildet haben. Die Sande sind feinkörnig, die Schalen nicht abgenutzt, und Muscheln sind oft in Lebensstellung erhalten.

Schrägschichtungslaminen, deren Basis manchmal nach oben konvex ist, werden **äolischen Dünen** zugeordnet. Das Sediment ist sehr feinkörnig und sehr gut sortiert. Es enthält weder Gerölle noch Organismenschalen. Es fehlen darin auch mergelige Einschaltungen.

Die mangelnde Bindigkeit des Sediments erschwert die Beobachtung von Sedimentfiguren und die Messung von Paläoströmungen.

b) Strandsandsteine

In einigen Aufschlüssen des Auversien trifft man auf kalkige Sandsteinplatten von einigen Zentimetern Dicke. Die Oberseite ist scharf begrenzt und horizontal, im Gegensatz zur Unterseite, die unregelmäßig verläuft und weniger gut verbacken ist. Dieser verfestigte Horizont schneidet die Schrägschichtung des Sandes. Man dürfte diese Erscheinung den Strandsandsteinen gleichsetzen, die besser unter der englischen Bezeichnung **„beach rock"** bekannt sind und die sich heute innerhalb der Strandsande durch Ausfällung von $CaCO_3$ in der Kontaktzone Meerwasser/süßes Grundwasser ausbilden. Sie treten besonders häufig in tropischen Klimazonen auf. Diese lokalen Verhärtungen des Sediments widerstehen der Erosion und ergeben sandige Knollen.

c) Paläoböden

An der Oberseite der Auversienablagerungen erscheinen Sande und Sandsteine von dunkler Farbe, die reich sind an organischer Substanz und ein Wurzelsystem enthalten (Abb. 125). Manchmal lassen sich im Profil zwei Horizonte erkennen:
– ein **hellgrauer Auswaschungshorizont** von 10 bis 20 cm Dicke,
– ein **braunschwarzer Anreicherungshorizont**, der an humoser Substanz und Eisen angereichert ist und der allmählich in eine hellere Lage mit Pflanzenwurzeln übergeht.
Diese Paläoböden haben Podsolcharakter.

Von Westen nach Osten fortschreitend gehen die Strandsandsteine zu den Paläoböden über, ein Zeichen, das die Annäherung an das Festland ankündigt.

II. Die Fossilien

Die Sande des Auversien sind seit langem bekannt durch Fossilreichtum und -mannigfaltigkeit. In den Schillhorizonten liefern Fossilien über 50

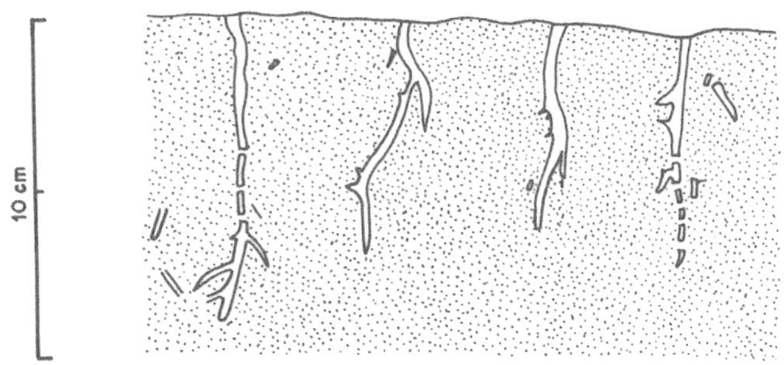

Abb. 125. Pflanzenwurzeln in einem Paläoboden des Auversien von Ronquerolles. (J.C. Plaziat 1971)

Gewichtsprozent des Gesteinsmaterials. Die Liste der Arten ändert sich von einem Vorkommen zum anderen.

1. Die Flora

Die Flora wird hauptsächlich gestellt von Resten von kalkfällenden Grünalgen aus der Familie der Dasycladaceen (*Dactylopora*). Oogonien von Characeen sind aus den lagunären Fazies bekannt geworden.

2. Die Fauna

a) Mikrofauna

Derzeit sind 125 **Foraminiferenarten** beschrieben, von denen allein 56 von der Lokalität Guépelle stammen. Es handelt sich um benthonische Formen, die den Miliolideen, Buliminideen, Polymorphinideen, Nummulitideen (*Nummulites variolarius*) ... zugehören. Ihre Vielfalt verringert sich von West nach Ost innerhalb des Auversiengolfes.

Ostrakoden in großer Zahl charakterisieren die Küstengewässer.

b) Makrofauna

α) Benthonische Organismen

Benthonische Organismen bilden den Hauptanteil der Auversienfauna. Man zählt manchmal 10 000 Individuen pro Kilogramm Sediment. Sie gehören verschiedenen Tierstämmen an: Anneliden (Serpuliden), Bryozooen, Madreporen, Scaphopoden, Gastropoden, Lamellibranchiaten, Echiniden und Crustaceen.

Die Mollusken stellen den stärksten Anteil mit mehr als 200 erfaßten Arten. Die relative Häufigkeit der Lamellibranchiaten und Gastropoden variiert von einem Vorkommen zum anderen. Bei Guépelle z.B. sind die Gastropoden siebenmal häufiger als die Lamellibranchiaten. Bei Ronquerolles dagegen herrschen letztere vor.

Die **Lamellibranchiaten** umfassen grabende (*Teredo, Solen, Cardium, Corbula* ...) oder festsitzende Formen (*Chama, Ostrea*). Die Schalen sind oft dick (*Meretrix, Cardita* ...) und zeigen oft noch Reste ihrer ursprünglichen Pigmentierung.

Die **Gastropoden** umfassen fleischfressende Vertreter (*Cerithium, Natica* . . .). Diese sind zweifellos teilweise verantwortlich für die Perforation zahlreicher Schalen. Aber der größte Teil der Arten scheint pflanzenfressend gewesen zu sein (*Bayania, Rissoa, Ringicula* . . .). In einigen Lagen herrschen Gastropoden vor, die besonders gut an Variationen der Salinität angepaßt oder gar Süßwasserformen sind (*Hydrobia, Planorbis* . . .).

Die **Crustaceen** sind nachgewiesen durch Scheren von Decapoden, die Wohnbauten gruben (*Calianassa*).

β) Nektonische Organismen

Fische sind nachgewiesen durch Funde von Otolithen und Zähnen (*Lamna*).

γ) Terrestrische Organismen

Das Vorkommen von Guépelle hat **Schildkrötenreste** und eine **Säugerfauna** geliefert, unter der pflanzenfressende Perissodactyla (*Lophiodon, Palaeotherium* . . .) und einige Fleischfresser (*Hyaenodon*) vertreten waren.

Die Einschaltung einer festländischen Fauna zwischen marinen Lagen ist von größter Wichtigkeit für die stratigraphischen Korrelationen im Eozän.

III. Die Merkmale der Umwelt

1. Die Salinität

Mannigfaltigkeit der Organismen und Vorkommen von stenohalinen Gruppen (Bryozoen, Madreporarien, Echiniden . . .) kennzeichnen die **marinen Faunen**. Von der Foraminiferen, Gastropoden und Lamellibranchiaten bevölkern noch viele Gattungen die heutigen Meere.

Verschiedene Niveaus enthalten eine verarmte Fauna. Die Schalengrößen bleiben deutlich unterhalb des Durchschnitts. Außerdem werden die euryhalinen Arten häufiger. Diese Feststellungen kennzeichnen eine beginnende Aussüßung des Wassers, so wie sie sich in **Lagunen** vollzieht.

Andere Vorkommen liefern **Süßwasserschnecken**, die manchmal mit terrestrischen Säugetierknochen vermengt auftreten. Derartige Ablagerungen rühren wahrscheinlich von der Überflutung eines kleinen Küstenflusses her.

Zusammenfassend läßt sich feststellen, daß die Auversienfauna als typisch für ein marines Milieu anzusehen ist. Das Auftreten von **Glaukonit** bestätigt dies. Häufige Episoden von Verbrackungen infolge von Süßwasserzufuhren wirkten sich jedoch auf die tierischen und pflanzlichen Populationen aus.

2. Die Bathymetrie

Die Anzeichen geringer Wassertiefe sind zahlreich, wie z.B. in den Strandsandsteinen und den häufigen Schrägschichtungen. Außerdem beweist das Vorkommen von Paläoböden in den örtlichen Aufschlüssen die Nähe aufgetauchten Landes.

Die Zusammensetzung der Fauna, von der zahlreiche Gattungen noch heute die Küstengewässer bewohnen, widerspiegelt ein Flachwasserbiotop. Die Decapoden-Krebse legen ihre Wohnbauten im Strandbereich an. Das gleiche gilt für bohrende Mollusken. Die meisten Schnecken leben in den Algenrasen der litoralen Zone.

Die Sande des Auversien mit ihrer reichen Schalentierfauna entsprechen Ablagerungen **mariner Strände**, an denen die Wasserbedeckung kaum einige Zehner von Metern überschritt.

3. Die Temperatur

Die Bestimmung des Isotopenverhältnisses O_{16}/O_{18} in den Karbonaten der Schalen verschiedener mariner Mollusken (*Meretrix, Corbula* . . .) ermöglichte es, die mittlere Wassertemperatur, bei der diese Tiere lebten, auf 25 °C abzuschätzen. Das Vorliegen eines warmen Meeres wird durch das Auftreten von Madreporarien und die Dicke der Kalkschalen (Foraminiferen, Mollusken) bestätigt. Im Auversien muß im Pariser Becken ein **tropisches Klima** vorgelegen haben.

4. Die hydrodynamischen Verhältnisse und die Vergesellschaftungen der Organismen

a) Thanatozönosen

Zahlreiche Grobsande mit Schrägschichtung enthalten Schalen, die zum größten Teil abgenutzt oder zerbrochen sind. Manchmal sind sie in Taschen angereichert oder nach der Größe sortiert. Die Muschelklappen liegen mit der konvexen Seite nach oben. In solchen Fossilvorkommen erreicht die Fauna ihr Maximum an Mannigfaltigkeit und Dichte (in 1 g Sandstein mit *Nummulites variolarius* hat man im Mittel 650 Individuen gezählt!). Sie wurde an bevorzugten Stellen durch Meeresströmungen zusammengeschwemmt, die die leeren Schalen verschiedener Biotope antransportierten. Derartige Konzentrationen toter Organismen stellen Thanatozönosen dar. Aus ihnen gehen die **Schillbänke** hervor. Manchmal betrifft die Allochthonie der Organismen nur bestimmte Gruppen. So zeigen in dem Vorkommen von Ronquerolles die Gastropoden deutliche Abnutzungsspuren, während die Muschelschalen oft unversehrt sind. Letztere lebten somit in der Nähe ihres Einbettungsortes.

b) Paläobiozönosen

Die Feinsande enthalten im allgemeinen eine weniger mannigfaltige Fauna. Selbst die zerbrechlichen Schalen sind unversehrt, und Abnutzungsspuren bleiben unscheinbar. Diese Vorkommen sind charakterisiert durch die Koexistenz von jungen und alten Entwicklungsstadien. Austernschalen finden sich zusammen mit ihrer Unterlage, auf der sie festgewachsen waren. Weiterhin beweisen Wühlbauten grabender Organismen und Muscheln in Lebensstellung die Autochthonie der Fauna. Trotz einer vorhandenen Schrägschichtung entstanden derartige Niveaus in nur leicht bewegtem Wasser, wodurch für die meisten Organismen eine Fossilisation in ihrem Lebensraum möglich wurde. Man kann solche Gemeinschaften als Paläobiozönose einordnen.

c) Rasenbildungen

Bestimmte feinkörnige, gutsortierte und sehr fossilreiche Sande zeichnen sich durch hohe Gehalte an organischem Kohlenstoff aus (2 bis 10 Gewichtsprozent des Gesteins). Diese Substanz stammt wahrscheinlich aus Wasserpflanzen. Die Fauna ist artenarm, aber individuenreich. Die Milioliden und die pflanzenfressenden Gastropoden sind zahlreich. Die Schalen der Lamellibranchiaten liegen oft noch mit zusammenhängenden Klappen vor. Diese Merkmale erinnern an Biozönosen von Rasenbildungen ähnlich denen des heutigen Mittelmeeres.

d) Lagunen

Feinsande und grüne Tone mit Attapulgit und Sepiolit entsprechen einer Sedimentation in ruhigem, mehr oder weniger abgeschlossenem Wasser.

Die Fauna besteht aus euryhalinen oder Süßwasserformen. Die Ostrakoden und bestimmte Foraminiferen besitzen dünne und wenig verzierte Schalen. Die Mollusken sind häufig von Zwergwuchs. Dies alles sind Anzeichen eines lagunären Milieus.

IV. Schlußfolgerungen

Die paläontologischen und sedimentologischen Merkmale der Sande des Auversien verweisen sie in den **neritischen** Ablagerungsbereich mit **terrigener** Sedimentation. Von West nach Ost fortschreitend, nähert man sich der Küstenlinie. Die Nähe des Festlandes zeigt sich in den Aufschlüssen in einer Reihe von Veränderungen: die Sedimente werden grober, die Turmalingehalte steigen, die euryhalinen Organismen gewinnen an Bedeutung, die Mikrofauna verarmt, Strandsande und danach Paläoböden treten in Erscheinung.

Nach der geographischen Verteilung der Aufschlüsse bildete das Auversienmeer im Pariser Becken eine in West-Ost-Richtung sich erstreckende Bucht. Die verschiedenen, in der Formation nachgewiesenen Fazien verweisen auf die mannigfachen Aspekte, welche die Sedimentation in einem flachen Küstenbereich mit wechselnder Tiefenlage unter tropischem Klima annimmt. Oberhalb der Wellenbasis bauten sich **Strandwälle** auf. In diesem Gebiet hoher hydrodynamischer Energie sind die Sande grobkörnig, und die Organismen häufen sich zu Thanatozönosen auf. Hinter diesen natürlichen Barrieren entwickelt sich ein ruhigerer Bereich, der die Rasenbildung und den Aufbau eines Strandes mit grabenden Crustaceen und Lamellibranchiaten begünstigt. Eine stärker betonte Isolierung und Süßwasserzuflüsse wandelten diese Bereiche leicht in lagunäre oder lakustrische Milieus um. Auf dem festen Land entwickelten sich Böden und Dünen. Hier waren auch Säugetiere und Süßwassergastropoden verbreitet.

Infolge der Verlagerung der Strandwälle entstand eine enge Verzahnung dieser verschiedenen Fazien. Es ergab sich daraus eine unendliche Variation der Lebens- und Sedimentationsbedingungen. Die zu den hangenden Partien der Formation hin zunehmende Bedeutung der festländischen Einflüsse ist ein Hinweis auf die Meeresregression, die die Episode des Auversien im Pariser Becken abschließt.

Literatur

Perreau M, Pomerol C (1969) Etude paléontologique et paléoécologique du rivage bartonien d'Attainville (Val d'Oise). Bull Soc Geol Fr 11:13–27

Perreau M, Pomerol C (1971) Répartition des tests d'organismes dans les chenaux, dans l'Auversien du Plessis-Gassot (Val d'Oise). CR Somm Soc Geol Fr 367–369

Plaziat JC (1971) Racines ou terriers? Critère de distinction à partir de quelques exemples du Tertiaire continental et littoral du Bassin de Paris et du midi de la France. Conséquences paléogéographiques. Bull Soc Geol Fr 13:195–203

Pomerol C (1964) Origine et conditions de sédimentation des dépôts sableux et argileux dans le golfe bartonien du bassin de Paris. In: Van Straaten LMJU (Hrsg) Deltaic and shallow marine deposits. Elsevier Publ Co Amsterdam, S 323–329

Pomerol C (1965) Les sables de l'Eocène supérieur (Lédien et Bartonien) des bassins de Paris et de Bruxelles. Mem Exp Carte Geol Det Fr 214

Pomerol C (1973) – Stratigraphie et paléogéographie: ère cénozoique (Tertiaire et Quaternaire). Doin, Paris, 269 S

Pomerol C, Feugueur L (1968) Bassin de Paris. Ile-de-France. Guides géologiques régionaux , Masson et Cie, Paris, 174 S (2 Aufl, 1974)

Pomerol C, Trichet J (1969) Présence de grès de plages dans l'Auversien et le Marinésien du Bassin de Paris. CR Somm Soc Geol Fr 129–130

Kapitel 15 Die Höhle der Acheuléen-Jäger des Lazaret

Die Höhle des Lazaret ist in den Hang des Mont Boron auf dem Stadtgebiet von Nizza angelegt. Sie mündet weniger als 100 m von der heutigen Küste des Mittelmeeres. Sie entspricht einer natürlichen Aushöhlung von etwa 40 m Länge und 20 m Breite, die durch Verkarstung eines altquartären Konglomerats entstand, das seinerseits die Ausfüllung einer großen Spalte in Jurakalken darstellt. Die Anhäufung der Quartärablagerungen in der Höhle übersteigt 7 m Mächtigkeit. Die oberen Lagen repräsentieren die Ablagerungen der ausklingenden dritten und letzten Phase der **Rißeiszeit** und der beginnenden **Würmeiszeit**. Im Jahre 1967 wurden sie Gegenstand einer Ausgrabungskampagne unter Leitung von H. de Lumley.

I. Die Grabungsmethoden

Das Prinzip prähistorischer Grabungen besteht darin, in der Horizontalen auf großer Fläche die aufeinanderliegenden Gesteinslage abzutragen und dabei für jede Lage ein Maximum von Belegen über Sedimentation, Fauna und Flora und den Menschen aufzusammeln.

Zu Beginn werden eine **horizontale Bezugsebene**, die der Festlegung der einzelnen Horizonte dient, und ein **numeriertes Bezugsgitter**, das der Lage- und Orientierungsbestimmung der Fundobjekte innerhalb jedes Horizontes dient, festgelegt (Abb. 128). Die Quadrate des Bezugsgitters mit einer Seitenlänge von 1 m werden **Zonen** genannt. In jeder Zone werden die Ablagerungshorizonte nacheinander mit Hilfe eines Spatels oder Pinsels abgetragen. Das entnommene Sediment wird einer sedimentologischen und palynologischen Analyse unterzogen und nach einer Siebung für das Aufsammeln der Mikrofauna verwendet. Die zerbrechlichen Knochen werden imprägniert und nach und nach im Verlauf ihrer Freilegung verfestigt.

Die Gesamtheit der sedimentologischen, paläontologischen und palethnologischen Beobachtungen wird anschließend Lage für Lage auf einem **Plan** im Maßstab 1:5 eingetragen.

Abb. 126. Zusammenfassender stratigraphischer Schnitt der oberen Höhle des Lazaret. (J.C. Miskovsky und H. de Lumley 1969)

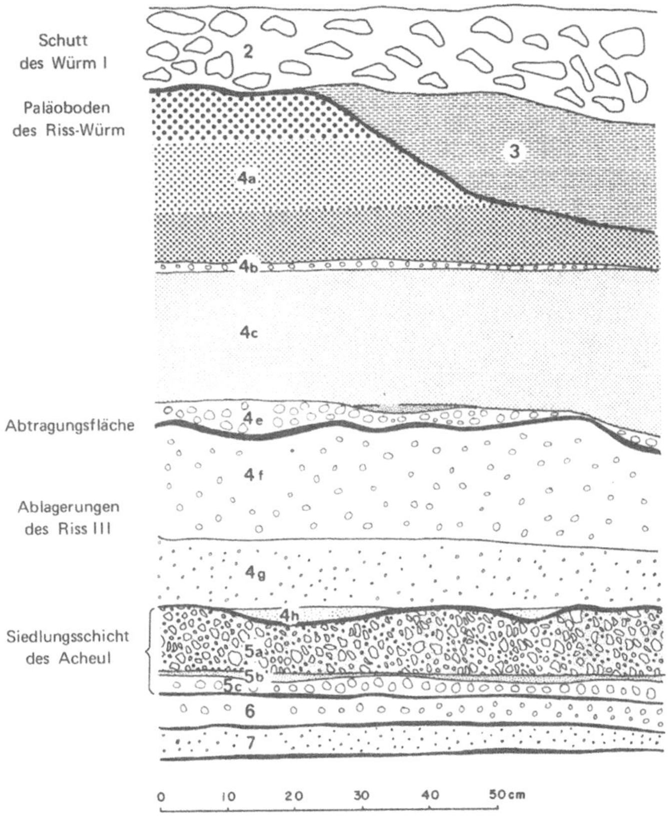

II. Das Sediment

Die im Jahre 1967 in der Grotte des Lazaret durchgeführten Grabungen erstreckten sich auf eine Fläche von rund 55 m². In den oberen Schichten in der Nähe des Höhleneinganges wurden ein Dutzend Niveaus, die insgesamt weniger als 1 m mächtig waren, unterschieden (Abb. 126). Diese Niveaus sind oft unzusammenhängend.

1. Art der Sedimentation

Die Sedimentfüllung der Höhle besteht aus sandigen Tonen von brauner oder gelber Farbe, die mit Geröllen durchsetzt sind. Dieses Material hat einen zweifachen Ursprung.

Die **Grobbestandteile**, Blöcke, Brocken und Grobsande stammen aus der Zersetzung des Höhlendaches und der Wände unter der Einwirkung

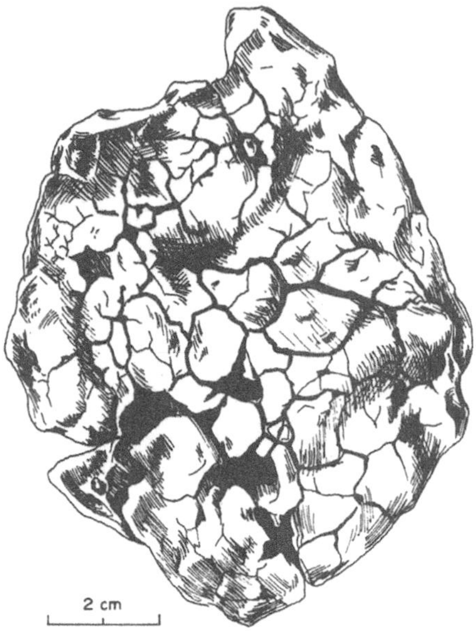

Abb. 127. Vom Frost gerissener Gesteinsbrocken. (Nach einer Fotographie von H. de Lumley 1972)

niedriger Temperaturen. Die Gesteine sind im übrigen oft unter der Frosteinwirkung gerissen (Abb. 127). Diese autochthone Ablagerung charakterisiert die Episoden klimatischer Abkühlung.

Die **Feinfraktion** mit Durchmesser $< 0{,}2$ mm wurde durch rinnendes Wasser entweder durch den Höhleneingang oder aus den Karstspalten ins Innere der Höhle verfrachtet. Das Sediment ist im allgemeinen fein geschichtet. Es wird von kleinen abgeflachten Geröllen durchsetzt, die ebenfalls im Karstnetz entstanden. Dieses allochthone Material ist in den Perioden humiden Klimas häufiger.

2. Die Siedlungsschicht

In den rißzeitlichen Bildungen (Schicht Nr. 5) wurde eine Siedlungsschicht nachgewiesen. Die Sedimentation wurde hier durch die menschliche Tätigkeit stark gestört. Die Schichtung der Feinsedimente wurde zerstört, und die Sande sind schlechter sortiert als in den anderen Horizonten. Stellenweise wurden die Niveaus durch die Begehung durch den Menschen buchstäblich herausgerissen. Die kleinen Gerölle und die vom Frost zerrissenen Steine sind weniger zahlreich in der Siedlungsfläche, während die Gerölle, die am Eingang grober und zahlreicher sind, zweifellos durch die Bewohner eingeschleppt wurden. Aber der beste Beweis menschlicher Besiedlung besteht in der großen Dichte der Geräte und Knochen, die in dieser Schicht aufgesammelt wurden.

3. Die nachrißeiszeitlichen Ablagerungen

Das Interglazial Riß-Würm ist gekennzeichnet durch einen **Paläoboden**, der einen Horizont mit Kalkkonkretionen enthält. Das ist der Beweis einer klimatischen Erwärmung. Darüber erscheint ein **Stalagmitenniveau**, eine kompakte Kalkverkrustung, die die Ablagerungen des Riß-Würm und die des Würm voneinander trennt. Sie läßt auf ein gemäßigtes Klima schließen, das eine starke Verdunstung der Ca-bikarbonatreichen Wässer begünstigt.

Später, während des Würm, versperrten **Solifluktionsströme** den Eingang der Höhle.

III. Die Fauna und die Flora

1. Die Fauna

Die meisten der gefundenen Arten existieren auch heute noch. Das Niveau 5, das die Siedlungsreste des Acheuléen enthielt, erwies sich als besonders reich an Säugerknochen. Es handelt sich vor allem um **Cervideen** (Hirsch, Damwild) und **Caprideen** (Gemse, Steinbock), deren unvollständige Skelette und oft nur als Bruchstücke vorliegende Knochen darauf hinweisen, daß sie von Menschen eingeschleppt wurden. Die **Fleischfresser** sind durch einige Wölfe und Reste des Luchs und des Panthers vertreten.

Häufig sind die Knochen des **Kaninchens**. Sie gehören mindestens 45 Individuen an. Ihre Jagd durch den Menschen wird erkennbar durch Kratzer, die von den Steingeräten auf der Knochenoberfläche hinterlassen wurden.

Reste von **Nagern**, insbesondere von Feldmäusen, stammen aus Gewöllen von Greifvögeln. Diese lebten wahrscheinlich nicht mit den Menschen zusammen. Murmeltiere dagegen wurden gefangen und vom Menschen verzehrt.

Vogelknochen sind sehr zahlreich. Sie gehören zu Tauben (*Columba livia*), Dohlen (*Coracia graculus*), Amseln, Bachstelzen . . . Nach ihrer Verteilung innerhalb der Höhle scheint es, daß die Vögel vom Menschen gejagt wurden.

Kleine **marine Schneckengehäuse**, die zur Ernährung kaum in Frage kamen, wurden in der Siedlungsschicht gefunden. Es handelt sich um Bewohner der küstennahen Algenrasen (*Littorina, Rissoa* . . .). Sie waren zweifellos zusammen mit Algenhaufen, die den Menschen als Schlafstätte

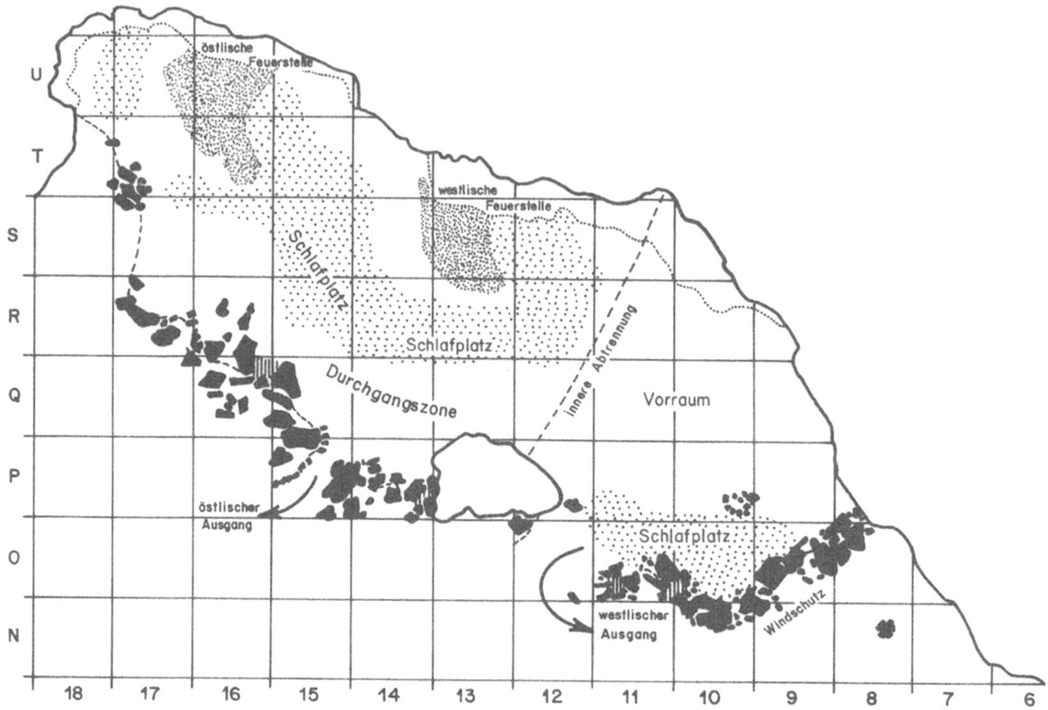

Abb. 128. Aufnahme der Siedlungsschicht des Acheul (Schicht Nr. 5 in der Höhle des Lazaret (H. de Lumley 1969)

dienten, ins Höhleninnere gebracht worden. In den Schalen wurden Foraminiferen gefunden, darunter eine pelagische Art, *Globigerina pachyderma*, die als Form kühler Gewässer gilt.

Verschiedene **Koprolithen** wurden Fleischfressern und dem Menschen zugeordnet.

2. Die Flora

Die der besiedelten Fläche zeitlich entsprechende Flora ist durch die Pollenanalyse des Sediments und durch anatomische Untersuchung der Holzkohle, die von den Feuerstellen des Menschen stammt, bekannt. Die vorherrschende Art ist *Pinus sylvestris*. Manchmal waren die Pollen der Kiefer noch aneinander geheftet. Dies schließt einen längeren Transport aus und beweist, daß diese Koniferen in der Nähe der Höhle wuchsen. Zu den Kiefern gesellten sich verschiedene Laubbäume (Eichen) und krautige Gewächse (Kompositen, Gräser).

IV. Die menschliche Besiedlung

Die Menschenreste in der Höhle des Lazaret beschränkten sich auf zwei Zähne und einen Schädelknochen. Sie reichen nicht aus, um die Physiognomie der Höhlenbewohner zu rekonstruieren. Dagegen gibt es zahlreiche Hinterlassenschaften des Menschen. Sie wurden in Schicht 5 entdeckt, die dem Ende der Rißvereisung entspricht.

1. Die Wohnstätte

Die Geräte und Tierknochen waren nicht in beliebiger Weise auf dem Boden der Höhle verstreut. Sie fanden sich vielmehr konzentriert auf einer rechteckigen Fläche von 11 m Länge auf 3,50 m Breite (Abb. 128). Die Umrißlinie dieser Fläche ist markiert durch Blöcke von 5–30 cm Durchmesser. Eine derartige Verteilung der Gegenstände legt die Annahme eines geschlossenen Raumes nahe, der ihre Verstreuung verhinderte, d.h. eine **verschlossene Wohnstätte**. Die Konstruktion war durch Holzpfosten abgestützt, die durch ringförmig angeordnete Steine festgehalten waren. Nur diese wurden noch in situ gefunden. Querhölzer verbanden wahrscheinlich die vertikalen Stützen untereinander. Das Ganze dürfte von **Fellen** abgedeckt gewesen sein, wodurch sich die Menschen zugleich gegen Kälte und Feuchtigkeit, die von Decke und Wänden rieselte, schützen konnten. Außerdem schützte eine kleine Steinmauer, die gegenüber dem Eingang zur Höhle angelegt war, gegen die Stürme, die vom Meer herwehten.

Die Einfassung aus Steinen, die die Basis der Felle am Boden festhalten sollte, ist an zwei Stellen unterbrochen, die ohne Zweifel den **Eingängen** entsprechen. Die bedeutendste Öffnung war zum Hintergrund der Höhle hin orientiert. Eine Trennwand, die wahrscheinlich ebenfalls aus Häuten bestand, teilte die Wohnstätte in zwei ungleich große Räume.

Im Innern der Wohnstätte wurden zwei kleine **Feuerstellen** nachgewiesen, die im Ton des Bodens eingelassen waren und vermutlich der Heizung des Zeltes dienten. Die großen Herdstellen für die Zubereitung der Nahrung müssen sich außerhalb befunden haben. Knochen und Geräte waren dichter angereichert nahe den Feuerstellen. Eine **Durchgangszone** wurde nachgewiesen, in der die Gegenstände von den Füßen der Menschen beiseite geschoben und dabei grob etwa in Richtung der Durchgänge angeordnet worden waren. Das Vorkommen kleiner mariner Schalentiere, die normalerweise auf dem Tang der Küstenregion festgeheftet sind, gibt die Stellen der **Schlafplätze** an; sie sind vor allem um die Feuerstellen gruppiert. Ihre Verteilung stimmt etwa überein mit der der Endknochen

1 2 3 4

Abb. 129. Acheul-Industrie aus der Höhle des Lazaret. (H. de Lumley 1969). *1* Steinspitze (× 0,75); *2* Steinklinge (× 0,75); *3* Steinkratzer (× 0,75); *4* Knochenstichel (× 0,75)

von Pelztierextremitäten (Carnivoren). Dies läßt vermuten, daß die Schlafstätten von Fellen bedeckt waren, die nur grob und unter Bewahrung der Gliedmaßen bearbeitet waren.

Zusammenfassend läßt sich annehmen, daß die Wohnstätte des Acheul-Menschen aus einem großen **Zelt** bestand, das innerhalb der Höhle eingerichtet war (Abb. 130).

2. Die Geräte

Die Menschen, die in der Grotte des Lazarets lebten, haben auf dem Boden zahlreiche **Steingeräte** und einige **Knochengeräte** hinterlassen (Abb. 129).

Die Steinwerkzeuge wurden durch Behauen von Blöcken und Geröllen harter Gesteine (Feuerstein, Sandstein, Kalke) gewonnen, die man in den Alluvionen der benachbarten Flüsse gesammelt hatte. Die Abschläge wurden dann unregelmäßig retouchiert und als Kratzer, Schaber, Klingen . . . benutzt. Die Technik und Typologie dieser Industrie verweisen sie ins **obere Acheul**.

3. Die menschlichen Aktivitäten

Die Hauptbeschäftigung der Bewohner der Höhle des Lazaret war die **Jagd**. Nach den am Zeltstandort gefundenen Knochen bestand die Jagdbeute aus verschiedenen Tieren: Hirsch, Damwild, Steinbock, Gemse, Luchs, Wolf, Fuchs, Murmeltier . . . Die Menschen benutzten Waffen mit Steinspitzen, aber fingen die kleinen Säugetiere und die Vögel mit Hilfe von **Fallen**. Die Jagd auf die großen Raubkatzen, wie den Panther, benötigte das Zusammenwirken mehrerer Jäger. Sie verlangt nach einer **sozialen Organisation**.

Die Beute mußte außerhalb der Höhle zerlegt und zubereitet worden sein. Im Innern seines Zeltes bereitete der Mensch die **Felle und Häute** zu. Zahlreiche Knochensplitter dienten zweifellos zu dieser Beschäftigung. Um die Häute zusammenzufügen oder auch zur Fallenherstellung benutzten sie Sehnen von Säugern. Insbesondere die auf den Tibias zahlreicher Kaninchen sichtbaren Kratzstreifen rühren von der Abtrennung der Sehnen mit Hilfe von Steingeräten.

Was das **Zurechtschlagen** der harten Gesteine betrifft, so mußte es sich außerhalb der Höhle bei Tageslicht vollzogen haben. Nur das Retouchieren der Gesteine wurde im Zeltinnern vorgenommen.

4. Dauer der Besiedlung

Die Dauer der Besiedlung der Lokalität konnte genau bestimmt werden. In der Tat fanden sich unter den Überresten der Mahlzeiten im unteren Niveau der Schicht fünf junge Steinböcke von einem Lebensalter von fünf Monaten. Steinböcke werden nun in der Regel gegen Mitte Juni geboren. Dies läßt darauf schließen, daß die Menschen den Schutz der Höhle im Verlauf des Monats **November** aufgesucht haben, um dort zu überwintern. Das obere Niveau der Schicht 5 enthält Reste von Murmeltieren, die der Mensch getötet hatte. Diese Tiere erwachen zu Beginn des Frühlings aus dem Winterschlaf und verlassen ihre Baue. Kurze Zeit später gegen **Mitte April**, verließen die Menschen die Höhle endgültig. Ihr kurzer Aufenthalt von fünf Monaten in der Höhle ermöglichte ihnen, die schlechte Jahreszeit zu überbrücken, um dann wieder ihr Nomadenleben aufzunehmen. Beim Verlassen der Höhle legten die Jäger einen Wolfsschädel in die Nähe des Eingangs. Vielleicht hat diese Handlung magische Bedeutung. Die Abfälle der menschlichen Mahlzeiten zogen in der Folge eine Menge von Nagetieren und Fleischfressern an, die an den Knochen ihre Freßspuren hinterließen. Danach ergriffen die Greifvögel, erkennbar an ihren Gewöllkugeln, wieder Besitz von der Höhle.

V. Das Klima

Die relative Häufigkeit von **durch Frosteinwirkung gerissenen Steinen** im Sediment des Spät-Riß läßt drei kurze Perioden klimatischer Abkühlung erkennen, von denen die strengste mit dem Aufenthalt der Menschen zusammenfällt. Die Temperaturen, die heute während des Winters im Innern der Höhle herrschen, liegen immer deutlich über den Außentemperaturen. Damit der Frost im Höhleninnern Gesteine sprengen konnte, mußten daher schon sehr tiefe Wintertemperaturen vorgelegen haben, so wie man sie heute an der Mittelmeerküste nicht kennt. Jedoch das Feinsediment in allen Niveaus, das durch rieselndes Wasser antransportiert worden war, läßt vermuten, daß das Klima immer humid geblieben war.

Die große Mehrheit der tierischen und pflanzlichen Arten, die im Bodenniveau der Siedlungsfläche gefunden wurden, bezeugt ebenfalls ein Klima, das deutlich kühler war als das heutige Klima der Gegend von Nizza. Dies trifft besonders zu für die Gemse, den Steinbock, das Murmeltier, den Wolf und unter den Pflanzen für die Waldkiefer. Aber Funde von einigen Amphibienknochen schließen sehr große Kälte jedoch wiederum aus.

Die Analyse der Sauerstoffisotope 0_{16} und 0_{18} in den Karbonaten mariner Schalen bestätigt diese Schlußfolgerung: die Temperatur des Meeres war im Mittel um 6° niedriger als heute.

Zusammenfassend läßt sich feststellen, daß gegen Ende der Riß-Kaltzeit das Klima der Gegend von Nizza **kühl-gemäßigt** war. Es war feuchter in Herbst und Winter, wo die Temperaturen deutlich unter 0° abfielen. Der Sommer dagegen dürfte warm und sonnig gewesen sein.

VI. Schlußfolgerung

Gegen Ende der Riß-Vereisung, etwa vor 130 000 Jahren, suchte eine Gruppe des Acheul-Menschen, eine Familie oder eine Sippe, Zuflucht in der Höhle des Lazaret. Diese stellte zugleich einen Schutz gegen die harten Witterungsbedingungen und einen Beobachtungsposten zur Überwachung der Küste dar. Sie erbauten dort einen zeltartigen Ruheplatz, der von Tierhäuten abgedeckt war, und richteten Herdstellen und Schlafplätze ein. Auf den Hängen des Mont Boron wuchs ein Kiefernwald. Weiter entfernt erstreckte sich ein Eichenmischwald, in dem Hirsche und Damwild lebten. Im Unterholz und Gebüsch lebten zahlreiche Kaninchen. Auf den Bergen

Abb. 130. Rekonstruktion der Acheul-Hütte in der Höhle des Lazaret. (H. de Lumley in J. Chaline 1972)

waren Steinböcke, Gemsen und Murmeltiere heimisch. Die Jäger fanden so ihre Beute nicht weit von ihrer Wohnstätte entfernt (Abb. 130).

Sie hatten sich zu Beginn eines strengen Winters, in dem die Außentemperaturen spürbar unter 0° gefallen waren, eingefunden und nahmen ihr herumstreifendes Leben mit Eintritt der warmen Saison wieder auf.

Der Mensch erscheint vor einigen Millionen Jahren. Mit Hilfe der Technologie gewinnt er immer größeren Einfluß auf die Landschaft. Er verändert ihren Charakter und beeinflußt, oft zu seinem Vorteil, manchmal aber auch zu seinem Nachteil, die natürlichen Vorgänge der Sedimentation und die Aktivität der Lebewesen. Hier überläßt der Geologe das Feld dem Historiker.

Literatur

Chaline J (1972) Le Quaternaire. L'histoire humaine dans son environnement. Doin, Paris, 338 S

Lumley H de et al. (1969) Une cabane acheuléenne dans la grotte du Lazaret (Nice). Mem Soc Prehist Fr 7:235

Lumley H de et al. (1972) La grotte de l'Hortus (Valflaunès, Hérault). Les chasseurs néandertaliens et leur milieu de vie. Elaboration d'une chronologie du Würmien II dans le Midi méditerranéen. Etud Quat Mem 1:668

Piveteau J (1973) Origine et destinée de l'homme. Masson et Cie, Paris, 173 S

Anhang I Leitfaden für die paläoökologische Untersuchung von Fossillagerstätten

Die Fossilien

1. Lage für Lage eine Liste erstellen über qualitatives und quantitatives Auftreten von Makrofossilien, Mikrofossilien und Anzeichen biologischer Tätigkeit.
2. Die Anordnung der Organismen im Sediment feststellen:
   - ihre Orientierung (Fossilien in Lebensstellung, Einregelung unter dem Einfluß einer Strömung, Schräglage in Bezug zur Schichtung . . .)
   - ihre Konzentration (Linsen, Konkretionen . . .);
   - Vorhandensein einer Größenverteilung (Häufigkeitskurve);
   - ihr Erhaltungszustand (Zerfall der Hartteile, Abnutzung, Bruch . . .)
   - eventuelle Anzeichen einer Aufarbeitung (Sedimentfüllung von Schalen, Faunen- und Florenmischung).
3. Anpassungsmerkmale der Organismen in bezug auf die physikalisch-chemischen Bedingungen erfassen (Eigenschaften des Substrats, Salinität, Wasserturbulenz . . .).
4. Organismengemeinschaften feststellen (Epizoen, Epiphyten).
5. Besonderheiten der Fossilisation vermerken (Weichteilkonservierung, Lösungserscheinungen, Mineralisationen . . .).

Das Sediment

1. Petrographie und Granulometrie der einschließenden Sedimente ermitteln.
2. Merkmale der Grob- und Feinschichtung beobachten.
3. Sedimentfiguren aufnehmen (Rippelmarken, Fließmarken, synsedimentäre Kleinfältelung . . .) und ihre Verbreitung innerhalb der Schichten festhalten.
4. Eventuell die Strömungsrichtungen bestimmen.
5. Die sedimentäre Abfolge und die Verteilung der Fossilien innerhalb der Abfolgen ermitteln.

Interpretation der Sedimentationsbereiche und Lebensräume

1. Die Umwelt definieren (Meer, See, Flußnetz . . .).
2. Physikalisch-chemische Eigenschaften der Lebensräume bestimmen (Wassertiefen, hydrodynamische Verhältnisse, Sedimentationsraten, Klima . . .).
3. Tierische und pflanzliche Populationen rekonstruieren.
4. Die Fossilisationsschritte analysieren.

Anhang II Zusammenfassende Tabelle der hauptsächlichen Umweltkriterien

	Umweltcharakter	Sediment	Fossilien
Salinität	marines Milieu	Mineralien: Glaukonit, Berthierin Geochemie der Tone: Bor > 100 ppm Gesteine: Karbonate häufig	stenohaline Fauna, mannigfaltige Populationen
	brackisches oder hypersalines Milieu	Mineralien: Evaporite	euryhaline Fauna, verarmte Populationen
	Süßwassermilieu	Geochemie der Tone: Bor < 100 ppm fluviatiler Bereich: unimodale Strömungen	Süßwasserfauna und -flora
Bathymetrie (Wassertiefen)	Tiefenwasser	feinkörnige Sedimente Turbidite	Plankton – carnivore Organismen – Fraßspuren
	Flachwasser	Grobsedimente (Sande, Oolite . . .) Oszillationsrippel, Rieselmarken, Flaserschichtung, bogige Schrägschichtung	grüne Pflanzen – pflanzenfressende Organismen, Wohnbauten, Ruhespuren, Bewegungsspuren (Vertebraten, Tetrapoden, Vögel)
	Intertidale Zone	Häufigkeit von Dolomit, Strandsandsteine, zellige Struktur, Trockenrisse, bimodale Paläoströmungen	Algenbauten (Stromatolithe), sessile oder endobiotische Organismen (vertikale oder schräge Bauten)
	aufgetauchte Gebiete	Paläoböden – Trockenrisse	terrestrische Faunen und Floren, Eiablagen-Wurzeln in situ

	Umweltcharakter	Sediment	Fossilien
Wasser-Turbulenz	bewegtes Wasser	gerundete Körner-Sparitbindemitte gradierte Schichtung-Erosionsfiguren und Strömungsfiguren – schräge Schichtung	Strudler, massive Formen, zerlegte, abgenutzte, sortierte, orientierte Fossilien
	ruhiges Wasser	Ton – Mikrit Horizontale Schichtung	Detritusfresser Kotpillen, verzweigte Formen, Fossilien gut erhalten
Wasser-belüftung	Sauerstoff-haltiges Milieu	Mineralien: Eisenoxyde häufig Rotfärbung	Benthos und Endofauna reichlich
	anaerobes Milieu	Mineralien: Pyrit, Siderit wenig zersetzte organische Substanz	Benthos und Endofauna fehlend Fossilien gut konserviert
Temperatur	warmes Klima	auf dem Festland: intensive Verwitterung aquatischer Bereich: häufig kalkige Ablagerungen und Evaporite	dicke Kalkschalen Riffbildungen
	kaltes Klima	glaziale Erosion und Periglazialerscheinungen	dünne Kalkschalen Kieselorganismen häufig
Substrat	verfestigt	mineralisierte Oberflächen	bohrende und inkrustierende Organismen
	locker		grabende Organismen
Sedimentationsraten	hoch	Wickelstrukturen Entgasungsstrukturen	Fossilien schräg liegend zur Schichtung – gute Erhaltung der Organismen
	niedrig	verhärtete Oberflächen	verwitterte Fossilien

Anhang III Stratigraphische Lage einiger europäischer Fossillagerstätten

(Die Zahlen in Millionen Jahren bezeichnen den Beginn der betreffenden Epochen)

	Perioden		Festländische Vorkommen	Marine Vorkommen
Quartär – 2 Mio J	Holozän Pleistozän		Dordogne (Lascaux) Languedoc (Hortus) Meeralpen (Le Lazaret) Dordogne (Les Eyzies) Rhonetal (St. Vallier)	
Tertiär	**Pliozän** – 5 Mio J		Harz (Willershausen)	
	Miozän – 25 Mio J		Griechenland (Pikermil) Bodensee (Öhningen)	Touraine: Schill
	Oligozän – 37 Mio J		Quercy: Phosphorite Bernstein der Ostsee Aix-en-Provence	
	Eozän – 65 Mio J	oberes	Gard (Robiac)	Pariser Becken: Schill, Gips
		mittl.	Elsaß (Bouxwiller) Hessen (Messel) Sachsen (Geiseltal)	Vicentin (Bolca)
		unteres	Marne (Sezanne)	

	Perioden		Festländische Vorkommen	Marine Vorkommen
Mesozoikum	Kreide – 140 Mio J	obere		Rudistenriffe: Aquitaine, Corbieres (montagne des Cornes) Provence (Martigues)
		untere	Hainaut (Bernissart)	
	Jura – 200 Mio J	Malm	Portugal (Guimarota)	frz. Jura (Cerin) Bayern (Solnhofen) Yonne (Riffe d. Oxford), Spanien (Sierra de Montsech)
		Dogger		Moselhöhen (Lothr.)
		Lias		Württemberg (Holzmaden)
	Trias – 230 Mio J	obere		Ostalpen (Hoher Göll) San Cassiano
		mittlere		Katalonien (Montreal) Tessin (Monte San Giorgio)
		untere	Vogesen (Voltziensandstein)	

	Perioden	Festländische Vorkommen		Marine Vorkommen
Paläozoikum	**Perm** – 280 Mio J	frz. Zentralmassiv (Autun)		
	Karbon – 345 Mio J	frz. Zentralmassiv, Saar, frz.-belg. Becken (Kohlebecken)		
	Devon – 395 Mio J	oberes	Schottland (Achanarras)	Ardennen (Riffe des Frasnien)
		unteres	Schottland (Rhynie)	Hunsrück
	Silur – 430 Mio J			Schweden (Riffe auf Gothland)
	Ordovicium – 500 Mio J			Anjou (Angers) Norwegen (Oslo)
	Kambrium – 570 Mio J			Böhmen (Jince)

Sachverzeichnis

GPSR Compliance

The European Union's (EU) General Product Safety Regulation (GPSR) is a set of rules that requires consumer products to be safe and our obligations to ensure this.

If you have any concerns about our products, you can contact us on ProductSafety@springernature.com

In case Publisher is established outside the EU, the EU authorized representative is:

Springer Nature Customer Service Center GmbH
Europaplatz 3
69115 Heidelberg, Germany

Batch number: 10683525

Printed by Printforce, the Netherlands